經學研究論叢

◆第十輯◆

林慶彰主編
張穩蘋編輯

臺灣 學生書局 印行

編者序

　　本期稿件有需說明者如下：

　　前代經學史對魏晉經學的特質一直未有較明確的論述。葉純芳的〈魏晉經學的定位問題〉一文，詳細論證魏晉時代的經學是古學極盛的時代，可彌補當前各種經學史敘述的不足。

　　濱久雄先生著、金培懿譯的〈清代公羊學的繼承──莊述祖的學問與思想〉，是從濱久雄先生所著《公羊學の成立とその展開》（東京：國書刊行會，平成４年６月）第二部第二章翻譯而成。濱久雄先生以爲莊述祖繼承了莊存與的學問，是常州《公羊》學所以發皇的關鍵人物。本人也贊同此一說法，所以將濱久雄先生之大文，請金培懿博士譯出。

　　張寶三教授的〈論訓詁學研究與儒家注疏之關係〉，以中國出版數種訓詁學專著爲例，舉例說明不明經典注疏體例，將產生不少誤讀、誤用的情形，也將使各訓詁條例的舉例失當，這點值得研讀古籍和研究訓詁學的學者深思。

　　連清吉教授的〈九州二儒岡田武彥先生與荒木見悟先生於宋明理學的詮釋〉一文，介紹楠木正繼教授的兩大弟子岡田武彥先生和荒木見悟先生研究宋明理學的成果，以爲兩位先生繼承楠木教授的學風，使九州大學成爲日本研究宋明理學的重鎮。

　　倪德衛教授著、邵東方教授譯的〈三代年代學之關鍵：「今本」《竹書紀年》〉一文，是研究今本《竹書紀年》的力作，透過倪德衛教授的研究，許多前人研究三代年代的疑問，也有了較合理的解答。

　　除上述賜稿者外，其他賜稿者有張建軍、張其昀、侯美珍、陳靜慧、周美華、饒龍隼、張惠貞等，及撰寫出版資訊的陳邦祥、何淑蘋、簡逸光、李鴻儒、劉康威、王清信、葉純芳、許馨元、謝旻琪等數位學弟，在此一併致謝。

二〇〇二年一月　林慶彰　誌於
中央研究院中國文哲研究所

經學研究論叢 第十輯

目　次

經 學 研 究 論 叢
第 十 輯　　頁1～8
臺灣學生書局　2002 年 3 月

鄭、王異同辨（一）

安井小太郎著、金培懿譯*

　　魏高貴鄉公甘露元年四月，帝幸太學，策問諸儒《周易》、《尚書》、《禮記》之義。問曰：「孔子作彖象，鄭玄作注，雖聖賢不同，其所釋經義一也。今彖象不與經文相連，而注連之，何也？」《易》博士淳于俊答：「鄭玄所以合彖象於經，爲使讀者易讀之。」帝更問曰：「合之若方便，則孔子爲何不合？」俊如下答曰：「如合之，以恐與文王混同，故謙而不敢也。」帝曰：「如聖人尙謙而不合，玄何故不謙？」俊不能答。帝又問曰：「鄭玄云：『稽古同天，言堯同于天也。』王肅云：『順考古道而行之』二義不同，何者爲是？」博士庾俊曰：「先儒各有其說，臣不足知之，然若以〈洪範〉有「三人占從二人之言」，雖賈逵、馬融、王肅皆解爲『順考古道』，肅說近是。」帝又曰：「《論語》中孔子有言『唯天爲大，唯堯則之』，堯之美在於則天，順考古道者捨其大，近於稱其細，果是作者之意乎？」俊亦不能答。

　　如果說鄭玄是於建安五年去世的話，那麼到了甘露元年便已過了五十七年。這五十七年間，到了能夠以鄭玄的注來作爲太學的策問，這足以證明鄭玄的說法已普及於一般，並成爲經說上之標準。西漢末年，自劉歆提倡古學以來，到東漢已有賈逵、李育、范升、衛宏、許愼、馬融等皆治古學，且其學大爲流行。及鄭康成崛起之後，益探究其蘊奧，著有《箴膏肓》、《起廢疾》、《發墨守》，排今學而主張古學。於是伏生、大小夏侯、齊、魯、韓等今學皆斂其跡，古學成獨步之勢。

---

*　金培懿，國立雲林科技大學漢學資料整理研究所助理教授。

賈、馬、鄭三氏皆為古學大家，至康成獨專其功。賈氏治《春秋》一家之學，馬氏亦止於《周易》、《尚書》、《周官》、《論語》，並不涉及其它諸經。至於鄭康成，則談《周易》、《尚書》、《毛詩》、《周官》、《儀禮》、《禮記》、《論語》、《孟子》、《尚書大傳》、《孝經》，在諸經之中，惟獨《春秋三傳》無有註釋。然而如果根據一般的說法，服虔的《左傳注》是根據康成之說而成書的。阮孝緒的《七錄》中有舉出康成的《春秋左氏分野》、《春秋十二公》，如果是這樣，則很難說康成沒有《春秋》方面的著述。誠如上述，康成涉於諸經並下注解，打破了西漢以來專治一經的陋習，所謂鄭氏之學者崛起。鄭康成以一家之說，得以學習諸經，於是一世之學者，遂為鄭氏所風靡。王邵《史論》中的「郗父康成兄子慎，寧道聖誤，諱言鄭服非。」蓋當時之實情。王粲也說過：「世稱伊雒以東、淮漢以北，康成一人而已。咸言先儒義多闕，鄭氏道備。」王肅在《家語》序中有：「鄭學之行五十年」，皆足以證鄭氏學問之盛行。康成以前，經學之爭多，其所爭多在古、今學之是非。至於康成，以古學一定經說，變其爭為古學中之爭。虞翻、王肅、李譔等為其嚆矢。虞翻於上孫權之奏記中以為：康成把《尚書·顧命》中的「同帽」解作「酒杯」、「洮頮」解作「浣衣」；把《堯典》的「卯谷」解作「昧谷」，「分別」解作「分北」，皆為非論。又其所注五經中，因違義者有一百六十七條。虞翻於是請皇上下詔正之（虞翻為治《孟子》、《易》的古文家），此即為古學者駁鄭氏之始。然而，「同帽」之說卻不同於《正義》中所引的鄭玄的說法，鄭玄有關「浣衣」、「分北」的說法亦未見於《正義》，「昧谷」古文作「卯谷」，鄭氏則將之改為「昧谷」。其它虞翻所謂的一百六十七條所指為何？實不詳。其次反駁康成的是王肅，王肅反駁康成的論據有數百條之多，從《聖證論》來看，就有六十八條。但王肅的諸經注及《聖證論》皆散逸，可徵明者，僅引用於《正義》者及《孔子家語》而已。根據此二書，筆者乃舉出有關大義者數條，論其異同。繼王肅之後反駁康成的有李譔，譔仕蜀後主，有《古文易》、《毛詩》、《三禮》、《左氏傳》、《大玄指歸》等著作，其學「皆依準賈、馬，異於鄭氏。」於鄭、王之外獨樹一幟，因其著作不傳，不能徵證。因李譔乃卒於景耀年中，較王肅晚四、五年而卒，古文家之間雖紛爭如此，其說不能歸一，六朝經學遂併存各家，人人各憑其所好。《隋志》中《易》有馬、鄭、二王四家《集解》十

卷，《毛詩》有鄭玄、王肅合注二十卷，由此足可知其一斑。故今筆者於此敘鄭、王之異同，以明東漢古文學之分歧，以至於唐《正義》所以作之淵源（拙作《異同辨》中共舉二十六條以見鄭、王之異同，在此則舉出「禘郊」、「武王崩時成王之年齡」、「廟數」、「嫁娶之年齡及婚時」、「三年喪期」等五事來進行論述。）

禘　郊

《禮記·祭法》曰：「有虞氏禘黃帝而郊嚳，祖顓頊而宗堯。夏后氏亦禘黃帝而郊鯀，祖顓頊而宗禹。殷人禘嚳而郊冥，祖契而宗湯。周人禘嚳而郊稷，祖文王而宗武王。」

鄭玄曰：「禘郊祖宗，謂祭祀以配食也，此禘謂祭昊天於圓丘也。祭上帝於南郊曰郊，祭五帝五神於明堂曰祖宗，祖宗通言爾。」

大傳曰：「禮不王不禘，王者禘其祖之所自出，以其祖配之。」鄭玄云：「凡大祭曰禘，大祭其先祖所由生，謂郊祀天也。王者之先祖，皆感大微五帝之精以生，蒼則靈威仰、赤則赤熛怒、黃則含樞紐、白則白招拒，黑則汁光紀，皆以歲之正月郊祭之。《孝經》曰：郊祀后稷以配天，配靈威仰也。宗祀文王於明堂，以配上帝，汎配五帝也。」

孔穎達云：「鄭氏謂天有六天，天爲至極之尊，其體祇應是一也，而鄭氏以爲六者，指其尊極清虛之體，其實是一。論其五時生育之功，其別有五，以五配一，故爲六天。據其在上之體謂之天，天爲體稱。故《說文》云：天，顚也。因其生育之功謂之帝，帝爲德稱也。故《毛詩傳》云：審諦如帝，故《周禮·司服》云：王祀昊天上帝，則大裘而冕，祀五帝亦如之，五帝若非天，何爲同服大裘？又〈小宗伯〉云：兆五帝於四郊。〈禮器〉云：饗帝於郊而風雨寒暑時，帝若非天焉能令風雨寒暑時。又《春秋緯》，紫微宮爲大帝。又云：北極耀魂寶。又云：「大微宮有五帝坐星，青帝曰靈威仰，赤帝曰赤熛怒，白帝曰白招拒，黑帝曰汁光紀、黃帝曰含樞紐。是五帝與天帝六也，又五帝稱上帝。故《孝經》曰：嚴父莫大於配天，則周公其人也，下即云：宗祀文王於明堂，以配上帝，帝若非天，何得云嚴父配天也？」（《禮記正義·郊特牲》）

鄭玄以祭昊天於圓宮者爲「禘」，祭上帝於南郊者曰「郊」，因此「禘」、

「郊」同爲祭昊天或上帝之名稱。明明如此，〈祭法〉中卻有「禘黃帝而郊帝嚳」之文，與祭昊天上帝不同類，因而乃創配祀之說。「祖顓頊而宗堯」的「祖」、「宗」，解爲「配祀」，斷定說：「祭五帝、五神於明堂曰祖宗」。又引《孝經》的「郊祀后稷以配天」，以爲「配祀」之佐證。以「禘祭」屬於「昊天」，將「其祖之所自出」，解爲與天有關之五星，以之爲「感生帝」。「感生帝」之說乃出自《春秋緯》一事，《正義》所說甚明，接著筆者舉王肅之說如下：

《正義‧祭法》引王肅之《聖證論》，舉王肅非難鄭玄者數條。曰禘爲宗廟五年祭之名，禘其祖之所自出，以其祖配之，謂有虞氏之祖，出自黃帝，故以顓頊爲祖，以黃帝配之。如依《五帝本紀》，黃帝爲有虞氏九世之祖，祭七世祖顓頊時，配之以黃帝，可謂得《禮》之宜者。又相對於鄭玄所謂的「祭五帝五神於明堂曰祖宗」，《禮記正義》載有：「祖有功、宗有德」，〈祭法〉中的「祖顓頊而宗堯」的祖、宗，乃在言「其廟不能毀」，並非在言祭祀之名。又，對鄭玄的「祭昊天於圜丘」、「祭上天於南郊」之說，王肅以爲「郊」與「圜丘」乃同一地，並非兩處，以所在而言郊、以所祭而言圜丘。〈郊特牲〉中的「周之始郊也，日以至。」王肅引《周禮》中的「冬至祭天圜丘」，以爲其證。又對於鄭玄之六天說，王肅則說：「天唯一而已，何得有六？」（筆者於該段引文中，亦援引了《正義‧郊特牲》中，孔穎達引王肅《聖證論》之言。）

按：鄭、王二氏立說之所異，在於禘、郊之解，鄭氏解「禘」爲祭天之名，王氏則以之爲廟祭之名，相同的是兩人皆不以「郊」爲廟祭。但是不同的是：鄭玄以爲「昊天」與「上帝」乃不同之物；王肅則將「圜丘」與「郊」解爲同一之物。王肅解「郊」爲祭天。雖然筆者不知道〈祭法〉中的「郊嚳郊鯀」該作何解。然而因爲〈郊特牲〉中有「萬物本乎天，人本於祖，此所以配上帝也。郊之祭也，大報本反始也。」則我們不可不說：郊祭時配祀祖宗一事，於古禮已有所據。《孝經》中的「郊祀后稷以配天」即指此事。「禘」通常解作「廟祭之名」一事，散見於諸書之中，鄭氏所以將之解爲「祭天之名」，乃因《爾雅‧釋天》中有「禘，大祭

也。」或許因「禘」之名在〈釋天〉中，故鄭玄乃將之解爲「祭天之名」。然《春秋》、《論語》等皆將之解爲「廟祭」，將之解作「祭天」者，實非一般之解釋。只因在〈釋天〉中有「禘」字，便直接將之解爲「祭天之名」一事，實有失武斷。而將「郊」解爲「祭天之名」，鄭、王二氏並無異議，只是在被祭祀的主體方面，鄭玄以爲被祭者是大微五帝之六天，王肅則以爲被祭者是天神，因而不說感生帝，此乃二者僅有的差異。因爲有「其祖之所自出」一文，此乃指祖先之事，再明白不過，然而鄭玄卻將之視爲感生帝，並將之歸屬於天，此乃因鄭玄拘泥於〈釋天〉中有「禘」字所導致的結果。而〈祭法〉之解，又以王肅之說爲優。鄭玄所以將之解爲配祀祖宗之名，是因爲其將「禘郊」解爲「配祀」，故不得不解作如此，此乃所謂強爲之解者，爲無所依據之言也。

　　接著，說到「圜丘」與「郊」之異同如何時，《周禮・大司樂》載有：「冬至，於地上之圜丘奏之，若樂六變，則天神皆降。」接著有「於方澤祭地祇」之文，鄭玄以爲「圜丘」與「方澤」相對，爲祭天神地祇之處。鄭玄該注中，以天神爲五帝及日月星辰，然〈大宗伯〉「祀昊天上帝」之注釋中所說的：「昊天上帝者，冬至於圜丘所祀之天皇大帝」，又〈大宗伯〉之「旅上帝及四望」，〈典瑞〉之「四圭有邸，以祀天旅上帝。」的「上帝」，都作「五帝」解。〈大司樂〉中的「於圜丘祭天神」，鄭玄解作五帝及日月星辰，而〈祭法〉中的「禘」字，鄭玄則解之爲：「此禘祭昊天於圜丘也。祭上帝於南郊曰郊。」在鄭玄自己的說法中，已互相有其不通之處，〈周官〉中只有祭天神於圜丘；所謂祭昊天於圜丘者，經傳皆無此文，鄭說可疑。而鄭玄以「郊」爲祭天之名，因經傳有明文記載，故無有可疑之處。只是像鄭玄這樣，將「郊」解作只有祭上帝；又或者像王肅那樣，將「郊」視爲是與圜丘相同，諸如此類說法，皆須作進一步的考察。而欲確定此問題，則必須確定郊祭的時期。故筆者另立郊祭之時期爲一題目，如下詳說之。

　　〈郊特牲〉曰：「郊之祭也，迎長日之至也。」

　　鄭注曰：「《易》說曰：三王之郊一用夏正，夏正建寅之月也。」

　　又曰：「郊之用辛也，周之始郊日以至。」

鄭注曰：郊天之月而日至魯禮也，三王之郊一用夏正。魯以無冬至祭天於
圜丘之事，是以建子之月郊天，示先有事也。用辛日者，凡爲人君，當齋
戒自新耳。周衰禮廢，儒者見周禮盡在魯，因推魯禮以言周事。

　　鄭說以爲雖然三王郊祭之時期，皆在夏正建寅之月，但是魯則在夏曆十一月
的冬至月進行郊祭，然而因爲有「周之始郊也」，所以不可能爲魯禮，故鄭玄乃以
「周衰禮廢」等等之說補充之也。

王肅曰：〈郊特牲〉曰：郊之祭也，迎長日之至也。下云周之始郊日以
至，玄以爲迎長日謂夏正也，郊天日以至。玄以爲冬至之日，說其長日至
於上，而妄爲之說，又徙其始郊日以至於下，非其義也。玄又云：周禮衰
微，儒者見周禮盡在魯，因推魯禮以言周事。若儒者愚人也，則不能記此
禮也。苟其不愚，則不得亂於周魯也。（《正義·郊特牲》）

　　王肅以圜丘與郊相同（說如上），圜丘之時期在冬至一事，因爲〈周官〉中
已有明文記載，故「郊」之時期亦在冬至一事，無須多論。王肅之說乃據「周之始
郊也日以至」一文而來。然《左傳》中有「啓蟄而郊」，與「冬至郊天」相互呼
應，故立「二郊說」，曰：「魯冬至郊天，至建寅之月又郊以祈穀，故《左傳》
『啓蟄而郊』。」又云：「郊祀后稷以祈農事，是二郊也。」（《正義·郊特
牲》）

　　按：郊祭之時期，根據「迎長日之至」和《左傳》「啓蟄而郊」來看，似乎
應該是在春分前後，鄭玄則說周氏之郊雖在夏正建寅之月，在魯則是在冬至舉行。
如按《春秋》，魯郊通常也是在啓蟄前後舉行。

僖公三十年夏四月，四卜郊不從。
宣公三年正月，郊牛之口傷，改卜牛不從，乃不郊。
成公七年正月，鼷鼠食郊，牛角改，卜牛。
成公十年四月，五卜郊不從，乃不郊。

成公十七年九月，辛丑用郊。

襄公七年四月，三卜郊不從，乃免郊。

襄公十一年四月，四卜郊不從，乃免牲。

襄公十五年正月，鼷鼠食郊牛，牛死，改卜牛。

定公十五年五月，辛亥郊。

哀公元年，鼷鼠食郊牛，改卜牛。

哀公元年四月丁巳郊。

　　從上表看來，魯郊都在四、五月間（成公十七年的九月郊將在下面敘述），而郊卜牛則都在正月，宣公三年的「乃不郊」，是因為牛不吉，但最終並沒有說其年廢郊，所以鄭氏的魯郊在冬至之說不可信。而王肅的圜丘與郊為同一物之說，亦不能取。另外，魯之「二郊說」，其事《春秋》中亦無記載，恐為無據之說。

　　魯郊的啓蟄前後之事，從上表看來，雖然沒有令人懷疑之處，然而論及周郊如何時，「啓蟄而郊」既然載於《左傳》中，恐怕是天下之通法。若如是，「冬至郊」則是一沒有任何依據的說法。若硬要找出其依據，恐怕只有〈郊特牲〉中的「周之始郊日以至」一文而已。竊按：「周之始郊也」，說的難道不就是開始預備郊祭，其意思或許是：因郊為大祭，故不得不有所準備，而作準備則從冬至之日開始。《春秋》改卜郊牛所以都在正月，或恐正因為如此。《穀梁傳》記載：「魯以十二月下辛卜正月上辛，若不從，則以正月下辛卜二月上辛。若不從，則以二月下辛卜三月上辛。若不從，則止。」是為「三正轉卜說」也。然而從魯郊多在四五月來看，此說也不可信。成公十七年的九月郊，左氏不傳，《公羊》、《穀梁》皆以之為非禮，《左傳》恐亦持相同看法。根據上述的分析，如果我們確定魯郊是在啓蟄前後；周郊姑且也將之視為是與魯同一時期而郊祭的話，則其與冬至，以及與明文記載的圜丘並不相同一事，筆者以為實無須論證，所以王肅的郊、圜丘同一說並不可取。其錯誤與鄭玄的祭昊天於圜丘之論相同，不可相信並依據之。要之，「禘」乃為廟祭之名，並非如鄭玄所說的祭昊天於圜丘。又「其祖之所自出」者，指的是人鬼，並不是指感生帝，就如〈祭法〉中所說的一樣，是指黃帝、帝嚳之類也。「郊」為祭天之名，誠如〈郊特牲〉所言一般，「郊之祭大報天而主日」者是

也，昊天、上帝其實相同，就如同稱昊天爲「禘」；稱上帝爲「郊」一樣，並沒有明顯的區別，所以禘、郊之解，似乎皆應以王肅之說爲優，唯其圜丘與郊乃相同之說，與二郊說及冬至郊之說，筆者以爲其乃謬誤也。

——譯自《東亞研究》第 3 卷 2 號（1913 年 2 月），頁 18－24。

經 學 研 究 論 叢
第 十 輯　　頁9～36
臺灣學生書局　2002 年 3 月

魏晉經學的定位問題

葉純芳*

一、前言

　　中國歷史上，「魏晉」是一個政治紛亂的時期，從三國鼎立至東晉滅亡的二百年間（220－420），戰爭頻仍，社會動盪，士大夫遁逃於清談之中，老莊思想盛行，使玄學成爲這一時期的思想特色。

　　史志中所記載的魏晉經學著述雖然不下百種，但有存本而今可考者，僅有〔魏〕王弼的《周易注》、何晏的《論語集解》、〔晉〕杜預的《春秋左氏經傳集解》以及范甯的《春秋穀梁傳集解》，其餘的皆亡佚不傳。幸賴清代的輯佚學家搜羅群書，使我們可略窺這時期亡佚書籍的面貌。根據今人簡博賢《今存三國兩晉經學遺籍考》的統計❶，史志著錄魏晉儒九經典籍，有存本而今可考者有：《易》類十九種，《書》類二種，《詩》類十種，《禮》類七種（《周禮》一、《儀禮》四、《禮記》二），《春秋》類十六種（《左氏》七、《穀梁》七、《公羊》二），共五十四種（存本三種，輯本五十一種），對研究此時期的經學史、經學著作、經學家而言，都是極其珍貴的資料。

　　由於玄學的盛行以及魏晉經籍大量亡佚，使得歷代的學者忽略了這一時期的經

---

*　葉純芳，東吳大學中國文學系博士生。

❶　簡博賢：〈述例〉，《今存三國兩晉經學遺籍考》（臺北：三民書局，1986 年 2 月），頁2。

學發展，或抱持著偏頗的態度。〔清〕皮錫瑞（1850－1908）在《經學歷史》一書中即以經今文家的立場，將魏晉時期的經學定為「經學中衰時代」。❷但是傳世的十三經注中，除了《孝經》為唐玄宗御注外，其餘十二經注，漢人與魏晉人各佔了一半。若如皮錫瑞所言，魏晉是經學中衰的時代，似乎又與事實不符。近人張西堂（1901－1960）說：「這時期的經學，從表面上看來，不及漢宋兩代之盛，所以從來不為人所注意，不惟不為人所注意，有些地方簡直為人所誤解了。……從唐宋的學者一直到清儒，對於三國六朝這一時代的經學，頗有沒有把握著當日之真相的，也可以說是怪有趣味的事情了！」❸民國以來，學者對此期的經學特色也抱持著不同的看法，或以為是「經學玄學化」的時期，或以為是「今古文經學合流」的時期，或以為是「古學盛行」的時期。究竟魏晉時期的經學，我們該如何為其定位，才能把握住張氏所謂的「當日之真相」？本文擬利用史傳、清人輯佚書、魏晉人文章等方面的文獻加以分析考察，並依循相關文獻的性質，將本文分為「魏晉官方對經學的態度」、「魏晉諸家的經學研究」兩條線索，試圖為魏晉時期的經學作一定位，並將這一時期的經學特色加以歸納，以求能還原當時魏晉經學的真面貌。

二、魏晉官方對經學的態度

東漢末年，皇權衰弱，外戚宦官專權，政治腐敗。黨錮之禍使士族知識分子為代表的經學勢力遭到打擊，從西漢到東漢盛極一時的經學已日趨衰落，《後漢書·儒林傳》：「自安帝覽政，薄於藝文，博士倚席不講，朋徒相視怠散，學舍頹敝，鞠為園蔬，牧兒蕘豎，至於薪刈其下。……然章句漸疏，而多以浮華相尚，儒者之風蓋衰矣！」❹學風如此，當政者又處於改朝換代的危勢。漢魏之際的四、五十年間，連遭動亂，戰爭頻仍，國家各級教育機構蕩然無存，典策圖籍毀於兵災，經學

---

❷　〔清〕皮錫瑞撰，周予同註：《增註經學歷史》（臺北：藝文印書館，1996 年 8 月），頁145－178。關於皮錫瑞對魏晉經學定位的主張的背景，可參閱陳全得：〈皮錫瑞「魏晉為經學中衰時代」觀點之評述〉，《孔孟月刊》第 30 卷第 7 期，頁 24－33。

❸　張西堂：〈三國六朝經學上的幾個問題〉，《師大月刊》第 18 期（1935 年 4 月），頁 32。

❹　〔劉宋〕范曄撰、〔唐〕李賢等注：《後漢書》（臺北：洪氏出版社，1978 年 10 月），冊4，頁 2546－2547。

被視為無用，向來與政治息息相關的官方經學，已成為不可挽回的局面。

　　魏晉雖然在政治上是黑暗、紛亂的時期，但在這黑暗紛亂之中，官方對經學的態度，卻不如我們想像中的悲觀。如《魏武帝集》即記載了魏武帝「好學明經」❺；《三國志‧魏書‧明帝紀》亦記載明帝叡的詔書：

> 詔曰：「尊儒貴學，王教之本也。自頃儒官或非其人，將何以宣明聖道？其高選博士，才任侍中常侍者。申敕郡國，貢士以經學為先。」❻

又詔：

> 四年春二月壬午，詔曰：「世之質文，隨教而變。兵亂以來，經學廢絕，後生進趣，不由典謨。豈訓導未洽，將進者不以德顯乎？其郎吏學通一經，才任牧民，博士課試，擢其高第者，亟用；其浮華不務道本者，皆罷退之。」❼

「貢士以經學為先」、「浮華不務道本者皆罷退」，可見當政者對貢士的嚴格篩選是以經學作為標準。又甘露元年（256），高貴鄉公髦臨幸太學，問諸儒經義，首先問《易》，易博士淳于俊與之相對；講《易》畢，復命講《尚書》，博士庾峻與之相對；講《尚書》畢，復命講《禮記》，博士馬照與之相對。從這一來一往的答辯中，亦可見當政者對經學的關心。或許這樣的例證並不足以代表魏晉經學的盛行，但從魏《正始石經》的頒立與魏晉設置博士這兩方面來討論，或者可以使魏晉官方的經學態度更加明確。

---

❺　〔清〕嚴可均：《全上古三代秦漢三國六朝文》（石家莊：河北教育出版社，1997 年 10 月），冊 3，頁 40。

❻　〔晉〕陳壽撰，〔宋〕裴松之注：《三國志》（臺北：洪氏出版社，1984 年 8 月）冊 1，頁 94。

❼　同上註，頁 97。

㈠ 魏《正始石經》

　　魏立石經，在《三國志・魏書》中並無記載，但在《晉書・衛恆傳》及《魏書・王式傳》皆略有談到。〈衛恆傳〉云：

> 恆善草隸書，爲《四體書勢》曰：「……漢武時，魯恭王壞孔子宅，得《尚書》、《春秋》、《論語》、《孝經》。時人以不復知有古文，謂之科斗書。漢世祕藏，希得見之。魏初傳古文者，出於邯鄲淳。恆祖敬侯寫淳《尚書》，後以示淳，而淳不別。至正始中，立《三字石經》，轉失淳法，因科斗之名，遂效其形。」❽

〈王式傳〉云：

> 延昌三年三月，式上表曰：「……魏初博士清河張揖著《埤蒼》、《廣雅》、《古今字詁》，……陳留邯鄲淳亦與揖同時，博古開藝，特善《蒼》、《雅》，……以書教諸皇子。又建《三字石經》於漢碑之西，其文蔚炳，三體復宣。校之《說文》，篆隸大同，而古字少異。」❾

因此魏齊王芳正始年間立《三字石經》是有史籍可以證明的。所謂《三字石經》的「三字」，馬衡說：

> 所謂三字者：一曰古文；二曰小篆；三曰隸書（即當時通行之字體）。古文爲壁中本，其字多不可識，故以小篆及隸書釋之。❿

---

❽　〔唐〕房玄齡等撰：《晉書》（臺北：鼎文書局，1987年1月），冊2，頁1061。

❾　〔北齊〕魏收撰：《魏書》（臺北：鼎文書局，1987年5月），冊3，頁1963。

❿　馬衡：〈魏石經概述〉，《凡將齋金石叢稿》（北京：中華書局，1996年12月），頁220。

由於此石經於正始年間頒立，因此又稱爲《正始石經》。❶這裡有一個值得注意的問題，《正始石經》距漢代《熹平石經》的頒立不過六十多年的時間，以石經刻成需耗費許多的人力、時間、金錢來看，爲什麼魏又要頒立石經？王國維認爲：

> 然漢學官所立皆今文，無古文，故石經但列今文諸經異同，至今文與古文之異同，則未及也。而自後漢以來，民間古文學漸盛，至與官學抗行，逮魏初復立大學，暨於正始，古文諸經蓋已盡立於學官，此事史傳雖無明文，然可得而徵證也。❷

馬衡也認爲這是由於漢代今文經立於學官，所刻石經皆爲今文，但魏晉時期古文經學已盛行，因此有必要以古文刻經：

> 漢時立於學官者爲今文經，決不能以古文立之太學。魏正始中所以復立古文經者，以當時古文學已盛行，故又以古文本之《尚書》、《春秋》二經刻石也。❸

日人安井小太郎更直接認爲這就是三國時代古文流行的證據：

> 無論如何，正始石經中字體已有古文，所刻的經書也有了古文的《左傳》。

---

❶ 蔣善國云：「《一字石經》，人們都知道是熹平四年刊立的，至於《三字石經》，人們只知是正始間所刊立的，卻不知實際年數。今據一九五七年西安出土《三字石經》殘碑，在《尚書·梓材》一面有『始二年三』四字，可見《正始石經》是正始二年三月刊立的（見 1957 年《文物參考資料》第 9 期和 1957 年《人文雜誌》雙月刊第 3 期圖版四之三）。這也是只有根據《石經》原物所寫，來補文獻的不足。」見蔣善國撰：《尚書綜述》（上海：上海古籍出版社，1988 年 3 月），頁 372－373。

❷ 王國維：〈魏石經考·三〉，《觀堂集林》（北京：中華書局，1999 年 6 月），冊 4，頁 964。

❸ 馬衡：〈從實驗上窺見漢石經之一斑〉，同上，頁 201。

這是什麼樣的理由？就是三國時古文流行的證據。⑭

由魏石經的頒立，可作爲魏晉官方重視經學的證據，亦可作爲魏晉官方重視古文經
學的佐證。

㈡ 設置經學博士

　　兩漢經學有今古文的分別，漢武帝立五經博士，都爲今文經學。其後雖有劉歆
請立古文經學，而太常博士終不肯置對。王莽之時，雖曾立《左氏春秋》、《毛
詩》、《逸禮》、《古文尚書》，但旋即廢去。東漢馬融等大儒，雖皆治古文經，
但所立的十四博士，都爲今文經學。因此，終漢之世，古文經學都不得立於學官。
《後漢書・儒林傳・序》云：

> 及光武中興，愛好經術，未及下車，而先訪儒雅，採求闕文，補綴漏
> 逸。……於是立五經博士，各以家法教授，《易》有施、孟、梁丘、京氏，
> 《尚書》歐陽、大小夏侯，《詩》齊、魯、韓，《禮》大小戴，《春秋》
> 嚴、顏，凡十四博士。⑮

即使如此，古文經學並未因此而衰落，根據王國維的考證，認爲東漢中葉後，對於
博士的甄選已不如西漢嚴格，他說：

> 故周防以治《古文尚書》爲博士，盧植本事馬融，兼通今古學，亦爲博士。
> 又中平五年，所徵博士十四人，若荀爽，若鄭元，若陳紀，亦古文學家。爽
> 等三人雖徵而不至，若周防、盧植，固嘗任職矣，而當時實未立古文學，此

---

⑭　〔日〕安井小太郎等著，連清吉、林慶彰合譯：《經學史》（臺北：萬卷樓圖書公司，1996
　　年10月），頁69。

⑮　〔劉宋〕范曄撰、〔唐〕李賢等注：《後漢書》（臺北：洪氏出版社，1978年10月），冊
　　4，頁2545。

三人者，蓋以古文學家爲今文學博士。⑯

古文學日盛，使得以今文經學爲主的漢代博士甄選不得不變通，這即是今文學衰退的徵兆。這樣的情形，同時也呈現出東漢中葉後古文學家「兼通今古學」的事實。王氏並認爲，由於漢末董卓之亂，漢獻帝託命於曹操，已無暇顧及庠序之事，博士官失其守，達三十年。今文學日漸衰微，而民間古文之學卻日興月盛，直到魏初又重置太學博士，今古文經學的地位已完全顛倒過來了，「蓋不必有廢置明文，而漢家四百年學官，今文之統已爲古文家取而代之矣」⑰，即是此理。

魏晉立博士，在史書上有記載，《魏志·杜畿傳》注引魚豢《魏略·儒宗傳》說：

樂詳字文載，……至黃初中，徵拜博士。于時太學初立，有博士十餘人。⑱

《晉書·職官志》：

晉初承魏制，置博士十九人。⑲

《宋書·百官志》：

魏及晉西朝置十九人，江左初減爲九人，皆不知掌何經。⑳

「晉初承魏制」，可知魏與晉所置的博士數皆爲十九人，其中或有減損。魏時所置博士分掌何經？雖然難以詳細地確定，不過從《魏志·文帝紀》、〈王肅傳〉中知

---

⑯ 王國維：〈漢魏博士考〉，《觀堂集林》，冊 1，頁 188。

⑰ 同上註，頁 189。

⑱ 《三國志》，冊 1，頁 507。

⑲ 同註❻，冊 1，頁 736。

⑳ 《宋書》（臺北：鼎文書局，1987 年 5 月），冊 2，頁 1228。

道至少魏代博士有掌《春秋穀梁》及王肅所注的八經，《三國志‧魏書‧文帝
紀》：

> 夏四月，立太學，制五經課試之法，置《春秋穀梁》博士。㉑

〈王肅傳〉：

> 初，肅善賈、馬之學，而不好鄭氏，采會同異，爲《尚書》、《詩》、《論
> 語》、《三禮》、《左氏解》，及撰定父朗作《易傳》，皆列於學官。㉒

據王國維所述，魏時諸博士可考者：邯鄲淳傳《古文尚書》；樂詳、周生烈傳《左
氏春秋》；宋均、田瓊皆親受業於鄭玄；張融、馬照私淑鄭玄；蘇林、張揖通古今
字，則亦古文學家；高堂隆上書述《古文尚書》、《周官》、《左氏春秋》；趙
怡、淳于峻、庾峻等亦稱述鄭學。可考的魏博士皆治古文學，便可推知當時確實是
古文經學發達的時期。張西堂亦言：「魏時的今文經學，除了『益部多貴今文』㉓
而外，實遠不如古文經學之盛。」㉔

西晉承魏緒，武帝崇儒興學，咸寧四年（278），立國子學，定置國子祭酒、
博士、助教，以教生徒。對博士的任取，則以「履行清淳，通明典義者」爲標準。
此時的博士員數爲十九人，至東晉初，才減爲九人，《宋書‧志‧禮一》：

> 太興初，議欲修立學校，唯《周易》王氏、《尚書》鄭氏、《古文》孔氏、
> 《毛詩》、《周官》、《禮記》、《論語》、《孝經》鄭氏、《春秋左傳》
> 杜氏、服氏，各置博士一人。其《儀禮》、《公羊》、《穀梁》及鄭

㉑　《三國志‧魏書‧文帝紀》，冊1，頁84。
㉒　《三國志‧魏書‧王肅傳》，冊1，頁419。
㉓　《三國志‧蜀書‧尹默傳》：「益部多貴今文而不崇章句。默知其不傳，乃遠遊荊州，從司
　　馬德操、宋仲子等受古學。」冊2，頁1026。
㉔　張西堂：〈三國六朝經學上的幾個問題〉，《師大月刊》第18期（1935年4月），頁41。

《易》，皆省不置博士。㉕

東晉元帝太興初年（318），《周易》、《尚書》、僞《古文尚書》孔傳、《毛詩》、《周官》、《禮記》、《論語》、《孝經》、《春秋左傳》皆立學官，各置博士一人，共九人，當時立於學官的多爲鄭玄作注的古文經。而屬今文經的《公羊》、《穀梁》「皆省不置」。到了元帝末年，荀崧上疏，建議鄭《易》、鄭《儀禮》、《春秋公羊》、《穀梁》各置博士一人：

> 其《儀禮》、《公羊》、《穀梁》及鄭《易》皆省不置，崧以爲不可，乃上疏曰：「自喪亂以來，儒學尤寡，今處學則闕朝廷之秀，仕朝則廢儒學之俊。……今皇朝中興，美隆往初，宜憲章令軌，祖述前典。世祖武皇帝應運登禪，崇儒興學，經始明堂，營建辟雍，告朔班政，鄉飲大射。西閣東序，河圖祕書禁籍，臺省有宗廟太府金塘故事，太學有石經古文先儒典訓。賈、馬、鄭、杜、服、孔、王、何、顏、尹之徒，章句傳注眾家之學，置博士十九人。……伏聞節省之制，皆三分置二，博士舊置十九人，今五經合九人，準古計今，猶未能半，宜及節省之制，以時施行。今九人以外，猶宜增四。願陛下萬機餘暇，時垂省覽。宜爲鄭《易》置博士一人，鄭《儀禮》博士一人，《春秋公羊》博士一人，《穀梁》博士一人。㉖

但元帝最後只立鄭《易》、鄭《儀禮》、《春秋公羊》博士，而《穀梁》並未列於學官：

> 元帝詔曰：「崧表如此，皆經國之務，爲政所由。息馬投戈，猶可講藝，今雖日不暇給，豈忘本而遺存邪！可共博議者詳之。」議者多請從崧所奏。詔

㉕ 《宋書》，冊1，頁360。
㉖ 《晉書・荀崧傳》，冊3，卷75，頁1977—1978。

曰：「《穀梁》膚淺，不足置博士，餘如奏。」會王敦之難，不行。❷

由於「王敦之難」❷的驟變，政局一片混亂，即使元帝認為荀崧上疏的時機不是很恰當，但是「今雖日不暇給，豈忘本而遺存」，他還是交代大家要好好的商議設置博士的決策。最後除了元帝主觀的認定「《穀梁》膚淺」，不需設置博士外，其餘皆如荀崧所奏的批准。雖然因為王敦的叛變，使得這次的請立博士無法施行，卻可以說明魏晉時期官方對經學的重視。

東晉時期，還有一件值得注意的事是偽《古文尚書》的出現。東晉元帝初（約在 317－322 年），豫章內史梅賾奏上《古文尚書傳》五十八篇，並說是〔漢〕孔安國所作的《傳》。❷比伏生所傳《尚書》經文多出二十五篇。此書出現後，就受到王朝的提倡，旋即被立於學官（見前頁），劉起釪先生認為偽《古文尚書》之所以受到重視，是由於其樹立了儒學道德的典範：

> 這部偽孔氏《古文尚書》總結和承襲了漢代經學的全部成就，益以魏和西晉以來各種經說，著重把古文家所推崇的聖道王功貫串在全書經文和傳注中，同時加進了自己時代所需要的東西。……全書最突出的一點，即盡力宣揚堯、舜、禹、湯、文、武、周公之道是一脈相承的。……由於這部《尚書》在樹立儒學道德說教中有著如此重大的作用，還由於這部《尚書》不像西漢

---

❷ 同前註。

❷ 王敦（266－324），〔晉〕臨沂人，字處仲。娶武帝女襄城公主，拜駙馬都尉。元帝渡江，敦與從兄導，同心翼戴，授鎮東大將軍兼都督六州諸軍事，領江州刺史，尋領荊州刺史。敦既得志，擁兵不朝，意欲脅制朝廷，以沈充、錢鳳為謀主。永昌元年（322），以誅帝親信劉隗等為名，起兵反，東下攻陷石頭，入朝自為丞相。元帝死，敦退屯姑孰。明帝太寧二年（324）再反，兵入江寧，途中病死，眾潰，戮屍懸首於市。見《晉書》，卷 98，冊 4，頁 2553－2566。

❷ 由於篇幅所限，本文僅能簡略陳述偽《古文尚書》出現的情形及其所代表的涵義，關於偽《古文尚書》的流傳及其他相關的考證，可參考劉起釪撰：《尚書學史》（北京：中華書局，1996 年 8 月）、蔣善國撰：《尚書綜述》、程元敏撰：〈說偽《古文尚書》經傳之流傳〉，《漢學研究》第 11 卷第 2 期（1993 年 12 月），頁 1－22。

今文經學漫無邊際的神祕而空疏的雜說，也不像東漢古文家如衛、賈等人故意和今文家立異而造作的古《尚書》說，而能對每章每句都加以梳理、條析，用簡潔的文字做到每句都有解釋，幾乎達到當時「今譯」的地步，這在《尚書》學上是一個超越以前一切著述的最優異的成就，因此爲人們所樂於接受。❸

古文家崇奉周公，而周公更是上承堯、舜、禹、湯、文、武的人物，是政治與學術的正統，這部僞《古文尚書》的出現，說明了當時經學家爲了提倡古學，不惜僞造古書以支持其學說。

三、魏晉諸家的經學研究

東漢末年，由於爭戰不斷，政治混亂，官方經學的逐漸式微，然而經學私家的講授，非但沒有因此而衰亡，反而有所發展，其中最有成就的經學家首推鄭玄（127－200）。

兩漢的經學之爭，由鄭玄以雜揉今古文的方式注經而告終結。由於鄭玄精於訓詁，遍注群經；並能打破家法侷限，統一今古文，對當時面對繁多的經學異說而無所適從的學者提供較爲標準的經注。最重要的，是他的弟子眾多，分布廣遠，使得鄭學成爲漢末經學的新興勢力。不過，鄭玄雖然暫時整合了漢末的經學，卻無法挽回整個漢代經學的頹勢。❸此時，荊州學派的出現，是漢末經學的轉戾點。❸荊州

---

❸ 劉起釪撰：《尚書學史》，頁 197－198。

❸ 鄭學雖然暫時整合漢末的經學，但這種統一並沒有挽救經學衰落的命運，相反地，使習經者拘守一家之言，阻礙經學的發展。何耿鏞先生認爲：「東漢經學之所以從興盛走向沒落，固然是經學本身支離繁瑣發展的結果，但重要原因還在統治階級內部矛盾的發展，以士族和封建知識階層爲基礎的經學勢力遭到皇權、宦官和外戚的鎮壓，從而導致了經學的沒落。」參見何耿鏞撰：〈兩漢經學——鄭玄在經學史上的地位及兩漢經學的終結〉，《經學簡史》（廈門：廈門大學出版社，1993 年 12 月），頁 146－147。

❸ 關於荊州學派以及其影響的研究，可參考程元敏先生撰：〈季漢荊州經學〉（上、下），《漢學研究》第 4 卷第 1 期（1986 年 6 月），頁 211－263；第 5 卷第 1 期（1987 年 6 月），頁 229－262。湯用彤先生撰：〈王弼之《周易》《論語》新義〉，《中國經學史論文

學派的主旨，在於整頓經學，其精神在「反今學末流之浮華，破碎之章句」。❸而其所代表的意義有二：一為經說之簡化運動；一為以解說義理之方式，解釋經書。一掃兩漢以來讖緯之思想，而代以平實合於人情之立論，使六經回復本來面貌，而契合聖人本意。❸其學說也直接影響了魏晉重要的經學家——王肅與王弼。

　　要為魏晉經學作一定位，除了要瞭解官方的經學態度以外，一般學者的經學研究更是這一時期經學定位的關鍵。雖然這時期的經學著作大部分都已亡佚，但藉由《隋書・經籍志》魏晉人經學著作目錄，以及清代輯佚學家的搜羅，大致可以掌握當時經學研究的情形。以下分為「經學著作」、「經學家」論述之。

㈠ **經學著作**

　　魏晉時期的經學著作，有存本而今可考者，僅有魏王弼的《周易注》、何晏《論語集解》、晉杜預的《春秋左氏經傳集解》以及范甯的《春秋穀梁傳集解》，其餘的皆亡佚不傳。《隋書・經籍志》中所著錄魏晉人的經學著作，今分經摘錄於下：

　　1.《易》

周易十卷	〔魏〕王肅注	周易宗塗四卷	〔晉〕干寶撰
周易十卷	〔魏〕王弼、韓康伯注	周易繫辭二卷	〔晉〕謝萬等
周易十卷	〔魏〕荀煇注	周易繫辭二卷	〔晉〕韓康伯注
易略例一卷	〔魏〕王弼撰	周易四卷	〔晉〕黃穎注
周易盡神論一卷	〔魏〕鍾會撰	周易象論三卷	〔晉〕欒肇撰
周易十卷	〔吳〕姚信注	周易卦序論一卷	〔晉〕楊乂撰
周易九卷	〔吳〕虞翻注	周易統略五卷	〔晉〕鄒湛撰
周易十五卷	〔吳〕陸績注	周易論二卷	〔晉〕阮渾撰
周易日月變例一卷	〔晉〕虞翻、陸績撰	周易論一卷	〔晉〕宋岱撰

選集》上冊（臺北：文史哲出版社，1992 年 10 月），頁 504-519。（原載《圖書季刊》新4 卷 1、2 期合刊，1943 年 6 月，頁 28-40。）汪惠敏先生撰：〈荊州學風與三國時代經學之關係〉，《孔孟月刊》（1980 年 12 月）第 19 卷第 4 期，頁 44-49。

❸　湯用彤撰：〈王弼之《周易》、《論語》新義〉，頁 505。

❸　汪惠敏撰：〈荊州學風與三國時代經學之關係〉，頁 45。

周易三卷	〔晉〕王廙注	周易難王輔嗣義一卷	〔晉〕顧夷等撰
周易八卷	〔晉〕張璠注	歸藏十三卷	〔晉〕薛貞注
周易繫辭二卷	〔晉〕桓玄注	周易音一卷	〔東晉〕徐邈撰
周易十卷	〔晉〕干寶注	周易音一卷	〔東晉〕李軌、弘範撰
周易爻義一卷	〔晉〕干寶撰	周易卦象數旨六卷	〔東晉〕李顒撰

2.《書》

尚書十一卷	〔魏〕王肅注	古文尚書舜典一卷	〔晉〕范甯注
尚書駁議	〔魏〕王肅撰	尚書義疏四卷	〔晉〕伊說撰
尚書釋問四卷	〔魏〕王粲撰	尚書十五卷	〔晉〕謝沈撰
尚書王氏傳問二卷、尚書義二卷	〔吳〕范順問　劉毅答	尚書音五卷	〔東晉〕李軌、徐邈等撰
尚書義問三卷	〔晉〕孔晁撰	古文尚書音一卷	〔東晉〕徐邈撰
尚書十卷	〔晉〕范寧注	集解尚書十一卷	〔東晉〕李顒注

3.《詩》

毛詩二十卷	〔魏〕王肅注	毛詩二十卷	〔晉〕謝沈注
毛詩義駁八卷	〔魏〕王肅撰	毛詩拾遺一卷	〔晉〕郭璞撰
毛詩奏事一卷	〔魏〕王肅撰	毛詩辨異三卷	〔晉〕楊乂撰
毛詩問難二卷	〔魏〕王肅撰	毛詩異義二卷	〔晉〕楊乂撰
毛詩駁一卷	〔魏〕王基撰	毛詩雜義五卷	〔晉〕楊乂撰
毛詩義問十卷	〔魏〕劉楨撰	毛詩二十卷	〔晉〕江熙注
毛詩義四卷	〔魏〕劉璠撰	毛詩雜義四卷	〔晉〕殷仲堪撰
毛詩箋傳是非二卷	〔魏〕劉璠撰	毛詩異同評十卷	〔晉〕孫毓撰
毛詩譜三卷	〔吳〕徐整撰	難孫氏毛詩評四卷	〔晉〕陳統撰
毛詩答雜問七卷	〔吳〕韋昭、朱育等撰	毛詩表隱二卷	〔晉〕陳統撰
毛詩釋義十卷	〔晉〕謝沈注	毛詩音十六卷	〔東晉〕徐邈等撰
毛詩義疏十卷	〔晉〕謝沈撰		

4. 《禮》

周官禮十二卷	〔魏〕王肅注	凶禮一卷	〔晉〕孔衍撰
周官禮十二卷	〔晉〕伊說撰	禮記三十卷	〔魏〕王肅注
周官禮十二卷	〔晉〕干寶注	禮記音一卷	〔魏〕王肅音
周官寧朔新書八卷	〔晉〕王懋約撰	禮義四卷	〔魏〕鄭小同撰
周官禮異同評十二卷	〔晉〕陳劭撰	郊丘議三卷	〔魏〕蔣濟撰
周官駁難三卷	〔晉〕虞喜撰	禮記三十卷	〔魏〕孫炎注
儀禮十七卷	〔魏〕王肅注	祭法五卷	〔魏〕王肅撰
喪服經傳一卷	〔魏〕王肅注	明堂議三卷	〔魏〕王肅撰
喪服要記一卷	〔魏〕王肅注	禮記音一卷	〔吳〕射慈音
喪服要記一卷	〔蜀〕蔣琬撰	禮雜問十卷	〔晉〕范寧撰
喪服變除圖五卷	〔吳〕射慈撰	祭典三卷	〔晉〕范汪撰
喪服經傳一卷	〔晉〕袁準注	禮記音一卷	〔晉〕孫毓音
集注喪服經傳一卷	〔晉〕孔倫傳	禮記音二卷	〔晉〕蔡謨音
喪服要集二卷	〔晉〕杜預撰	雜祭法六卷	〔晉〕盧諶撰
喪服要記二卷	〔晉〕劉逵撰	雜鄉射等議三卷	〔晉〕庾亮撰
喪服儀一卷	〔晉〕衛瓘撰	禮記音三卷	〔東晉〕徐邈撰
喪服要記六卷	〔晉〕賀循撰	禮記音二卷	〔東晉〕曹耽撰
喪服要略一卷	〔晉〕環濟撰	禮記音二卷	〔東晉〕尹毅撰
喪服譜一卷	〔晉〕蔡謨撰	禮記音二卷	〔東晉〕李軌撰
喪服變除一卷	〔晉〕葛洪撰	禮記音二卷	〔東晉〕范宣撰
七廟議一卷	〔晉〕干寶撰		

5. 《春秋》

春秋說要十卷	〔魏〕糜信撰	春秋公羊經傳十三卷	〔晉〕王愆期注
春秋經十一卷	〔吳〕士燮注	春秋公羊達義三卷	〔晉〕劉寔撰
春秋經例十二卷	〔晉〕方範撰	春秋公羊傳十二卷	〔晉〕高龍注
春秋釋滯十卷	〔晉〕殷興撰	春秋公羊音一卷	〔晉〕江淳撰
春秋釋難三卷	〔晉〕范堅撰	春秋公羊音一卷	〔東晉〕李軌撰
春秋序論二卷	〔晉〕干寶撰	春秋公羊論二卷	〔晉〕庾翼問
			王愆期答

集解春秋序一卷	〔晉〕劉寔等	春秋穀梁傳十三卷	〔魏〕糜信注
春秋條例十一卷	〔晉〕劉寔撰	糜信理何氏漢議二卷	〔魏〕人撰
春秋左氏傳十二卷	〔魏〕王朗撰	春秋穀梁傳十三卷	〔晉〕徐乾注
春秋左氏釋駁一卷	〔魏〕王朗撰	春秋穀梁傳十四卷	〔晉〕孔衍撰
春秋左氏傳三十卷	〔魏〕王肅注	春秋穀梁傳十二卷	〔晉〕范甯集解
春秋左氏傳三十卷	〔魏〕董遇章句	春秋穀梁傳例一卷	〔晉〕范寧撰❸
春秋左氏傳音三卷	〔魏〕嵇康撰	春秋穀梁傳十二卷	〔東晉〕徐邈撰
春秋左氏經傳集解三十卷	〔晉〕杜預撰	春秋穀梁傳義十卷	〔東晉〕徐邈撰
春秋左氏傳評二卷	〔晉〕杜預撰	春秋公羊、穀梁傳十二卷	〔晉〕劉兆撰
春秋左氏傳義注十八卷	〔晉〕孫毓注	春秋三傳論十卷	〔魏〕韓益撰
春秋左氏傳賈、服異同略五卷	〔晉〕孫毓撰	春秋土地名三卷	〔晉〕京相璠等撰
春秋左氏函傳義十五卷	〔晉〕干寶撰	春秋外傳章句一卷	〔魏〕王肅撰
春秋左氏傳音四卷	〔東晉〕曹耽、荀訥等音	春秋外傳國語二十一卷	〔吳〕虞翻注
春秋左氏傳音三卷	〔東晉〕李軌撰	春秋外傳國語二十二卷	〔吳〕韋昭注
春秋左氏傳音三卷	〔東晉〕徐邈撰	春秋外傳國語二十卷	〔晉〕孔晁注

6.《孝經》

孝經一卷	〔魏〕王肅解	孝經一卷	〔晉〕孫氏注
孝經解讚一卷	〔晉〕韋昭解	孝經一卷	〔晉〕殷仲文注
孝經默注一卷	〔晉〕徐整注	孝經一卷	〔晉〕殷叔道注
集解孝經一卷	〔晉〕謝萬集	孝經一卷	〔晉〕車胤注
集議孝經一卷	〔晉〕荀昶撰	孝經一卷	〔晉〕荀昶注
集議孝經一卷	〔晉〕袁敬仲集	晉穆帝晉孝經一卷	

---

❸　《隋書・經籍志》著范甯，又著范寧，應爲同一人。

孝經一卷	〔晉〕楊泓注	晉武帝送總明館孝經 講、議各一卷
孝經一卷	〔晉〕虞槃佐注	

7.《論語》

論語十卷	〔魏〕王肅注	論語九卷	〔晉〕虞喜讚
論語釋駁三卷	〔魏〕王肅撰	論語	〔晉〕張憑注
集解論語十卷	〔魏〕何晏集	論語	〔晉〕陽惠明注
論語釋疑三卷	〔魏〕王弼撰	論語釋疑十卷	〔晉〕欒肇撰
論語十卷	〔吳〕虞翻注	論語駁序二卷	〔晉〕欒肇撰
論語十卷	〔晉〕譙周注	論語隱一卷	〔晉〕郭象撰
集注論語六卷	〔晉〕衛瓘注	論語釋一卷	〔晉〕曹毗撰
論語集義八卷	〔晉〕崔豹集	論語君子無所爭一卷	〔晉〕庾亮撰
論語十卷	〔晉〕李充注	論語釋一卷	〔晉〕李充撰
集解論語十卷	〔晉〕孫綽解	論語釋一卷	〔晉〕庾翼撰
集解論語十卷	〔晉〕江熙解	論語義一卷	〔晉〕王濛撰
論語體略二卷	〔晉〕郭象撰	論語	〔晉〕梁覬注
論語旨序三卷	〔晉〕繆播撰	論語	〔東晉〕尹毅注
論語	〔晉〕袁喬注	論語音二卷	〔東晉〕徐邈等撰

8.其他

孔子家語二十一卷	〔魏〕王肅解	爾雅圖讚二卷	〔晉〕郭璞撰
聖證論十二卷	〔魏〕王肅撰	方言十三卷	〔晉〕郭璞注
鄭記六卷	〔魏〕鄭玄弟子撰	辯釋名一卷	〔吳〕韋昭撰
當家語二卷	〔魏〕張融撰	五經拘沉十卷	〔晉〕楊方撰
廣雅三卷	〔魏〕張揖撰	五經然否論五卷	〔晉〕譙周撰
鄭志十一卷	〔魏〕鄭小同撰	五經音十卷	〔東晉〕徐邈撰
爾雅圖十卷	〔晉〕郭璞撰	小爾雅一卷	〔東晉〕李軌略解

　　從各經的著作數量來看，魏晉時期的《禮》學及《春秋》學較其他經學盛行。各經的研究，以《詩經》學為例，《毛詩》成為《詩經》學中的顯學，可見古文經

學已成爲這個時期的主流，今文經學的《齊》、《魯》、《韓》三家詩已逐漸式微。這一方面是因爲學者對今文家煩瑣的注經方式已感到厭倦，《後漢書·鄭玄傳》范曄的〈論〉即說當時的情況是：「遂令經有數家，家有數說，章句多者或乃百餘萬言，學徒勞而少功，後生疑而莫正。」❸一方面是因爲三家《詩》說，多雜神怪、迷信、陰陽的色彩❸，相較之下，《毛詩》的解釋較合乎常理，便廣爲人所接受。魏晉的《詩經》學著作，今多已亡佚，只能依賴清人輯佚書所輯，才能略窺這一時期的《詩經》研究。❸

　　魏晉時期對《禮》學非常重視，從《禮》學的著述中看，學者對〈喪服〉的研究投入較多心力，幾乎佔了所有《禮》學研究的三分之一❸，或許和鄭玄與王肅這兩位經學大家的意見不同有著密切的關係，《晉書·志·禮上》說：

　　　　是以〈喪服〉一卷，卷不盈握，而爭說紛然；三年之喪，鄭云二十七月，王
　　　　云二十五月；改葬之服，鄭云服緦三月，王云葬訖而除。繼母出嫁，鄭云皆

---

❸　《後漢書》，頁1213。

❸　汪惠敏：〈三國時代經學之流變〉，頁237-238。

❸　在馬國翰《玉函山房輯佚書》輯有：〔魏〕劉楨《毛詩義問》一卷；〔魏〕王肅《毛詩王氏注》四卷、《毛詩義駁》一卷、《毛詩奏事》一卷、《毛詩問難》一卷；〔魏〕王基《毛詩駁》一卷；〔吳〕韋昭、朱育等《毛詩答雜問》一卷；〔吳〕徐整《毛詩譜暢》一卷；〔晉〕孫毓《毛詩異同評》三卷；〔晉〕陳統《難孫氏毛詩評》一卷；〔晉〕郭璞《毛詩拾遺》一卷；〔晉〕徐邈《毛詩音》一卷等。見〔清〕馬國翰：《玉函山房輯佚書》（臺北：文海出版社，1967年6月）。

❸　今存《禮》學輯本有：〔魏〕王肅《周禮王氏注》一卷、《喪服經傳王氏注》一卷、《王氏喪服要記》一卷、《禮記王氏注》二卷；〔魏〕孫炎《禮記孫氏注》一卷；〔魏〕董勛《問禮俗》一卷；〔吳〕射慈《喪服變除圖》一卷；〔晉〕杜預《喪服要集》一卷；〔晉〕干寶《周禮干氏注》一卷；〔晉〕袁準《喪服經傳袁氏注》一卷；〔晉〕孔倫《集注喪服經傳》一卷；〔晉〕劉智《喪服釋疑》一卷；〔晉〕蔡謨《蔡氏喪服譜》一卷；〔晉〕賀循《賀氏喪服譜》一卷、《葬禮》一卷；〔晉〕葛洪《葛氏喪服變除》一卷；〔晉〕孔衍《凶禮》一卷；〔晉〕徐邈《周禮徐氏音》一卷、《禮記徐氏音》一卷；〔晉〕李軌《周禮李氏音》一卷；〔晉〕范宣《禮記范氏音》一卷；〔晉〕盧諶《雜祭法》一卷；〔晉〕范汪《祭典》一卷；〔晉〕干寶《後養議》一卷；〔晉〕范甯《禮雜問》一卷；〔晉〕吳商《禮雜議》一卷。

服，王云從乎繼寄育乃爲之服。無服之殤，鄭云子生一月哭之一日，王云以
哭之日易服之月。如此者甚眾。〈喪服〉本文省略，必待注解事義逈彰，其
傳說差詳，世稱子夏所作，鄭、王祖《經》宗《傳》，而各有異同，天下並
疑，莫知所定。❹

因此帶動了魏晉學者研究《禮》學的風潮。❹

　　魏晉的《春秋》學，主要以《左傳》爲主。❷《左傳》在兩漢今古文之爭中常
常扮演著落敗者的角色，幾度欲立於學官而不果。漢末，今文學漸漸衰落，古文經
學在民間已醞釀成形，到魏晉，屬於古學的《左傳》獨霸一方，而屬於今文學的
《公羊》、《穀梁》便漸漸式微了。追究其原因，戴君仁先生認爲：

　　　　《左氏》所記的都是實實在在的事蹟，沒有什麼空話、異說。而且它不牽涉
　　　　到讖緯，……《左》、《穀》二家的先師不懂圖讖，而言《左氏》與圖讖
　　　　合，是貫遠傅會上去的。……《左氏》書中並無怪誕之言，所以它是較平實

---

❹ 《晉書》，頁581－582。

❹ 另一個主要的原因，魏晉時期是宗主式宗族形態的鼎盛時期，宗族勢力的擴張導致喪服服敘
　制度復興運動的興起，服敘內容入於典律，服敘研究也日趨精微。自東漢末馬融、鄭玄以
　來，注疏《禮經》之風日盛，魏晉時期專門研究喪服的著作紛紛問世，甚至脫離《儀禮》而
　以專著形式出現，可見魏晉時期喪服學著述之豐。不僅著述，講授喪服也成爲時髦及學識淵
　博的標誌，〔唐〕杜佑《通典》二百卷中，禮典佔半數，其中專載漢魏以來有關喪服議論的
　內容即達二十一卷之多，從中可以窺見魏晉時期喪服學之精深。貴族士大夫以講論喪服爲時
　髦，朝廷也以頒修服敘爲要政。詳參見丁凌華撰：《中國喪服制度史》（上海：上海人民出
　版社，2000年1月），頁165－166。

❷ 今存《春秋》學輯本有：〔魏〕董遇《春秋左氏傳章句》一卷；〔魏〕王肅《春秋左傳王氏
　注》一卷；〔魏〕嵇康《春秋左傳嵇氏音》一卷；〔魏〕糜信《春秋穀梁撰糜氏注》一卷；
　〔晉〕孫毓《春秋左氏傳義注》一卷；〔晉〕江熙《春秋公羊穀梁二傳評》一卷；〔晉〕徐
　乾《春秋穀梁傳徐氏注》一卷；〔晉〕京相璠《春秋土地名》一卷；〔晉〕徐邈《春秋穀梁
　傳義注》一卷；〔晉〕徐邈《春秋左傳徐氏音》一卷；〔晉〕干寶《春秋左氏傳函義》一
　卷；〔晉〕范甯《答薄叔元向穀梁義》一卷；〔晉〕鄭嗣《春秋穀梁傳鄭氏說》一卷等。

的古書，而爲古文派厭惡讖緯者所喜。㊸

這便是古文家爲什麼這麼重視《左傳》的原因。

在這一個時期，應該還要注意《易》學與《論語》學的發展，這方面的著作亦不算少。許多專書或文章都討論到這一時期的解經方式有玄學化的傾向，其中以王弼的《周易注》與何晏的《論語集解》爲代表。「經學玄學化」的現象並非遍及諸經，而是集中在《易》與《論語》上，爲什麼會有這樣的情況產生？謝月玲先生對此現象提出解釋：

> 《論語》、《周易》二書一爲語錄體，一爲現象界具象的抽離簡化，其表達形式與成書結構皆具樸素性格，未經人文分析的割碎，故保有多元思考與詮釋的空間。㊹

語錄體較之成篇的文字論述不嚴謹，在段落之間沒有一定的關聯性，因此解經者可依個人主觀的意見作解釋，可以發揮的空間很大；《周易》一書原爲卜筮之用，以陰爻與陽爻的交互排列產生多種組合，是一種較原始的表達方式，它的文字，也非常的簡約，因此給了解經者無限的空間。由於這些特質，使得《周易》與《論語》成爲經學玄學化的重要解經對象。

而所謂的「玄學化」，即是以老、莊思想來解釋經書，以經書作爲憑藉，「重點不在疏通經義，而在發揮注釋者自身的見解。」㊺會產生這樣的結果，最主要的原因是魏晉時期社會動盪不安，人民朝不保夕，知識分子感到生命的虛渺，開始探

㊸ 戴君仁撰：〈兩漢經學思想的變遷——易禮春秋〉，《梅園論學續集》（臺北：藝文印書館，1974 年 11 月），頁 44—45。

㊹ 謝月玲：〈對「經學玄學化」一詞與其現象背後意義之重審〉，《人文學報》第 3 卷第 21 期（臺北：中華民國人文科學研究會，1997 年 8 月 31 日），頁 67。

㊺ 牟鍾鑒：〈魏晉南北朝時期的經學〉，收入林慶彰師編：《中國經學史論文選集（上）》（臺北：文史哲出版社，1992 年 10 月），頁 457—458。（原載《中國哲學發展史（魏晉南北朝）》（北京：人民出版社，1988 年 4 月），頁 619—652。）

討人生、社會、宇宙的哲理，希望藉由老、莊思想的自然無爲，消弭心中的不安，形成了清談的風氣。這樣的風氣漸漸影響到各個層面，經學也不能倖免。到了東晉之後，除了老、莊思想，又加入了一股新的思潮，即佛理的興起。佛理的興起，是由於佛教僧人以「格義」的方法積極翻譯佛經，借老、莊之言以明佛法，玄學與佛學很容易便能相接應。當時的名士研究佛法，而名士清談，座上亦有僧人參與，此時的經傳注解，更形成儒、釋、道交涉的局面。

援老入經，援佛入經，這樣的解經方式究竟恰當與否，很難給予一個公允的評價，但需不需要像范甯一樣，說：「時以虛浮相扇，儒雅日替，甯以爲其源始於王弼、何晏，二人之罪深於桀、紂。」❻這麼嚴厲的批判，實際上也不必要，因爲每個時代的學者都有其時代性，魏晉經學家受玄學風氣的影響，就如同漢鄭玄受讖緯學風氣的影響一樣，都反映在他們所注的經籍上，身處在當時代的人，面對時代的風氣，很難避免這種侷限性。

還有一個值得注意的地方，就是經書的體制問題以及經傳集解的出現。在魏晉之前，經書的編排方式是：經是經、傳是傳，各自分開。究竟什麼時候才開始合併？〔唐〕孔穎達《周易正義》說：

> 《正義》曰：「夫子所作〈象〉辭，元在六爻經辭之後，以自卑退，不敢干亂先聖正經之辭。及至輔嗣之意，以爲〈象〉者本釋經文，宜相附近，其義易了。故分爻之〈象〉辭，各附其當爻下言之，猶如元凱注《左傳》，分經之年與傳相附。」❼

可知當時孔子作〈象〉辭時，其實是將〈象〉辭放在經辭的後面的，王弼認爲〈象〉辭是要解釋經文的，因此宜與經辭相附近，才能使學者尋檢方便。《尚書》的序與經文相連始自僞《孔傳》，〈僞孔安國尚書序〉說：

---

❻ 《晉書・范甯傳》，頁 1984。

❼ 孔穎達撰：《周易正義》，李學勤主編《十三經注疏（標點本）》（北京：北京大學出版社，1999 年 12 月），頁 27－28。

《正義》曰：「此序也，孔以〈書序〉序所以爲作者之意，宜相附近，故引之各冠其篇首。」❹

《左傳》與經文相連，則始自杜預《左氏春秋經傳集解》：

> 分經之年與傳之年相附，比其義類，各隨而解之，名曰《經傳集解》。❹

經與傳的合併，大都是魏晉人所爲的。這在中國經學史上，是一個重大的改變。

從魏晉學者著述中可以發現「經傳集解」這種體裁的出現，如李顒《集解尚書》、劉寔《集解春秋序》、范甯《春秋穀梁傳集解》、杜預《春秋左氏經傳集解》、謝萬《集解孝經》、何晏《論語集解》、孫綽《論語集解》、江熙《論語集解》等皆是。

「集解」的意義，據何晏的〈論語集解序〉說：

> 今集諸家之善，記其姓名，有不安者，頗爲改易，名曰《論語集解》。❺

採集各家說法，記其姓名，而在諸家說法之下或以己意申述之，以正其說，便是「集解」的方式。這個時期，有些著述雖名爲「注」，但其實已是「集解」的體例。不過，雖說是「集解」，但它的解經方式是簡單扼要，這和兩漢今文學家煩瑣的章句動輒百餘萬言是不同的。這樣的體例，形成魏晉經學著作的特色。它的好處，是保存了許多舊說，如〔晉〕杜預的《春秋經傳集解》，便參考〔前漢〕張蒼、賈誼、尹咸、劉歆；〔後漢〕鄭眾、賈逵、服虔、許惠卿、穎容等人的說法，將他們的長處一一取擷。又如范甯的《春秋穀梁傳集解》，徵引了「漢魏諸家」如：董仲舒、尹更始、劉向、許慎、鄭玄、何休、譙周等人；「門生故吏」如：鄭

---

❹ 《尚書正義》，同上，頁84。
❹ 《春秋左傳正義》，同上，頁24。
❺ 《論語注疏》，同上，頁6。

嗣、徐乾、江熙、徐邈等人；「兄弟子姪」如：范邵、范泰、范雍、范凱等十五家的說法。這對於已經亡佚的魏晉古籍來說，存在於這些「集解」裡的隻字片語都是極其珍貴的。這種體例的出現，是因為解經的人變多了，於是發展出集解式說經的書，同時也說明這時期經學的生命是相當勃興的。

(二) **經學家**

　　魏晉時期出現了許多著名的注經學者，如：王肅、王弼、何晏、杜預、范甯等人。《隋書・經籍志》說：「魏代王肅，推引古學，以難其（讖緯）義。王弼、杜預，從而明之，自是古學稍立。」❺湯用彤亦說：「魏晉經學之偉績，首推王弼之《易》，杜預之《左傳》，均源出古學。」❺可以看出這些著名的經學家都是推崇古文經學的。

　　王肅（195－256）是繼鄭玄之後一個遍注群經的人，歷來討論鄭學、王學之爭的文章非常多，在此不多做贅言，許多人認為王肅為了反對鄭玄偽造《孔子家語》以與己說合，目的在以投機的方式取代鄭玄經學大師的地位，在操守上是一個重大的缺失，因此全盤否定王肅的學問，這點，王肅似乎也預料到了，他在《孔子家語・序》說：

> 　　鄭氏學行五十載矣。自肅成童，始志於學，而學鄭氏學矣。然尋文責實，考其上下，義理不安，違錯者多，是以奪而易之。世未明其款情，而謂其苟駁前師，以見異於人，乃慨然而嘆曰：「豈好難哉！予不得已也。」❺

不過漸漸已有學者能持平地評論鄭玄與王肅的得失，發現除了一些地方意氣之爭外，王肅的說法絕大部分是比較好的。鄭玄和王肅都是古文學出身，但最大的差異，便是鄭玄相信讖緯之說，王肅不相信。王肅認為自己的任務是要恢復「純正的

---

❺　《隋書》，頁 941。

❺　湯用彤撰：〈王弼之《周易》、《論語》新義〉，《中國經學史論文選集（上）》，頁 504。（原載《圖書季刊》新 4 卷 1、2 期合刊（1943 年 6 月），頁 28－40。）

❺　〔清〕嚴可均撰：《全上古三代秦漢三國六朝文》，冊 3，頁 235。

古學」，而鄭玄不夠資格稱上古學，古學是不相信讖緯的。因爲如此的差異，使得鄭玄解經，時雜有濃厚的天道思想，而王肅企圖恢復純古學，也彰顯了其中的人文思想。

王弼（226－249）的學術淵源亦與古文經學有關，必須要上溯到漢末的荊州學派。牟鍾鑒說：

> 王粲與族兄王凱避亂至荊州，依於劉表，對荊學諳熟而讚賞。王弼乃王粲之繼孫，則王弼的家學淵源可上溯於荊學。❺❹

荊州學派的代表人物宋衷，所傳的即是古文經學。《三國志・蜀志・尹默傳》：

> 尹默字思潛，……。益部多貴今文而不崇章句，默知其不博，乃遠遊荊州，從司馬德操、宋仲子（宋衷字）等受古學。❺❺

而王弼注《周易》，他所本的費氏《易》，亦即古文經學。《漢書・儒林傳》說費氏治《易》「亡章句，徒以〈彖〉、〈象〉、〈繫辭〉十篇、〈文言〉解說上、下經」❺❻其學本以傳解經，與今文家重訓詁章句大異其趣。湯用彤先生認爲王弼用費氏《易》，不但因其所用《易》文同於古文，「而實亦因其沿襲其以經解之成規也」❺❼說明王弼以傳解經的方式，正是先秦至漢初治《易》的方法再現，可證明王氏的《易》學有古學的傾向。❺❽

---

❺❹ 牟鍾鑒撰：〈魏晉南北朝時期的經學〉，頁453。

❺❺ 《三國志》，頁1026。

❺❻ 〔漢〕班固撰：《漢書》（臺北：鼎文書局，1986年10月），冊5，頁3602。

❺❼ 湯用彤撰：〈王弼之《周易》《論語》新義〉，頁507。

❺❽ 王弼注《易》以傳解經，湯用彤先生認爲明證有四：㈠王《易》相傳出於費氏，費氏之章句，而主以傳解經。㈡王氏多於小〈象〉下無注，而以小〈象〉之義，入爻辭中，是爲以傳解經之實例。㈢《孔疏》云：「輔嗣加乾傳泰傳字，離爲六篇。」蓋今本《周易》分六卷，每卷首題《周易》上經（或下經）某傳（乾傳、泰傳、噬嗑傳……）云云。於六卷之首，均明言某傳，極見其以經附傳，用傳解經之意。㈣〈經典釋文敘錄〉略云：「王《注》上下經

杜預（222－284）的治學範圍不很廣，主要是他在事功方面有著卓越的成就，相對於學問，便無法花費太多時間來作研究，《晉書·杜預傳》即說：

> 當時論者謂預文義質直，世人未之重，唯祕書監摯虞賞之，曰：「左丘明本為《春秋》作傳，而《左傳》遂自孤行。《釋例》本為《傳》設，而所發明何但《左傳》，故亦孤行。」時王濟解相馬，又甚愛之，而和嶠頗聚斂，預常稱「濟有馬癖，嶠有錢癖」，武帝聞之，謂預曰：「卿有何癖？」對曰：「臣有《左傳》癖。」❺❾

由於他酷愛《左傳》成癖，因此對《左傳》的研究最深，撰成《春秋左氏經傳集解》一書。牟鍾鑒說他崇尚《左傳》，貶抑《公羊》、《穀梁》，而此部書的特點之一，即是「以《春秋》義例為周公之遺制，孔子加以發揮，用來匡正時敝，而有《左傳》變例，這樣周公地位就在孔子之上」。❻⓪關於這點，必須回到漢代今古文之爭這件事上，今文學家認為六經是孔子所作；古文學家則認為六經是周公的舊典，劉百閔〈今古文學上的周公和孔子〉一文說古文學家的說法是：「他們所崇奉的，孔子以上，首推周公。」❻①這樣，杜預的經學立場便很明顯的是推崇古學的。

范甯（339－401）治《穀梁》的方法和杜預不同，杜預專守《左傳》，貶抑《公》、《穀》，范甯卻不守專門，兼採《左傳》、《公羊》二傳。他推崇古文經學，從他注解《穀梁》多引何休、鄭玄等人的說法即可得到證明。由於他少年時期篤志於學問，博覽群書，但卻遇上玄學日盛，學者常以游辭浮說，空談誤國。因此對於玄學的發起人王弼、何晏，他感到非常的憤怒，認為他們是不純粹的古學，強

六卷，〈繫辭〉以下不注。相承以韓康伯《注》續之。」是王《注》只及上下經。〈繫辭〉以下以韓《注》續，乃「相承」已久之事。但輔嗣注《易》，祖述〈繫傳〉，而〈繫〉反無注者，必王作書原旨，只在以傳解經。經注已完，〈繫辭〉以下，自無續注之必要。詳參見湯用彤撰：〈王弼之《周易》《論語》新義〉，頁 508－509。

❺❾ 《晉書》，頁 1032。

❻⓪ 牟鍾鑒撰：〈魏晉南北朝時期的經學〉，頁 458。

❻① 劉百閔撰：《經子肆言》（臺北：遠東圖書公司，1964 年 6 月），頁 71。

烈指責他們的罪大過於桀、紂。

在這一時期的其他學者，我們也可以從史傳或其文章中觀察他們對經學的立場與態度，如：《三國志·蜀志·李譔傳》：

> 李譔字欽仲，……與同縣尹默俱游荊州，從司馬徽、宋忠等學。譔具傳其業，又從默講論義理，五經、諸子，無不該覽。……著古文《易》、《尚書》、《毛詩》、《三禮》、《左氏傳》、《太玄指歸》，皆依準賈、馬，異於鄭玄。㉒

又如〈譙周傳〉：

> 周字允南，……既長，耽古篤學，家貧未嘗問產業，誦讀典籍，欣然獨笑，以忘寢食。研精六經，尤善書札。㉓

又如《晉書·陳邵傳》：

> 燕王師陳邵，清貞潔靜，行著邦族，篤志好古，博通六籍。㉔

又如晉武帝〈以庾純爲國子祭酒詔〉：

> 議郎庾純，篤志好古，敦說《詩》、《書》，有儒行。宜訓導國子。㉕

所謂的「好古」，即指好「古文經學」，可見魏晉時期確實是古學盛行的時期。其

㉒ 《三國志》，頁 1026－1027。

㉓ 同前註。

㉔ 《晉書》，頁 2348。

㉕ 〔清〕嚴可均撰：《全上古三代秦漢三國六朝文》，冊 3，頁 49。

他如許慈、尹默、李密、陸績、徵崇、董遇、杜寬、蘇林、邯鄲淳、鍾會等人，都
是推崇古學的學者。

四、結語

　　從上文對「魏晉官方對經學的態度」、「魏晉諸家的經學研究」兩方面的討
論，筆者以爲對於魏晉經學可以做以下的歸納：

　　其一，從魏《正始石經》的頒立與對經學博士的設置，可看出魏晉官方對經學
的推舉，並不因爲時代的動亂而有所動搖。由於官方認同古文經學，認爲有必要由
政府統一經文，以供各地學者參考，因此在漢《熹平石經》（今文經）頒立後僅六
十多年，仍不惜耗資頒立《正始石經》。另一方面，從魏晉博士的設置來看，魏博
士可考者皆治古文經，兩晉博士亦多古文經學家，因此從這兩方面可以確定官方對
古文經學的重視。

　　其二，東晉僞《古文尚書》的出現，說明當時經學家爲了提倡古學，需要更多
有力的古文經典以支持其說，證明魏晉時期是古學興盛之時代。

　　其三，從魏晉經學著作數目來看，魏晉時期非但不是「經學中衰」的時期，反
而是經學蓬勃發展的時期，而且爲古文經學興盛的時期：僞《古文尚書》一出現即
被立於學官；《毛詩》的研究已經成爲魏晉《詩經》學的代表；《左傳》在兩漢一
直處於落敗的地位，在魏晉時期總算日漸盛行，成爲研究《春秋》學的主流。

　　其四，由於受玄學盛行的影響，經學逐漸與佛老相交涉。「經學玄學化」的現
象並非遍及諸經，而是集中在《易》與《論語》上。這是由於「語錄體」可以發揮
的空間很大，使得《周易》與《論語》成爲經學玄學化的重要對象。代表人物爲王
弼、何晏。經學與佛老之學相交涉是否恰當，我們無法論斷對錯，因爲每個時代的
經學家，都有其時代的侷限性，但也形成這一時期的經學特色。

　　其五，在魏晉之前，經書的體制爲經歸經，傳歸傳，但自魏晉之後，出現了經
傳合併的情形，目的是爲了方便閱讀，但是從此以後便有了經文、注文相混的缺
點。

　　其六，魏晉時期開始有集解式的注解出現。如：如李顒《集解尚書》、劉寔
《集解春秋序》、范甯《春秋穀梁傳集解》、杜預《春秋左氏經傳集解》、謝萬

《集解孝經》、何晏《論語集解》、孫綽《論語集解》、江熙《論語集解》等，雖名爲集解，但其注解簡單扼要，和兩漢今文經學家煩瑣的章句動輒百餘萬言不同。

　　其七，重要的經學家如王肅、王弼、杜預、范甯、許慈、尹默、李密、陸績、徵崇、董遇、杜寬、蘇林、邯鄲淳、鍾會等，皆是古文學的推崇者，可見魏晉時期確實是古學興盛的時期。

經 學 研 究 論 叢
第 十 輯　　頁37～48
臺灣學生書局　2002 年 3 月

〈瞻卬〉、〈召旻〉、〈節南山〉新證

張建軍*

《大雅・瞻卬》、《大雅・召旻》

〈瞻卬篇〉，《毛序》：「凡伯刺幽王大壞也。」《箋》：「凡伯，天子大夫也。」《春秋・隱公七年》：「冬，天王使凡伯來聘。」三家無異議。〈召旻篇〉，《毛序》：「凡伯刺幽王大壞也，旻，閔天下無如召公之臣也。」《箋》：「旻，病也。」三家無異議。

朱熹《詩集傳》，〈瞻卬篇〉云：「此刺幽王嬖褒姒任奄人以致亂之詩。」〈召旻篇〉云：「此刺幽王任用小人以致饑饉侵削之詩也。」

對二詩創作時代，毛、朱以來，姚際恒、方玉潤等歷代學者基本都持幽王朝詩的觀點，到陸侃如、馮沅君《中國詩史》才對前人傳統觀點提出異議：「〈瞻卬〉詩中有『哲婦傾城』句，似指褒姒，或者是東遷後的作品。」❶但由於其說為疑似之詞，再加上它祇考察了〈瞻卬〉一詩，而沒有涉及〈召旻〉，而這兩首詩，人們一般都認為是出自同一作者之手的作品。所以陸、馮新說並沒有得到普遍認可。現代《詩經》學界，既有少數追隨《中國詩史》之說者，更多則仍承信《毛序》、《詩集傳》等舊說。《中國詩史》的說法，並沒有引起足夠的重視與進一步深入探究。

---

*　張建軍，蘇州大學中國文學系博士生。

❶　陸侃如、馮沅君：《中國詩史》（濟南：山東大學出版社，1996 年重勘本），頁38。

　　爲了有利於對這兩篇作品進行斷代考察，我們先解決以下兩個問題。

　　一、〈瞻卬〉、〈召旻〉二詩，應當是同一時代、同一作者之作，這幾乎是古今學者的共識，《毛序》、鄭《箋》固不煩再引，吳闓生《詩義會通》又曰：「（〈召旻〉）《序》亦以爲凡伯刺幽王之作，察其詞義，與上篇相似，理或然也。二詩皆憂亂之將至，哀痛迫切之音。」袁梅《詩經譯注》也說：「本篇（〈召旻〉）也是諷刺幽王荒淫無道之詩，內容近似前篇。詩人蒿目時艱，鬱憤難申，發此迫切哀楚之音。」從詩的本文來看，〈瞻卬〉曰：「瞻卬昊天，則不我惠。孔塡不寧，降此大厲。」〈召旻〉則曰：「旻天疾威，天篤降喪。」〈瞻卬〉曰：「邦靡有定，士民其瘵。」〈召旻〉則曰：「瘨我饑饉，民卒流亡。我居圉卒荒。」〈瞻卬〉曰：「蟊賊蟊疾，靡有夷屆。」〈召旻〉則曰：「蟊賊內訌，昏椓靡共，潰潰回遹，實靖夷我邦。」因此，二詩是同一時代詩，出自同一人之手，實無問題。

　　二、二詩作者凡伯，與作〈板〉詩的凡伯，並非同一人。陳子展《詩經直解》：「《序》說此詩作者凡伯，與〈板篇〉以刺厲王之凡伯是否一人？又，凡爲何地？〈板篇〉，《孔疏》云：『僖二十四年《左傳》：「凡、蔣、邢、（《左傳》邢或作邧）茅、胙、祭，周公之胤也」，以其伯爵，故宜爲卿士。《春秋》隱七年，「天王使凡伯來聘」。世在王朝，蓋畿內之國。杜預注云：「汲郡共縣東南有凡城。」共縣於漢屬漢內郡，蓋在周東都之畿內也。』」李超孫《詩氏族考》云：「按，〈節南山〉，《疏》謂〈瞻卬・箋〉隱七年天王使凡伯來聘，自隱七年上距幽王之卒五十六歲。凡國、伯爵，爲君皆然，不知其人之同異。但〈板〉與〈瞻卬〉俱是凡伯所作，〈板〉已言老夫灌灌、匪我言耄，則不得及幽王時矣。（范）逸齋（《補傳》）於〈瞻卬〉詩亦云：『凡伯爲〈板〉之詩以刺厲王，在曰老夫灌灌、匪我言耄，〈瞻卬〉、〈召旻〉二詩，蓋〈板〉之凡伯子若孫也。……』此已確認〈板篇〉之凡伯，與〈瞻卬〉、〈召旻〉之凡伯，得分爲二人矣。」

　　綜上所述可知：〈瞻卬〉、〈召旻〉爲同一時代同一作者的詩篇；它們的作者凡伯非作〈板〉之凡伯，而是其後輩。解決了以上兩個問題，將會給我們後面考察以有利條件，下面就來集中討論二詩的斷代問題。

先看〈瞻卬〉，在當代《詩經》研究者中，《毛序》以來幽王時說，與《中國詩史》東遷後之新說，處於一種相持不下的狀況。

如劉毓慶持東遷後說：「《大雅・瞻卬篇》，《詩序》云『凡伯刺幽王大壞也。』所謂大壞當指犬戎之亂。詩言：『孔塡（久）不寧，降此大厲。』又云『哲夫成城，哲婦傾城。』『亂匪自天，生自婦人。』故知，『降此大厲』，必指幽王寵姒而亡國之事。詩又云『人之云亡，邦國殄瘁。』因知此詩確作於東遷之後。」❷

李山則持幽王時說：「〈瞻卬〉一詩定在幽王朝，是從其第三章所顯示的內容看出的。其辭云：『哲夫成城，哲婦傾國。懿厥哲婦，為梟為鴟。婦有長舌，維厲之階。亂匪自天。生自婦人。匪教匪誨，時維婦寺！』顯然是指褒姒而言。周幽王因寵幸褒姒而廢申后，並黜原太子宜臼立褒姒之子伯服。幽王有此惡舉，當時有識之士既已見出王朝會因此而敗亡。《國語・鄭語》載鄭桓公（當時為王朝司徒）向史伯請教『逃死』之地（這本身即顯出當時上層人士對時局的危懼），在史伯談論到西周必將滅亡的原因時說：『申、繒、西戎方強，王室方騷，將以縱欲，不亦難乎？王欲殺太子以成伯服，必求之申（可見此時被廢太子已逃往母舅之邦），申人弗畀，必伐之。若伐申，而西戎會以伐周，周不守矣，凡周存亡，不三稔矣！』周幽王若殺太子宜臼，必然會激化與申、繒、西戎等西方各國的矛盾，這是當時有頭腦的人對天下時局的分析。詩人聲言『哲婦傾城』，『維厲之階（階梯、導線）』與史伯對王朝未來命運的估計思慮一致，可證詩作於幽王朝末年。」❸

按：對於〈瞻卬〉，劉毓慶、李山一持東遷後之說，一持幽王朝之說，其爭議是具有代表性的。因此這裡將二人論證引出，以便於進行辨別，從二人論證可以看出：二人雖一持東遷後說，一持幽王時說，各不相下，而他們所用的證據，卻幾乎是相同的（即「哲婦傾城」等語）。看來，單憑二人文中所提出的論證，是難以判定二說優劣的。

再看〈召旻〉，李山說：「〈召旻〉一詩中有云：『昔先王受命，有如召公。日辟國百里，今也日蹙國百里。』是判斷詩年代上限的絕好證據。舊說多以周

<hr>

❷　劉毓慶：《雅頌新考》（太原：山西高校聯合出版社，1996年），頁210、211。

❸　李山：《詩經的文化精神》（北京：東方出版社，1997年），頁221、222。

初召公解此詩中『召公』稱『辟國』云云，即指其經理召南之地。但周初的召公祇是與周公分陜而治，並不是開疆拓土，顯然與詩云『日辟國百里』有明顯的差距。此詩中的『召公』當即宣王朝的大臣召公虎。《大雅·江漢》『王命召虎，式辟四方』云云，就是召穆公『辟國百里』的有力證據。如此，詩篇當作於宣王朝以後。那麼是否有可能作於犬戎滅周、幽王敗死之後呢？（西周滅亡，東周東遷之際有一個『二王並立』時期，此期也是《詩經》創作的重要時期，說見下文。）詩言『民卒流亡』。單從一點看，有此可能。但通觀全詩，民眾流亡的原因是『天篤降喪，瘨我饑饉』，並且詩言『泉之竭矣，胡不自中』，『潰潰回遹，實靖夷我邦』，看來造成社會動盪、國力峻削的是天災人禍，並未顯示出戰亂的跡象，因此可知詩篇當作於犬戎滅周之前。據此，詩作於幽王在位時期。」❹

今按，關於〈召旻〉，李山之說，認爲詩中「並未顯示出戰亂的跡象」而斷定此詩必作於幽王朝即犬戎滅周之前，實際是把「幽王死後不久」（李山所說「二王並立」時期），與「幽王死後」偷換了概念。因此，其論證並不能排除該詩爲東遷後詩的可能性。

以上分析表明，解決〈瞻卬〉、〈召旻〉斷代問題，除需深入、全面理解詩本文外，還需與有關史料相結合，以探明二詩創作具體時代背景，使詩的讀解與史的探究相聯繫，從而趨近於眞實、準確。下面就擬在前人研究的基礎上，從詩本文及有關史料線索入手，對二詩進一步作一新的考察。

一、〈召旻〉云：「昔先王受命，有如召公。日辟國百里，今也日蹙國百里。」李山認爲「日辟國百里」的召公是指召穆公（召伯虎）這是正確的，但李山似乎有意迴避了對「今也日蹙國百里」的說明。「今也日蹙國百里」放在幽王時代是不合理的，因爲犬戎之亂起前，幽王未死之時，周王朝尚處於矛盾積累階段，周王室表面上仍支撐著「普天之下，莫非王土」的天下共主的架子，而「日蹙國百里」祇有放到東周王室東遷，周的國土日見侵削的情況下才說得通。因此，〈召旻〉一詩的寫作背景應是東遷之後，又已知〈召旻〉、〈瞻卬〉爲同一時代，同一作者的詩作，所以這二首詩都應爲東周之作，作於東周王室日趨衰沒之際。

---

❹　同前註，頁 222。

二、歷來論者似乎都忽略了〈瞻卬〉鄭玄《箋》之文：「凡伯，天子大夫也。《春秋》隱公七年：『冬，天王使凡伯來聘』。」由《箋》之文看來，鄭玄似認為作〈瞻卬〉、〈召旻〉的凡伯即《春秋》隱公七年的凡伯。（不過鄭玄堅守疏不破注的「義法」，仍持幽王詩說）。既然由我們前面論述已知，二詩為東周時詩，又知作〈瞻卬〉、〈召旻〉的凡伯可能即是《春秋》隱公七年的凡伯。那麼，是否可從《春秋》及《左傳》的有關記載中尋繹一下有關該詩背景的線索呢？至少，嘗試一下是可以的吧？

按《春秋》隱公七年：「冬，天王使凡伯來聘，伐凡伯於楚丘以歸。」《左傳‧隱公七年》：「初，戎朝於周，發幣於公卿，凡伯弗賓。冬，天王使凡伯來聘，還，戎伐之於楚丘以歸。」《春秋》及《左傳》中凡伯反對與「戎狄」外交，對「戎狄」「不賓」而被「戎狄之於楚丘以歸。」〈瞻卬〉詩中亦反對與此戎夷等親善曰：「捨爾介狄」（《箋》：「乃捨女被甲之夷狄來侵犯中國者。」）這難道衹是偶合嗎？又《春秋》隱公五年：「螟。」杜預注：「蟲食苗心為災，故書。」又《春秋》隱公八年「螟」。（《春秋》雖是魯之國史，但蟲災本是不限於一諸侯之域的，另外後文引《左傳‧隱公六年》：「京師來告饑。」可看出當時京師受災嚴重。）又《左傳‧隱公六年》：「冬，京師來告饑。公為之請糴於宋、衛、齊、鄭。」而〈瞻卬〉詩云：「瞻卬昊天，則不我惠，孔塡不寧，降此大厲，邦靡有定，士民其瘵。蟊賊蟊疾，靡有夷屆。」朱熹《詩集傳》：「蟊賊，害功之蟲也。疾，害。」〈召旻〉詩云：「旻天疾威，天篤降喪，瘨我饑饉。民卒流亡，我居圉卒荒。」又云：「天降罪罟，蟊賊內訌。」（這裡「蟊賊」與「內訌」應是並列的，一是天災，一指人禍。對於二詩中的「蟊賊」，舊說有些認為是「比」，但由二詩中反映由天災造成饑荒情況來看，此應是「賦」，是實寫當時的蟲災。）難道這裡的蟲災、饑荒又是偶合嗎？

因此，〈瞻卬〉、〈召旻〉二詩應是東周桓王朝前期之詩，它們作者即《春秋》隱公七年的凡伯，二詩創作的背景既與作者凡伯的個人遭際有關，也與桓王前期（魯隱公七年即周桓王五年前後）的歷史情形有關。下面就從二詩所反映當時背景下東周國家、社會情況與作者凡伯個人經歷情況兩方面對史、詩進行雙向比照梳理，以辨明二詩的背景及其詩的含義。

先說當時國家、社會方面情形，二詩主要反映了以下三方面情況：

㈠天災，即蟲災及其造成的饑荒，已見於前文。

㈡朝政紊亂，綱紀不振，國力衰頓。

1.〈瞻卬〉：「哲夫成城，哲婦傾城。懿厥哲婦，爲梟爲鴟。女有長舌，維厲之階，亂匪自天，生自婦人。匪教匪誨，時維婦寺。」按桓王朝婦寺參政之事，《左傳》等雖無明確記敘，但以桓王生於深宮，長於婦人之手，其行事又頗無政治家水準（如《左傳》所載待鄭莊公不禮等）往往以個人親疏及好惡行事，婦、寺乃其身邊之人，當時有此問題，亦是可以理解的。《左傳·桓公十八年》「周公欲弑莊王而立王子克。辛伯告王，遂與王殺周公黑肩。王子克奔燕。初，子儀有寵於桓王，桓王屬諸周公。辛伯曰：『并后、匹嫡、耦國，亂之本也，』周公弗從，故及。」少子受寵威脅到太子（「匹嫡」），妾妃威脅到王後（「并后」）其中亦可窺見桓王朝宮廷中的昏亂。

2.〈召旻〉云：「天降罪罟，蟊賊內訌，昏椓靡共，潰潰回遹，實靖夷我邦。」按桓王朝朝政混亂，王廷中內訌一直不休，如初期卿士中鄭莊公與虢公爭政（《左傳·隱公三年》），又如虢公譖其臣詹父於王（《左傳·桓公十年》），又如前引王子克與莊王（桓王太子）之爭等等，皆可作此詩中「內訌」的注腳。

3.〈瞻卬〉云：「人有土田，女反有之。人有民人，女復奪之。」按，西周時土地國有，周天王將臣下封邑、民人收回被視爲當然之事，東周時土地國有制已遭破壞，而由於天王控制土域縮小了，有時爲擴建宮室、園囿或賞賚新寵，也會奪失位舊臣之土地、民人，在當時就會引起臣下嚴重不滿，甚至激起變亂（如《左傳·莊公十九年》五大夫之亂）這是一種導致不滿與變亂的因素，因此詩中給予強烈指責。

4.《召旻》云：「維今之人，不尚有舊。」按，不用舊臣，亦是桓王朝初期朝政的反映，桓王即位之初，就排斥鄭莊公（平王卿士），導致「周鄭交惡」（隱三年）後來又「奪鄭伯政」，最終導致了《左傳·桓公五年》（周桓王中期）的繻葛之敗，使王室從此「一蹶不振」。❺

---

❺　童書業：《春秋左傳研究》（上海：上海人民出版社，1980 年），頁 46。

5.〈召旻〉云：「維昔之富不如時，維今之疚不如茲。」此言周室之貧，按
《春秋》隱公三年：「三月庚戌天王崩。……秋，武氏子來求賻。」《左傳・隱公
三年》：「武氏子來求賻，王未葬也。」這正可看到周王室已「貧」到天王死不
「求賻」於諸侯即無力下葬的地步。

　㈢世風日下，貴族從商。〈瞻卬〉云：「鞫人忮忒。譖始竟背。豈曰不極，
伊胡爲慝！如賈三倍，君子是識。婦無公事，休其蠶織。」《箋》：「賈物而有三
倍之利者，小人所宜知也，君子反知之，非其宜也。」按，貴族從商，這正是典型
的周東遷後京師的情形，據《史記・貨殖列傳》，周東遷後，居洛邑東都，是天下
貨物積散之地，經商趨利之風漸盛。並有「趨利之風，甚於周人」的話，可見出東
周京師區域風氣。

　再說〈瞻卬〉、〈召旻〉二詩作者凡伯個人的遭際。

　〈瞻卬〉云：「天之降罔，維其優矣！人之云亡，心之憂矣！天之降罔，維
其幾矣！人之云亡，心之悲矣！」《毛序》、《詩經原始》皆解釋「人之云亡」爲
「賢人云亡」，顯爲曲解，此處「人之云亡」，緊跟著「心之憂矣」、「心之悲
矣」，當是作者悲嘆之辭，應指作者自己將臨於死亡，目睹時艱，心情十分沉重。
《春秋》及《左傳》魯隱公七年皆記此年凡伯聘魯歸途：「戎伐凡伯於楚丘以
歸」、「戎伐之於楚丘以歸」，此處言「以歸」不言「執之」無非是《春秋》義
法，「不與夷狄之執中國也」（《公羊傳》）實際凡伯此次被戎人俘去當是毫無疑
問的。從前文已知〈瞻卬〉詩云：「人之云亡，心之悲矣！」爲凡伯臨終絕筆，而
從〈瞻卬〉、〈召旻〉二詩反映蟲災、饑荒情況看，二詩最遲應作於魯隱公九年之
前（《春秋》，隱八年記「螟」）則凡伯最晚祇生活到魯隱公九年。據當時情形推
測，如果戎人將凡伯俘去後凡伯即死於戎手，雖也有可能在被俘期間作下〈瞻
卬〉、〈召旻〉這兩首詩，但二詩保留下來的可能性卻很小，更可能凡伯被戎人俘
去後扣留一段時間（大約不超過一年）後被放回，此時桓王本來就怕得罪於戎人，
又因凡伯是先朝舊臣，對之並不親信，這次因乘凡伯被俘之機，剝奪了凡伯的要
職，待凡伯放回後，乃以一無足輕重之職安置。凡伯因睹桓王及周廷中諸人，仍與
戎人交往，反而疑忌自己（〈瞻卬〉：「捨爾介狄，維予胥忌。」）加上職位被貶
（〈召旻〉：「我位孔貶」）並被眾人譏議（〈召旻〉：「皋皋訿訿，曾不知其

玷」），又痛朝政昏亂、世風日下（參見前文），加上剛經歷了陷戎被俘之辱，身心都遭到很大摧折。所以魯隱公八年左右含恨死去，臨終乃將一腔悲憤發於詩筆，〈瞻卬〉、〈召旻〉就是其臨終絕唱，因爲「人之云亡，其心悲矣」，痛極而歌，故其揭露與抨擊的深度、廣度都達到了雅詩中的最高水平，其感情強度亦幾爲雅詩中之僅見。吳闓生《詩義會通》評二詩爲「賢者遭亂世，蒿目傷心，無可告愬，繁冤抑鬱之情，《離騷》、《九章》所自出也。」確是抓住了二詩的思想、感情上的特點。

以上論述表明：〈瞻卬〉、〈召旻〉兩首雅詩，是春秋時代作品，二詩約作於公元前七一五年至前七一四年（即魯隱公八、九年）前後。是周桓王朝廷中老臣凡伯的臨終絕筆。

《小雅・節南山》

《毛序》：「節南山，家父刺幽王也。」《箋》云：「家父，字，周大夫也。」此詩陸侃如、馮沅君《中國詩史》考證，認爲是東周桓王時詩，其說曰：

> 〈節南山〉。《毛詩序》以爲幽王時詩，三家則主宣王。如《漢書》（卷20《古今人表》）列嘉父於厲、宣之世（嘉父即詩中「家父作誦」之家父），又如《潛夫論》卷九〈志氏姓〉末段說：尹吉甫相宣王著大功績，詩云「尹氏大師，維周之底」也。然而詩中尹氏非指吉甫本人，至爲明顯，故三家說實無據。崔述列此詩於幽王的「附錄」中，說：「按此詩專咎尹氏，謂尹氏『秉國之均』，而〈十月篇〉歷敘助虐之臣，自皇父以下凡七人，獨無尹氏，則似此二詩非一時作也。且此家父所作，而〈十月篇〉有家伯，雖未知其爲父子、爲兄弟，然要之必非一時之事矣。豈此在幽王之初與？抑非幽王之詩與？」（《豐鎬考信錄》卷7）由此可知序說亦難通。此外，又有桓王之說。《詩集傳》（卷11）說：「序以此爲幽王之詩，而《春秋》桓十五年有『家父來求車』，於周爲桓王之世，上距幽之終已七十五年，不知其人之同異。」姚際恒則謂：「以詩中南山證之，是終南山也。自歐陽氏執《春秋》家父在桓王之世，而《集傳》亦疑之。……予謂序不足信，詩

亦不足信乎？東遷之後，曷爲詠南山哉？」（《詩經通論》卷 10）可是南山很難作考證的根據，〈召南〉中南山數見，豈亦西周之作？至於孔穎達說：「此家氏或父子同字父，未必是一人也。」（《毛詩注疏》卷 11），那顯然回護序說之辭。所以詩中家父當假定爲桓王時人，作詩當在前七○○年左右。

今按：此詩爲東周桓王時詩，《中國詩史》網羅舊說，辨析論之已甚精詳，應該信從。可以補充者：劉毓慶《雅頌新考》說：「……然而此詩首章即言：『國既卒斬，何用不監（鑒）！』顯然爲西周亡國後之詩，其所刺者必非幽王。《詩集傳》云……朱熹囿於《序》刺幽王之說，覺桓王的家父距幽王較遠，不敢肯定。但是如果說在周東遷後的七十餘年中，周邦竟會有兩個同名同姓的大夫，這恐怕是很難得的。我認爲作詩的家父與《春秋》家父當爲一人。」❻又，《中國詩史》所引崔述《豐鎬考信錄》通過將詩中所寫人物與《十月之交》進行比較，認爲「二詩非一時之作」，這也是一條有啓發性的線索，根據現當代中、外《詩經》研究者的結論已知《十月之交》爲平王後期詩（平王三十六年）❼，又由詩本文已知〈節南山〉爲東周詩，周王世系，平、桓相接，則該詩以桓王朝詩可能性爲最大。總之，作於桓王朝之說，無論從詩的本文上，還是從史籍上，還是從情理上看，都要優於宣、幽二說。

但是，要想確證該詩爲桓王時詩，還需通過深入詩的本文，結合有關歷史文獻資料，以辨明該詩的具體背景，以達到更深層次的讀解。

根據該詩本文，借助有關史料及史學界對春秋時周王室及有關諸侯國情況的研究成果，史詩互證，我們認爲通過該詩所寫有關內容，其創作的背景應是魯桓公五年（公元前 707 年）周桓王伐鄭大敗於繻葛之事。

---

❻ 劉毓慶：〈雅頌詩的斷代〉，《雅頌新考》，第 9 篇，頁 213。

❼ 參考沈長雲：〈〈十月之交〉日食及相關歷史問題辨析〉（第一屆《詩經國際學術研討會論文集》，1994 年出版）、趙光賢：〈十月之交作於平王時代說〉（《齊魯學刊》，1984 年 1 期）等。

《左傳・桓公五年》：「王奪鄭伯政，鄭伯不朝。秋，王以諸侯伐鄭，鄭伯御之。王爲中軍，虢公林父將右軍，蔡人，衛人屬焉；周公黑肩將左軍，除法人屬焉。……戰於繻葛。……蔡衛陳皆奔，王卒亂，鄭師合以攻之，王卒大敗，祝射身王肩。」

史學界普遍認爲，這次戰役是東周王室衰落的一個轉折點：「這一仗不僅打敗了王師，更重要的是使天子的威風掃地，『受天有大命』，『匍有（敷右）四方』（《大盂鼎》）的牌子也被打掉了。」❽童書業《春秋左傳研究》也說：「……是繻葛戰前周王尚能糾合諸侯以討諸侯叛離之國，至繻葛戰後，周室始一蹶不振矣。」❾

今按；一、該詩作於此次戰敗後，這由詩的本文可知。〈節南山〉詩三章云：「不吊昊天，不宜空我師」《詩集傳》：「空，窮。師，眾也。」嚴粲《詩緝》則云：「昊天不見愍吊乎？不宜曠我太師之官也。非其人而處其位，與無人同，故謂之空。」說雖新穎，卻並無實據。其實，這裡的「師」應用其「師旅」之義，指「王師」。根據《左傳・桓公五年》記載，伐鄭之敗，蔡、衛、陳一觸即潰，皆先奔，鄭軍「萃於王師」，「王卒大敗」，連周桓王本人都被射傷，可見王師傷亡之重，「空師」之說，雖可能爲出於激憤之辭，卻絕非無據。而且此役以王師討不臣，落得大敗，而周竟不能重整王師捲土重來，亦可見王師此敗已傷元氣，「空師」之說，實有據也。因此，本詩實應作於桓五年之役以後。

二、這次戰役，使「周室一蹶不振」，「王室之尊與諸侯無異」（《中國通史》引鄭玄《詩譜・王城譜》語）因此，在周王臣中激起了對執政者的強烈不滿情緒，這就是詩中刺「師尹」，竭力攻擊「尹氏」，「大師」的原因所在。

按：詩云：「赫赫師尹，民具爾瞻」。又云：「尹氏、大師，維周之氏」。《毛傳》：「師，大師，周之三公也。尹，尹氏，爲大師。」于省吾《雙劍誃詩經新證》則說：「師、尹二字均爲職官之名，應平列。師謂師氏，係管理軍事之官，見令鼎，錄伯或簋、毛公鼎等；尹爲尹氏，係史官之長，猶近世所稱的秘書長。」

---

❽　白壽彞主編：《中國通史》（上海：上海人民出版社，1994 年），卷 3，頁 361、362。

❾　同註❺。

許倬雲則說：「《小雅・節南山》；『赫赫師尹，不平謂何……尹氏大師，維周之氏，秉國之均，四方是維。』此中尹氏與太師，同是秉持國政的重臣……王國維根據金文中大量出現的作冊與尹，以為作冊與尹氏，都相當《周禮》內史之職，而尹氏為其長，單稱尹氏，以其位尊而重要。王氏又以為尹氏的職務掌書王命及制祿命官，與太師同秉國政，遂為執政之官。」❿相較之下，當以許說為長。根據《左傳》記載桓王朝此時執政者主要是虢公林父（即虢仲）和周公黑肩二人，具體二人誰為大師、誰為尹氏雖已不可知，但二人為同秉國政的師、尹則無疑問。詩中所攻擊的「赫赫師尹」，正是此二人。詩中刺師、尹者主要有以下幾個方面：(1)刺其執政無方，任有小人，任人唯親，招致國敗。詩二章云：「赫赫師尹，不平謂何？」詩四章：「瑣瑣姻亞，則無膴仕。」《毛傳》：「瑣瑣，小貌，兩婿相謂曰亞。膴，厚也。」鄭《箋》：「婿之父曰姻。妻黨之小人，無厚任之，置之大臣，重其祿也。」詩二章：「尹氏大師，維周之氏。秉國之均，四方是維，天子是毗，俾民不迷。不吊昊天，不宜空我師。」(2)刺其爾虞我詐，內訌不休：詩八章：「方茂爾惡，相爾矛矣。既夷既懌，如相酬矣。」嚴粲《詩輯》：「言小人情狀也。小人方茂其惡，謂盛怒之時，則相視其矛戟，如欲持之以相殺。」(3)刺其不勤於政。詩四章：「弗躬弗親，庶民弗信。弗問弗仕，勿罔君子。」嚴粲《詩輯》：「師君於政事，不躬為之，不親臨之，而信任非人，庶民不信之也。」詩六章：「誰秉國成，不自為政，卒勞百姓。」馬瑞辰《通釋》：「秉國成，猶春秋執國政也。」朱子《詩集傳》：「誰秉國成者，仍不自為政。而以付姻亞之小人，其卒使民為之受其勞弊以全此也。」(4)刺其不聽諫言。詩九章：「不懲其心，覆怨其正。」鄭《箋》：「女不懲止女之邪心，而反怨憎其正也。」

　　按：桓王朝國事日蹙，政治上、軍事上都遭到空前失敗。執政的虢公（林父），周公（黑肩）實難逃其罪責。另外，從《左傳》有關記載來看，這兩人也確實都是喜歡要弄陰謀，製造內訌的奸詐小人。如桓十年「虢仲譖其大夫詹父於王。詹父有辭，以王師伐虢。夏，虢公出奔虞。」又，桓十八年：「周公欲弒莊王（桓王子）而立王子克，辛伯告王，遂與王殺周公黑肩。」二人既是奸詐之臣，又是此

---

❿　許倬雲：《西周史》（北京：三聯書店，1992年），頁205、206。

次伐鄭失敗的直接責任人。詩的矛頭刺向虢公、周公這兩個當時的「秉國均」者，是極爲自然的。

　　三、這次戰役，還使周王朝廷裡充滿了悲觀氣氛，使王臣中彌漫了憂慮與懷疑情緒。本詩正體現了當時這種失敗之感，憂國之心與對昊天的懷疑。詩八章云：「駕彼四牡，四牡項領。我瞻四方，蹙蹙靡所騁。」朱熹《詩集傳》：「言駕四牡而四牡項領，可以騁矣。而視四方則皆昏亂，蹙蹙然無可往之所，亦將何所騁哉？」錢鍾書《管錐編》：「讀〈既醉〉、〈節南山〉、〈正月〉諸什，亦可曰：『國治家齊之境地寬以廣，國亂家閧之境地仄以逼，此非幅員、漏刻之能殊，乃心情際遇之有異耳。』」⓫又詩首章：「憂心如惔，不敢戲談。」王先謙曰：「韓『惔』作炎。」《毛傳》：「惔，燔也。」王引之云：「談，亦戲也，《玉篇》、《廣韻》並云『談，戲調也。』……戲談，猶戲謔也。嘲謔所以爲樂，禍將及己，憂心如焚，則不敢爲樂矣。」又二章：「天方薦瘥，喪亂弘多」等等，都體現了悲觀態度與憂慮的心情。而詩屢言「不吊昊天」（《毛傳》）：「吊，至。」《箋》：「至，猶『善』也。」「昊天不傭」（《毛傳》：「傭，均。」陳奐：「昊天不均，猶云昊天不平耳。」，「昊天不惠」，「昊天不平」，更體現了在國事日蹙，強烈悲觀、失望情緒下對「天」的懷疑，這些都當與桓五年之敗給周王臣帶來的失敗感與沒落感有關。

　　四、關於詩中的「南山」，姚際恒以爲是終南山，今以當時周都洛邑地理位置及該詩創作時的背景推測，這裡的「南山」很可能是指處於周、鄭之間的嵩山。首先，以當時周都的位置，嵩山正在其南。其次，詩云「節彼南山，維石岩岩」，《毛傳》：「興也。節，高峻貌。」而嵩山爲五岳之一，亦比較高峻，與之相合。再次，嵩山在洛邑西南，正位於洛邑與鄭之間，詩興「南山」，可能與伐鄭相關，暗含有刺伐鄭之敗的意思在裡面。

⓫ 《管錐篇》（北京：中華書局，1996 年），卷 1，頁 140。

經 學 研 究 論 叢
第 十 輯　　頁49～74
臺灣學生書局　2002 年 3 月

《詩經》疊字通論

張其昀*

一、引言

　　疊字有三種格式：AA 式、AABB 式和 ABAB 式。《詩經》三百零五篇中，共有三百六十八個文字形式不同的疊字（據正文，〈序〉除外）。其中，AA 式佔絕大多數，計三百四十三個；AABB 複合型的共二十四個；ABAB 式僅一見。每一個疊字，少則使用一次，多則使用三五次或更多些，最多達十幾次，共構成六百六十三個小句（一個小句，就是諷誦時的一個自然停頓單位）。在一部作品中出現這麼多的疊字，這在先秦時代是僅見的。跟疊字相對的概念是「單字」。本文所謂單字，既包括單音節的 A，也包括雙音節的 AB。「三百六十八」這個數目是「字」或曰「字形」的意義上的統計結果。從「詞」與「字」的關係上說，疊字主要包含三種情況：⑴一個疊字表示一個詞，⑵兩個或幾個疊字表示一個詞，即異字同詞，⑶一個疊字表示兩個或幾個詞，即同字異詞。

　　AA 式疊字有些是跟單字 A 意義相同、相近或相通的。❶例如：

---

*　張其昀，揚州大學人文學院中國文學系教授。

❶　本文《詩經》的字句解釋主要依據毛亨《傳》（稱：毛《傳》）、鄭玄《箋》（稱：鄭《箋》）、孔穎達《正義》（稱：孔《疏》）以及朱熹《詩集傳》（稱：朱《傳》），間亦酌取陸德明《經典釋文》（稱：陸《釋》）、馬瑞辰《毛詩傳箋通釋》（稱：馬《釋》）、陳奐《詩毛氏傳疏》（稱：陳《疏》）等書中意見。文中書證皆取自《詩經》所謂以《詩》證《詩》之義也。書證或爲整句，或爲半句，要在足以達意而已。

憂心悄悄（邶風・柏舟）《毛傳》：悄悄，憂貌。

勞心悄兮（陳風・月出）《毛傳》：悄，憂也。

「悄悄」與「悄」意義相通，前者應看成後者的衍生詞。也有些疊字跟單字之間毫無意義的聯繫。例如：

君子陽陽。（王風・君子陽陽）《毛傳》：陽陽，無所用其心也。

匪陽不晞。（小雅・湛露）《毛傳》：陽，日也。

「陽陽」與「陽」意義不相干，前者其實是後者的借音詞。《詩經》中更多的情況是：單字 A 的衍生詞 AA 與其借音詞 AA 並存。例如：

肅肅鴇羽。（唐風・鴇羽）《毛傳》：肅肅，鴇羽聲也。

或肅或艾。（大雅・小旻）《毛傳》：有恭肅者有治理者。

肅肅在廟。（大雅・思齊）《毛傳》：肅肅，敬也。

「肅肅在廟」之「肅肅」與「或肅或艾」之「肅」意義相近，是衍生詞；而「肅肅鴇羽」之「肅肅」是擬聲之辭，顯然是「肅」的借音詞。

　　AABB 式疊字絕大多數是鬆散結構，可看成 AA＋BB。AA 和 BB 是同義、近義或類義語的關係，古人訓詁往往是將它們分而釋之的。《詩經》之中也多並用 AA、BB。例如：

赫赫南仲，獫狁於襄。（小雅・出車）《毛傳》：赫赫，盛貌。

赫赫明明，王命卿士。（大雅・常武）《毛傳》：赫赫然盛也，明明然察也。

明明魯侯，克明其德。（魯頌・泮水）《孔疏》：明明然有明德之魯侯。

中句用「赫赫明明」，而首尾二句分別使用「赫赫」和「明明」。這樣的 AABB 式疊字應該看成是所謂離合詞。

　　《詩經》中唯一的 ABAB 式疊字「委蛇委蛇」，其實與 AABB 式疊字「委委佗佗」是異字異構（不僅僅是異字）同詞的關係，二者都是單字「委蛇」的疊音形式。

> 退食自公，委蛇委蛇。（周南·羔羊）鄭《箋》：委蛇，委曲自得之貌。陸
> 《釋》：委，於危反。蛇，本又作虵，同音移。讀此兩句當云委虵委虵，
> 沈讀作委委虵虵。《韓詩》作逶迤。朱《傳》：委，音威；蛇，音移，叶
> 唐河反。委蛇，自得之貌。／委委佗佗，如山如河。（鄘風·君子偕老）朱
> 《傳》：委委佗佗，雍容自得之貌。

朱子叶音說之謬早成定案，茲不煩贅言。其實，「蛇」（虵、迤）與「佗」本皆為歌部字，讀音非同則近。

　　AABB 疊式字在〈國風〉中僅一見，就是「委委佗佗」，其餘二十三個均出現在〈雅〉、〈頌〉中，這與 AA 式字在〈風〉、〈雅〉、〈頌〉中的出現幾乎是均等的情況大不相同。這可以說明 AABB 式比 AA 式更具有莊重典雅的色彩。

　　《詩經》疊字絕大多數是形容詞（含其副類象聲詞）。同是用於形容，一般說來，疊字比單字詠嘆的味兒充足。單字若不足以形容，於是就用疊字。一則繪景，一則擬聲，使用了疊字，在詠嘆之中，能使人強烈地感受到形容的生動性。《詩經》語言文彩斐然，膾炙人口，一個重要的原因就是它運用了大量的疊字。故劉勰《文心雕龍·物色篇》稱：「灼灼狀桃花之鮮，依依工楊柳之貌，杲杲為日出之容，瀌瀌擬雨雪之狀，喈喈逐黃鳥之聲，喓喓學草蟲之韻。皎日嘒星，一言窮理；參差沃若，兩字盡形。並以少總多，情貌無遺矣。雖復思經千載，將何易奪！」

　　繪景與擬聲，兩者的界限大致是清楚的。但《詩經》中亦有少數疊字，是繪景還是擬聲，似為兩可。這是因為描寫景狀與描寫聲音在其特定場合是可以溝通的。例如：

> 螽斯羽，薨薨兮。（周南·螽斯）《毛傳》：薨薨，眾多（貌）也。朱

《傳》：薨薨，群飛聲。

毛訓繪景，朱訓擬聲。這是因爲：「薨薨」既是描寫螽斯飛動之聲，而發出這種聲音又意味著該昆蟲是成群的。

總起來看，《詩經》疊字形容詞中，繪景的比擬聲的多得多，兩者間大約是八比一的比例。另有少數疊字，既可用以繪景又可用以擬聲，屬同字異詞。

《詩經》之使用疊字還有一個特別情況：用多個疊字描寫同一種容狀或者同一種聲音，是即異詞同用。其最突出的例子是對於人心憂勞的容狀描寫。它們是：（疊字所於出現的篇名全部列出）忡忡、惙惙（召南・草蟲）／悄悄（邶風・柏舟、小雅・出車）／殷殷（邶風・北門）／養養（邶風・二子乘舟）／搖搖（王風・黍離）／切切（齊風・甫田、陳風・防有鵲巢、檜風・羔裘）／怛怛（陳風・防有鵲巢）／欽欽（秦風・晨風）／惕惕（陳風・防有鵲巢）／悁悁（陳風・澤陂）／慱慱（檜風・素冠）／烈烈（小雅・采薇）／京京、愈愈、惸惸、慘慘（小雅・正月）／慇慇（小雅・正月、大雅・桑柔）／懆懆（小雅・雨無正）／弈弈、恔恔（小雅・頍弁），共二十一個疊字。這些疊字，有的相互間在意義上有小異，分別使用它們，可以把人的憂勞容狀細緻入微地描寫出來。不過，這些疊字的被分別運用，其最主要的價值在於：避免呆板雷同，實現語言的新鮮活潑。

二、《詩經》疊字之異詞同源和異字同詞

《詩經》三百六十八個疊字之中，存在著這樣的現象：兩個或多個疊字相互間有著特別的關係——它們語音相近或相同，意義也相貫通，這是異詞同源的關係；其中有些其實是同一個詞的不同書寫形式，這是異字同詞的關係。將具有異詞同源和異字同詞關係的疊字並作一組，那麼《詩經》疊字中共有這樣的疊字約三十組。❷例如：

1.俁俁／訏訏／甫甫　「俁」爲魚部疑母字，「訏」爲魚部曉母字，「甫」爲魚部幫母字，三字疊韻。且「俁」之疑母爲牙音，「訏」之曉母爲喉音，喉、牙

---

❷　文中古韻分部、古聲分類及擬音，主要參考王力《漢語音韻學》、《漢語音韻》。

音亦相近。三疊字均含大義。

> 碩人俣俣。（邶風・簡兮）《毛傳》：俣俣，容貌大也。／川澤訏訏，魴鱮
> 甫甫。（大雅・韓奕）《毛傳》：訏訏，大也，甫甫然大也。

「俣俣」又作「扈扈」。陸《釋》：俣俣，「《韓詩》作扈扈，云美貌。」馬
《釋》：「《方言》：『吳，大也。』《說文》：『俣，大言也。』俣從吳聲，故
義亦爲大。《說文》：『俣，大也。』俣、扈音近，美與大亦同義，故扈扈訓美又
訓大。〈檀弓〉：『爾毋扈扈爾』，鄭《注》：『扈扈謂大』，是也。」「訏訏」
又作「詡詡」、「滸滸」。馬《釋》：「訏音義近芌，《說文》：『芌，大也』；
通作詡，《廣雅》：『詡詡，大也』。《太平御覽》引《詩》：『川澤滸滸』，蓋
本《三家詩》。詡、滸雙聲，故通用。」「甫甫」爲「甫」之衍生詞。「甫」本有
大義，〈齊風・甫田〉：「無田甫田」，《毛傳》：「甫，大也。」

2.芃芃／肺肺／蓬蓬／旆旆／幪幪／唪唪 「芃」爲侵部並母字，「肺」爲
月部滂母字，「旆」爲月部並母字，「蓬」和「唪」爲東部並母字，「幪」爲東部
明母字。它們相互間的關係，有的是雙聲或旁紐雙聲，有的是疊韻，有的是既雙聲
又疊韻，其讀音非同則近。這些疊字皆含有（植物）長勢旺盛義。

> 我行其野，芃芃其麥。（鄘風・載馳）《毛傳》：願行衛之野，麥芃芃然方
> 盛長。／東門之楊，其葉肺肺。（陳風・東門之楊）《毛傳》：肺肺猶牂牂
> 也。（昀案：本篇上文：東門之楊，其葉牂牂。《毛傳》：牂牂然盛貌。）／維柞之
> 枝，其葉蓬蓬。（小雅・采菽）《毛傳》：蓬蓬，盛貌。／蓺之荏菽，荏菽
> 旆旆。……麻麥幪幪，瓜瓞唪唪。（大雅・生民）《毛傳》：旆旆然長也。
> 幪幪然茂盛也。唪唪然多實也。（昀案：王引之《經義述聞》卷七引王念孫曰：唪
> 唪，茂盛之貌，不必專訓多實。）

3.旁旁／傍傍／彭彭 「旁」、「傍」同音，均爲陽部並母字，當爲異字同
詞；「彭」爲陽部滂母字。「彭」與「旁」、「傍」爲旁紐雙聲兼疊韻。三個疊字

音近義同，皆描寫匆忙奔走之貌。

> 駟介旁旁。（鄭風・清人）孔《疏》：乃使四馬被甲馳驅遨遊，旁旁然不
> 息。／出車彭彭。（小雅・出車）孔《疏》：出駕其車，四馬彭彭然。／四
> 牡彭彭，王事傍傍。（小雅・北山）《毛傳》：彭彭然不得息，傍傍然不得
> 已。

4.亹亹／勉勉／明明　「亹」、「勉」、「明」皆為明母字。三疊字同義，
形容勤勉貌。

> 亹亹文王，令聞不已。（大雅・文王）鄭《箋》：勉勉乎不倦文王之勤用明
> 德也，其善聲聞日見稱歌無止時也。／勉勉我王，綱紀四方。（大雅・棫
> 樸）孔《疏》：勉勉然勤行善道不倦之我王，以此聖德綱紀我四方之民。／
> 夙夜在公，在公明明。（魯頌・有駜）陳《疏》：明明，猶勉勉也。

「亹亹」、「明明」實即謂「勉勉」。此「明明」顯為「明」（義為光明，明亮）
之借音詞，而「引言」中列出的「明明魯侯」之「明明」為「明」之衍生詞。另有
連綿字「黽勉」，實亦為由「勉勉」音轉而產生。「黽勉同心」。（邶風・谷風）
陸《釋》：黽勉，猶勉勉也。

　　此外，再如：詵詵（周南・螽斯）／駪駪（大雅・皇皇者華）／甡甡（大
雅・桑柔），它們都含多義。「詵」、「駪」音同，皆為文部生母字；「甡」為真
部生母字，與「詵」、「甡」雙聲，且韻本接近。三詞與「莘莘」必同出一源。
「莘」亦為真部生母字，與「甡」同。《國語・晉語四》引「駪駪征夫」即作「莘
莘征夫」。瀰瀰（邶風・新臺）／浼浼（同上），二詞都用以形容水滿盈貌。
「瀰」、「浼」雙聲，皆為明母字。鑣鑣（衛風・碩人）／麃麃（鄭風・清人）／
儦儦（齊風・載驅）／瀌瀌（小雅・角弓），皆形容態勢之盛，皆為宵部幫母字，
四者是異字同詞的關係。將將（鄭風・有女同車）／瑲瑲（小雅・采芑）／鏘鏘
（大雅・烝民）／鶬鶬（商頌・烈祖），「將」，七羊反，讀如「鏘」。「將」、

「瑲」、「鏘」、「鶬」四字同音，皆爲陽部清母字。四個疊字的意義都是形容聲音悅耳，殆爲異字同詞。瀼瀼（鄭風・野有蔓草）／泥泥（小雅・蓼蕭）／濃濃（同上），三個疊字皆用以形容露重之貌。「瀼」爲日母字，「泥」、「濃」爲泥母字，二母極爲接近，章太炎即認爲日母應歸入泥母（見《國故論衡・古音娘日二紐歸泥說》）。三詞必同源。驕驕（齊風・甫田）／蹻蹻（大雅・崧高）／矯矯（魯頌・泮水），三個疊字皆含高大強壯義。「驕」、「矯」同聲同韻，均爲宵部見母字；「蹻」爲月部群母字，與「驕」、「矯」是旁紐雙聲的關係。三疊字與「喬喬」同出一源（「喬」爲宵部群母字，與「驕」、「矯」疊韻，與「蹻」雙聲）。揚雄《法言・修身》：喬喬，高貌也。

　　《詩經》中有一對特殊的 AABB 式疊字亦應視爲同詞，它們是由兩個疊字互易其先後位置複合而成的，即濟濟蹌蹌／蹌蹌濟濟：

　　　濟濟蹌蹌，絜爾牛羊。（小雅・楚茨）《毛傳》：濟濟蹌蹌，言有容也。／
　　　蹌蹌濟濟，俾筵俾幾。（大雅・公劉）鄭《箋》：蹌蹌濟濟，士大夫之威儀
　　　也。

「容」即「威儀」，《傳》、《箋》詁義同。

　　由同源而異詞，其最主要的原因在於語音上的異化。「旁旁」每一音節的聲母由全濁變半清：[b] → [ph]，即爲「彭彭」。「詵詵」每一音節的韻母韻腹發生前進的異化：[ə] → [e]，即爲「甡甡」。如果疊字的兩個音節之中只有一個發生異化，那就產生出連綿字。「勉勉」前一音節韻母的韻尾發生後退的變化：[-n] → [-ŋ]，也就成了「黽勉」。除了語音上的異化之外，方言的差異也是造成同源而異詞現象的一個重要原因。

　　《詩經》中有些疊字同源詞，可以尋繹出它們共同的單字詞源。比如剛剛列出的「驕驕」、「蹻蹻」、「矯矯」與「喬喬」，其共同的單字詞源即爲「喬」。「喬」本爲高而上曲義，《說文》：「喬，高而曲也」。故「喬喬」與「驕驕」等皆含高義。再比如：「喤喤」、「煌煌」與「皇皇」應爲同源疊字。「喤」、「煌」、「皇」三字同音，均爲陽部匣母字。三疊字都有「光明宏大」義。

皇皇者華。（小雅・皇皇者華）《毛傳》：皇皇，猶煌煌也。孔《疏》：煌煌
然而光明者。／其泣喤喤。（小雅・斯干）孔《疏》：其泣聲大喤喤然。朱
《傳》：喤喤，大聲也。／檀車煌煌。（大雅・大明）《毛傳》：煌煌，明
也。

「喤喤」、「煌煌」分別是「喤」、「煌」的衍生詞。喤，《集韻》：「喧也。」
（昀案：謂大聲也。）煌，《說文》：「輝也」，《玉篇》：「光明也」。而
「喤」、「煌」都是由「皇」字孳乳出來的，「皇」本有光明盛大義。如：

皇矣上帝。（大雅・皇矣）《毛傳》：皇，大。

據此，則「皇」是「皇皇」以及「喤喤」、「煌煌」的共同之源可知。

　　原本不是由單字衍生出來的疊字，其詞源當然不是該單字。比方說，「引
言」中列出的「殷殷」是描寫人心憂勞之詞，而單字「殷」則爲眾多之義。如：

士與女，殷其盈矣。（鄭風・溱洧）《毛傳》：殷，眾也。

此外，上述之「麀麀」含盛義，而單字「麀」則爲獸名（見《說文》，今音袍），
顯非疊字之詞源。

三、《詩經》疊字之同字異詞和一詞多義

　　與單字之有同字而異詞現象（即以一個漢字表示了兩個或幾個不同的單音
詞，如「冀」字作爲名詞而指古九州之一，與作爲動詞而爲希望義）一樣，疊字亦
有同字而異詞現象，即以一個疊字形式表示了兩個或幾個不同的疊音詞。

　　同字異詞，其不同的兩個或幾個意義必須是迥別的，或曰相互遠隔的，其間
並無引申關係或其他聯繫。同一疊字所表示的異詞，有的讀音也有異。《詩經》疊
字絕大多數是用以繪景的，同字異詞大半即屬雖同爲繪景而各義迥別者。例如：

衣裳楚楚。（曹風·蜉蝣）《毛傳》：楚楚，鮮明貌。／楚楚者茨。（小雅·
楚茨）《毛傳》：楚楚，茨棘貌。

前句「楚楚」形容鮮明整潔之貌，後句「楚楚」形容植物叢生之貌，二義遠隔，兩
個「楚楚」爲同字異詞。

　　如果一個疊字之兩個或幾個意義並非遠隔，而是其間有引申關係或其他聯
繫，則是一詞多義，那兩個或幾個意義應視爲同一個詞的不同義項。例如：

翹翹錯薪。（周南·漢廣）孔《疏》：翹翹然而高者乃是雜薪。／予室翹
翹，風雨所漂搖。（豳風·鴟鴞）孔《疏》：予室今翹翹然而危，又爲風雨
之所漂搖。

前句「翹翹」形容高出貌，後句「翹翹」形容危貌，二義相通，故兩處「翹翹」實
爲一詞。換言之，「翹翹」爲一詞多義。

　　《詩經》疊字的運用有的是一詞多義與同字異詞並容。例如：

誨爾諄諄，聽我藐藐。（大雅·抑）《毛傳》：藐藐然不入也。孔《疏》：
藐藐者，王不聽受之貌。／既成藐藐，王錫申伯。（大雅·崧高）《毛
傳》：藐藐，美貌。孔《疏》：此既成〔寢廟〕之形貌藐藐然而美也。／
藐藐昊天。（大雅·瞻卬）《毛傳》：藐藐，大貌。（昀案：藐藐，高遠之貌
也。）

前句「藐藐」形容不聽受之疏遠貌，後句「藐藐」形容高遠貌，此二義可通；中句
「藐藐」形容美盛貌，與前後二義阻隔。是則「藐藐」表示了兩個詞，其中一詞含
有兩個雖不同但有關聯的兩個義項。

　　如果一個疊字既可用以繪景，又可用以擬聲，通常則應歸入同字異詞。「將
將」（讀如「鏘鏘」）即屬此例。它既可用以擬聲（前已述及），又可用以繪景。
如：

應門將將。（鄭風・有女同車）《毛傳》：將將，嚴正（貌）也。

「囂囂」亦爲既可用以繪景又可用以擬聲的疊字：

選徒囂囂。（小雅・車攻）《毛傳》：囂囂，聲也。孔《疏》：數者有聲囂囂然。／讒口囂囂。（小雅・十月之交）鄭《箋》：囂囂，眾多貌。陸《釋》：囂，五刀反。《韓詩》作嗷嗷。（昀案：囂，今音敖。）／聽我囂囂。（大雅・板）《毛傳》：囂囂，猶嗷嗷也。鄭《箋》：女反聽我言嗷嗷然不肯受。陸《釋》：囂，五刀反。

前句「囂囂」形容喧囂之聲，中句「囂囂」形容眾口讒毀之貌，後句「囂囂」形容傲慢之貌。前句「囂囂」擬聲自成一詞；中、後句兩個「囂囂」繪景，然而二義不相通，亦各自成詞。是「囂囂」一個疊字而表示三個詞。

《詩經》疊字一詞而多義者約有十餘，再如：

小子蹻蹻。（大雅・板）《毛傳》：蹻蹻，驕貌。／四牡蹻蹻。（大雅・崧高）《毛傳》：蹻蹻，壯貌。／蹻蹻王之造。（周頌・酌）《毛傳》：蹻蹻，武貌。

「驕貌」、「壯貌」和「武貌」爲互通的三個不同意義。

《詩經》中爲數不多的擬聲疊字（含與繪景同用一個疊字形式者），有的雖可用以形容不同之聲，但是其「不同」均未達到「迥別」的程度，故而不必視爲異詞，皆作一詞多義觀可也。例如：

黃鳥于飛，集于灌木，其鳴喈喈。（周南・葛覃）《毛傳》：喈喈，和聲之遠聞也。／鼓鐘喈喈。（小雅・鼓鐘）《毛傳》：喈喈，猶將將（昀案：即鏘鏘）。

「喈喈」用於擬聲而有形容鳥之和鳴與形容擊鐘之聲二義，二義絕非阻隔：鳥之和鳴與擊鐘之聲皆悅耳之聲，互爲形容可也。

此外，再如「丁丁」在〈周南‧兔罝〉中用以形容椓杙之聲，在〈小雅‧伐木〉中用以形容伐木之聲，二義自非遠隔；「嘒嘒」在〈小雅‧小弁〉中用以形容鳴蜩之聲，在〈商頌‧那〉中用以形容管奏之聲，二義自然相通。它們都是一詞多義。

《詩經》疊字同字異詞者頗多，近四十個，再如：

> 君子陶陶。（王風‧君子陽陽）《毛傳》：陶陶，和樂貌。陸《釋》：陶，音遙。／駟介陶陶。（鄭風‧清人）《毛傳》：陶陶，驅馳之貌。陸《釋》：陶，徒報反（昀案：今音到）。

> 四驪濟濟。（秦風‧載驅）《毛傳》：濟濟，美貌。／濟濟辟王。（大雅‧棫樸）鄭《箋》：臨祭祀，其容濟濟然敬。／載穫濟濟。（周頌‧載芟）朱《傳》：濟濟，人眾貌。

> 厭厭良人。（秦風‧小戎）《毛傳》：厭厭，安靜（貌）也。陸《釋》：厭，於鹽反（昀案：今音煙）。／厭厭其苗。（周頌‧載芟）《毛傳》：厭厭，其苗眾齊等也。

> 嘽嘽駱馬。（小雅‧四牡）《毛傳》：嘽嘽，喘息之貌。陸《釋》：嘽，他丹反（昀案：今音坦）。／徒御嘽嘽。（大雅‧崧高）《毛傳》：徒行者御車者嘽嘽喜樂也。／王旅嘽嘽。（大雅‧常武）《毛傳》：嘽嘽然盛也。

> 四騏翼翼。（小雅‧采芑）朱《傳》：翼翼，順序貌。／我稷翼翼。（小雅‧楚茨）鄭《箋》：翼翼，蕃廡貌。／疆場翼翼。（小雅‧信南山）朱《傳》：翼翼，整飭貌。／小心翼翼。（大雅‧大明）鄭《箋》：翼翼，恭慎貌。／作廟翼翼。（大雅‧綿）鄭《箋》：翼翼，嚴顯翼翼然。朱《傳》：嚴正（貌）也。

> 憂心烈烈。（小雅‧采薇）鄭《箋》：烈烈，憂貌。／南山烈烈，飄風發發。（小雅‧蓼莪）（昀案：烈烈，山高峻貌。）／冬日烈烈，飄風發發。（小雅‧四月）鄭《箋》：烈烈，猶栗烈也。／烈烈征師，召伯成之。（小雅‧黍

苗）鄭《箋》：烈烈，威武貌。／武王載斾，有虔秉鉞，如火烈烈。（商頌・長發）鄭《箋》：如火烈烈，其威勢如猛火之炎熾。

麀鹿濯濯。（大雅・靈臺）《毛傳》：濯濯，娛游（貌）也。／鉤膺濯濯。（大雅・崧高）《毛傳》：濯濯，光明（貌）也。

例中，「陶陶」形容和樂之貌與形容驅馳之貌，「厭厭」形容安靜之貌與形容禾苗齊等之貌，顯然各自表示兩個詞。「濟濟」形容美好之貌、恭敬之貌與眾多之貌，「嘽嘽」形容喘息之貌、喜樂之貌與眾盛之貌，則都表示三個詞。「翼翼」五義中，整飭貌與嚴正貌二義可通，其餘順序貌、蕃廡貌、恭慎貌皆各自獨立；故「翼翼」實表示四個異詞。「烈烈」有憂貌、山高峻貌、栗烈、威武貌、火烈（即火焰強烈）五義。火烈之「烈烈」當為單字「烈」之衍生詞（《說文》：烈，火猛也）。憂貌之「烈烈」、栗烈義之「烈烈」、威武貌之「烈烈」當為火烈之「烈烈」的引申義（憂心烈烈，憂必強烈；冬日烈烈，寒必強烈；烈烈征師，勢必強烈），這四個「烈烈」同詞。而山高峻貌之「烈烈」與火烈略無干係，當為「烈」之借音詞。是則「烈烈」一個疊字表示了兩個詞。「濯濯」之娛游貌與光明貌二義無關聯，「濯濯」為同字異詞。

上述諸例之外，再如：「莫莫」在「維葉莫莫」（周南・葛覃）中形容茂盛成熟貌，在「君婦莫莫」（小雅・楚茨）中形容清靜敬至貌。「振振」（振，今音眞）在「宜爾子孫，振振兮」（周南・螽斯）中形容仁厚貌，在「振振鷺，鷺於下」（魯頌・有駜）中形容群飛貌。「忡忡」在「憂心忡忡」（召南・草蟲）中形容憂貌，在「鞗革忡忡」（小雅・蓼蕭）中形容垂飾貌。「泄泄」（泄，今音義）在「雄雉于飛，泄泄其羽」（邶風・雄雉）中形容鼓翼貌，在「十畝之外兮，桑者泄泄兮」（魏風・十畝之間）中形容眾多貌。「陽陽」在「君子陽陽」（王風・君子陽陽）中形容無所用心也，在「龍旂陽陽」（周頌・載見）中形容有文彩也。「提提」（提，今音時）在「好人提提」（魏風・葛屨）中形容安舒貌，在「弁彼鸒斯，歸飛提提」（小雅・小弁）中形容群飛貌。「秩秩」在「秩秩德音」（秦風・小戎）中形容多知貌，在「秩秩斯干」（小雅・斯干）中形容水流貌，在「左右秩秩」（小雅・賓之初筵）中形容有序貌。「赫赫」在「赫赫南仲，玁狁於襄」

（小雅‧出車）中形容顯盛貌，在「旱既大甚，則不可沮。赫赫炎炎，云我無所」（大雅‧雲漢）中形容乾旱燥熱之狀。「幡幡」在「威儀幡幡」（小雅‧賓之初筵）中形容輕率不莊重貌，在「幡幡瓠葉」（小雅‧瓠葉）中形容翻動貌，猶「翩翩」。「浮浮」在「雨雪浮浮」（小雅‧角弓）中形容勢盛貌，在「烝之浮浮」（大雅‧生民）中形容蒸汽上出貌。

　　以上舉出的同字異詞者，雖異詞而皆爲形容詞。《詩經》中亦有同字異詞而其異詞之詞性亦相異者，是唯三例，見下：

> 采采卷耳，不盈頃筐。（周南‧卷耳）《毛傳》：采采，事采之也。（昀案：傳意謂從事採集也；「采」無從事義，非是。采采，猶朵也。）／蒹葭采采，白露未已。（秦風‧蒹葭）《毛傳》：采采，猶萋萋也（昀案：言茂盛也）。／蜉蝣之羽，采采衣服。（曹風‧蜉蝣）《毛傳》：采采，眾多也。
>
> 燕燕于飛，差池其羽。（邶風‧燕燕）《毛傳》：燕燕，鳦也。／或燕燕居息，或盡瘁國事。（小雅‧北山）《毛傳》：燕燕，安息貌。
>
> 崇墉言言。（大雅‧皇矣）《毛傳》：言言，高大（貌）也。／于時言言。（大雅‧公劉）《毛傳》：直言曰言。

　　前例，「采采」以即指「采」而爲動詞，以形容茂盛貌與眾多貌（二義相通）而爲形容詞。中例，「燕燕」以即指「燕」而爲名詞，以形容安息貌而爲形容詞。後例「言言」以形容高大貌而爲形容詞，以即指「言」而爲動詞。

四、疊字與單字間的衍生關係

　　疊字，前已述及，或爲單字的借音詞，或爲單字的衍生詞。對這個問題，清人邵晉涵在《爾雅正義》中作了簡要而大至允愜的闡釋：「古者重語（昀案：即疊字）皆爲形容之詞。有單舉其文與重語同義者，如肅肅，敬也；丕丕，大也。只言肅，只言丕，亦爲敬也，大也。有單舉其文即與重語異義者，如：坎坎，喜也；居居，惡也。只言坎，只言居，則非喜與惡矣。」王筠的《毛詩重言》也是按照區別兩類重言（昀案：亦即疊字）的原則來編寫的。

　　單字衍生出疊字，分為兩種情況：一為詞性不變的衍生，二為詞性變化的衍生。凡具有衍生關係的單字與疊字，在訓詁材料中往往被用來互訓（互相訓釋）或互代（以訓釋一方代替訓釋另一方）。我們將在把疊字與單字進行比較的基礎上來討論衍生問題。用以比較的單字包括兩類：一為純粹單字（單音節詞），如：白石皓皓（唐風・揚之水）／月出皓兮（陳風・月出）。二為帶詞頭或詞尾的單字（雙音節詞，詞頭多用「有」、「其」、「思」等字，詞尾多用「止」、「其」、「言」等字），如：憂心忡忡（召南・草蟲）／憂心有忡（邶風・擊鼓）；維葉萋萋（小雅・鹿鳴）／卉木萋止（同上）。

㈠詞性不變的衍生　共有三類

　　1.由形容詞衍生出形容詞　這是數量最多的一類，計有六十個疊字屬此。例如：

　　　　曀曀其陰。（邶風・終風）《毛傳》：如常陰曀曀然。／不日有曀。（邶風・終風）《毛傳》：陰而風曰曀。

　　　　綠竹猗猗。（衛風・淇澳）《毛傳》：猗猗，美盛貌。／有實其猗。（小雅・節南山）孔《疏》：以其草木之長茂也。

　　　　風雨淒淒。（鄭風・風雨）《毛傳》：風且雨淒淒然。／淒其以風。（邶風・綠衣）（昀案：淒其，猶淒然。淒淒、淒其，寒涼之貌。）

　　　　糾糾葛屨。（魏風・葛屨）《毛傳》：糾，猶繚繚也。／其笠伊糾。（周頌・良耜）《毛傳》：戴糾然之笠。（昀案：「伊」為詞頭。糾糾、伊糾，繩索纏繞貌。）

　　　　其葉湑湑。（唐風・杕杜）孔《疏》：其葉湑湑然而盛。／其葉湑兮。（小雅・裳裳者華）《毛傳》：湑，盛貌。

　　　　溫溫恭人。（小雅・小宛）《毛傳》：溫溫，和柔貌。／溫恭朝夕。（商頌・那）孔《疏》：溫溫然而恭敬。

　　　　粲粲衣服。（小雅・大東）《毛傳》：粲粲，鮮盛貌。／角枕粲兮。（唐風・葛生）孔《疏》：角枕粲然而鮮明。

　　　　狐裘黃黃。（小雅・都人士）／綠衣黃裳。（邶風・綠衣）（昀案：黃黃，猶言黃

也。）

潰潰回遹。（大雅·召旻）《毛傳》：潰潰，亂也。／無不潰止。（同上）鄭《箋》：潰，亂也。

降福簡簡。（周頌·清廟）《毛傳》：簡簡，大也。／簡兮簡兮。（邶風·簡兮）《毛傳》：簡，大也。

2.由動詞衍生出動詞　共九例。見下：

招招舟子。（邶風·匏有苦葉）鄭《箋》：舟人之子號召當渡者。孔《疏》：王逸云：以手曰招，以言曰召。／右招我由房。（王風·君子陽陽）（昀案：箋、疏均以釋「招」代替釋「招招」。）

哀哀父母，生我劬勞（小雅·蓼莪）鄭《箋》：哀哀者，恨不得終養父母，報其生長之苦。／哀我征夫，獨爲匪民。（小雅·何草不黃）（昀案：哀，悲傷也。）魚在在藻。（小雅·魚藻）／魚在于藻。（小雅·正月）（昀案：在在，猶言在。）❸

有客宿宿，有客信信。（周頌·有客）《毛傳》：一宿曰宿，再宿曰信。❹／于女信宿。（豳風·九罭）

其餘幾例是前已提及詞的「采采」、「言言」等：

---

❸ 「魚在在藻」，鄭《箋》：「魚何所處乎？處於藻。」孔《疏》及朱《傳》等均襲鄭說。他們是將該小句看作「魚安在？在於藻」這樣兩個小句的縮略。在古代文獻裡，實無此文例。此說可疑。「在在」共出現六次，均在〈小雅·魚藻〉一篇之中，除三句爲「魚在在藻」外，另有三句爲同樣句式的「王在在鎬」。「王在在鎬」，鄭《箋》一依「魚在在藻」例作：「武王何所處乎？處於鎬京。」

❹ 《毛傳》當是以釋「宿」、「信」代替釋「宿宿」、「信信」。陳《疏》承襲朱《傳》，稱：「宿宿，言再宿也；信信，言再信（昀案：即四宿）也。」這種做乘法般的文例，在古代語言材料中迄未發現過，不可信從。

采采卷耳，不盈頃筐。（周南·卷耳）／采葑采菲，無以下體。（邶風·谷風）

「采采」之猶「采」，此不贅述，唯

京師之野，于時處處，于時廬旅，于時言言。（大雅·公劉）《毛傳》：是
京乃大眾所宜居之也。直言曰言，論難曰語。鄭《箋》：京地乃眾民所宜
居之野也。於是處其所當處者，言其所當言，語其所當語。

《毛傳》於「處處」、「言言」、「語語」語焉未詳。鄭《箋》則可疑。果如鄭
說，《詩》當言「處其處」、「言其言」、「語其語」。愚以爲「處處」猶
「處」、「言言」猶「言」、「語語」猶「語」，疊而言之者，增加了「眾而處
之」、「屢而言之」、「屢而語之」之意味，此乃其修辭作用也。

　　3.由名詞衍生出名詞　僅兩例。見下：

燕燕于飛，差池其羽。（邶風·燕燕）《毛傳》：燕燕，鳦也。燕之于飛，
必差池其羽。朱《傳》：燕，鳦也；謂之燕燕者，重言之也。
子子孫孫，勿替引之。（小雅·楚茨）《毛傳》：願子孫勿廢而長行之。／
子孫保之。（周頌·烈文）

「子子孫孫」是 AABB 式，但它不可分析爲 AA＋BB。《毛傳》以「子孫」釋
「子子孫孫」。仔細玩味，可覺得使用疊字增加了子子孫孫繁衍不息的修辭性意
味。

㈡詞性變化的衍生　這在《詩經》中僅有一類：由動詞衍生出形容詞。有近二十
　例。如：

二子乘舟，泛泛其景。（邶風·二子乘舟）（昀案：泛泛，漂浮貌。）／泛彼柏
舟，在彼中河。（鄘風·柏舟）《說文》：泛，浮也。
慆慆不歸。（豳風·東山）《毛傳》：慆慆，言久也。／日月其慆。（唐風·

蟋蟀）《毛傳》：慆，過也。

躍躍毚兔。（小雅·巧言）孔《疏》：躍躍然跳疾之狡兔。／魚躍於淵。（大雅·旱麓）《玉篇》：躍，跳躍也。

燕燕居息。（小雅·北山）《毛傳》：燕燕，安息貌。／以燕天子。（小雅·吉日）《毛傳》：以安待天子。（昀案：「燕」爲「宴」之借音單字，「燕燕」則爲借音疊字。）

眷眷懷顧。（小雅·小明）《毛傳》：眷眷然情懷反顧。／眷言顧之。（小雅·大東）《毛傳》：眷，反顧也。

如火烈烈。（商頌·長發）孔《疏》：如火之炎熾烈烈然。／載燔載烈。（大雅·生民）《毛傳》：傅火曰燔，貫之加於火曰烈。

五、疊字形容詞的語法地位

《詩經》三百六十八個疊字裡面，形容詞三百五十餘。從句法上看，疊字形容詞的主要功能是作謂語、定語、補語和狀語。其中有些則可分別充當兩種以上的句法成分。

㈠用作謂語　計二百三十七個疊字，共組成三百七十個小句。

　1.用作主謂小句的謂語

　主語大多爲雙音節的名詞或名詞性詞組。《詩經》多四字句，如果主語本是單音節名詞，則多採取兩種方法以足成四音節小句：一是加語首助詞「維」，二是加連詞「之」於名詞和疊字之間。例如：

⑴威儀棣棣。（邶風·柏舟）《毛傳》：棣棣，富而閑習也。

⑵氓之蚩蚩，抱布貿絲。（衛風·氓）《毛傳》：蚩蚩，敦厚之貌。

⑶維莠驕驕。（齊風·甫田）孔《疏》：維有莠草驕驕然。（昀案：驕驕，草盛長貌。）

⑷衣裳楚楚。（曹風·蜉蝣）《毛傳》：楚楚，鮮明貌。

⑸倉庚喈喈。（小雅·出車）孔《疏》：喈喈然和鳴。朱《傳》：喈喈，聲之

和也。

(6)庭燎晰晰。（小雅·庭燎）《毛傳》：晰晰，明也。

例中，(1)、(2)、(3)疊字形容詞謂語的主語是普通名詞，(4)是名詞性聯合詞組，(5)是專有名詞，(6)是名詞性偏正詞組。

　　2.用作謂語倒裝主謂小句的謂語

　　《詩經》中，有時爲了押韻或其他修辭意義上的需要，而將疊字謂語放到主語的前面，造成倒裝句式。《詩經》中凡「疊字＋（代詞＋）名詞」序列形式的小句，有些可看成「（代詞＋）名詞」爲主語、疊字爲謂語的主謂倒裝句式。例如：

　　(1)四牡騑騑，嘽嘽駱馬。（小雅·四牡）《毛傳》：嘽嘽，喘息之貌。

　　(2)秩秩斯干，悠悠南山。（小雅·斯干）《毛傳》：秩秩，流行也。朱《傳》：秩秩，有序也。

　　(3)翽翽其羽，亦集爰止。（大雅·卷阿）鄭《箋》：翽翽，羽聲也。

例(1)後一小句本應爲「駱馬嘽嘽」（句式同於〈小雅·采芑〉「戎車嘽嘽」），這樣才跟前一小句造成意念上的對稱。但是爲了用「馬」字跟後面大句「豈不懷歸，王事靡盬，不遑啓處」中的「盬」、「處」押韻，於是使用了倒裝法。例(2)兩小句倒裝是爲了造成「干」、「山」押韻。例(3)倒裝是爲了造成「羽」、「止」押韻。

　　3.用作主語省略的主謂小句的謂語　　例如：

　　(1)儦儦俟俟，或群或友。（小雅·吉日）《毛傳》：趨則儦儦，行則俟俟。（昀案：二疊字皆形容行貌。）

　　(2)爾羊來思，矜矜兢兢，不騫不崩。（小雅·無羊）《毛傳》：矜矜兢兢，以言堅強也。（昀案：形容強健貌。）

　　(3)鳳凰鳴矣，于彼高岡；梧桐生矣，于彼朝陽，菶菶萋萋，雍雍喈喈。（大雅·卷阿）《毛傳》：梧桐盛也，鳳凰鳴也。

例(1)兩疊字爲互文，主語探後面小句兩「或」字而省。例(2)兩疊字主語承前一小句主語「爾羊」而省。例(3)兩疊字的主語分承前面兩分句的主語「梧桐」和「鳳凰」而省。

　　4.用作連謂小句謂語中的一部分　僅三見：

(1)舒而脫脫兮，無感我帨兮，無使尨也吠。（召南·野有死麕）孔《疏》：其威儀舒遲而脫脫兮，無動我之佩巾兮，又無令狗也吠。（昀案：脫脫，灑脫之貌。）

(2)天之沃沃，樂子之無知。（檜風·隰有萇楚）《毛傳》：夭，少也；沃沃，壯佼也。鄭《箋》：知，匹也。疾君之恣，故於人年少沃沃之時，樂其無妃匹之意。

(3)有渰萋萋，興雨祁祁。（小雅·大田）《毛傳》：渰，雲興貌；萋萋，雲行貌。

例中謂語兩個部分間，(1)用連詞「而」連接，(2)用連詞「之」連接，(3)則不用連詞而以意相連。

　　5.用作緊縮複句中分句的謂語　有三個疊字：

(1)有來雍雍，至止肅肅。（周頌·雝）鄭《箋》：雍雍，和也；肅肅，敬也。有是來時雍雍然，既至止而肅肅然。（昀案：前一小句是說：來則雍雍；後一小句是說：至則肅肅。）

(2)夙夜在公，在公明明。（魯頌·有駜）陳《疏》：明明，猶勉勉也。（昀案：該小句是說在公則明明。）

例(1)兩小句均爲緊縮條件複句，兩疊字的主語「百辟諸侯」借助於語境而省。例(2)疊字所在小句亦爲緊縮條件複句，主語「時臣」亦借助於語境而省。

㈡用作定語　計六十三個疊字，組成一百四十三個小句。

　　疊字形容詞作定語的小句，其中心語爲雙音節名詞或名詞性詞組的佔大多

數。也有少數小句，其中心語是單音節名詞。如要造成四音節小句，就在疊字與單音節名詞間用上「之」字以爲連接。例如：

(1)關關雎鳩，在河之洲。（周南・關雎）《毛傳》：關關，和聲也。

(2)幡幡瓠葉，采之亨之。（小雅・瓠葉）《毛傳》：幡幡，瓠葉貌。（昀案：翻動貌。）

(3)漸漸之石，維其高矣。（小雅・漸漸之石）《毛傳》：漸漸，山石高峻。

(4)假樂君子，顯顯令德。（大雅・假樂）鄭《箋》：顯，光也。

(5)駉駉牡馬，在坰之野。（魯頌・駉）《毛傳》：駉駉，良馬腹幹肥張也。

(6)振振鷺，鷺于下。（魯頌・有駜）《毛傳》：振振，群飛貌。

「者」字在上古漢語裡也可用同「之」（見裴學海《古書虛字集釋》）。如《韓非子・主道》：「虛則知實之情，靜則知動者正」，即用「者」與「之」爲互文。《詩經》中也有以「者」代「之」的用法，那就是以「者」字構成「疊字＋者＋單音節名詞」的格式。此格式爲《詩經》所特有。此格式的小句在《詩經》中共有十三個，其中運用了七個疊字。例如：

(1)蜎蜎者蠋，烝在桑野。（豳風・東山）孔《疏》：蜎蜎然者，桑中之蠋蟲常久在桑野之中似有勞苦。（昀案：蜎蜎，疏意謂勞苦之貌。）

(2)菁菁者莪，在彼中河。（小雅・菁菁者莪）《毛傳》：菁菁，盛貌。

㈢用作補語　計五十三個疊字，組成六十八個小句。以疊字作補語的小句共有四種形式。

　1.動詞謂語＋疊字補語

　a.單動詞謂語＋疊字補語　例如：

(1)載驅薄薄。（齊風・載驅）《毛傳》：薄薄，疾驅聲也。（昀案：「載」爲詞頭。）

(2)載穫濟濟。（周頌・載芟）朱《傳》：濟濟，人眾貌。

(3)鼓咽咽，醉言舞。（魯頌・有駜）鄭《箋》：以鼓節之咽咽然。

b.雙動詞謂語＋疊字補語　例如：

(1)風雨淒淒。（鄭風・風雨）《毛傳》：風且雨淒淒然。

(2)弁彼鸒斯，歸飛提提。（小雅・小弁）《毛傳》：提提，群貌。朱《傳》：群飛安閒之貌。

(3)四海來假，來假祁祁。（商頌・玄鳥）鄭《箋》：假，至也；祁祁，眾多也。

例(1)，「風」、「雨」均用作動詞，是聯合詞組作謂語。例(2)「歸」、「飛」組成連謂結構作謂語。例(3)「來」、「假」雙動詞同義連文作謂語。

　2.狀語＋動詞謂語＋疊字補語　例如：

(1)河水洋洋，北流活活。（衛風・碩人）《毛傳》；活活，流也。朱《傳》：流貌。

(2)獨行踽踽，豈無他人。（唐風・杕杜）《毛傳》：踽踽，無所親也。（昀案：孤獨貌。）

(3)鴻雁于飛，哀鳴嗷嗷。（小雅・鴻雁）（昀案：嗷嗷，鳴之聲。）

三例中，狀語分別為：「北」、「獨」、「哀」。

　3.動詞謂語＋名詞（代詞）賓語＋疊字補語　例如：

(1)鼓鐘欽欽。（小雅・鼓鐘）孔《疏》；其聲欽欽然，人聞而樂進。

(2)誨爾諄諄，聽我藐藐。（大雅・抑）鄭《箋》：我教告王口語諄諄然，王聽聆之藐藐然。

(3)敷政優優，百祿是遒。（商頌・長發）《毛傳》：優優，和也；遒，聚也。

三例中，賓語分別是「鐘」、「爾」和「我」、「政」。

㈣用作狀語　計三十三個疊字，組成五十個小句。疊字作狀語分為句中狀語和句首
　狀語（用在主語前面）兩類。

　　1.疊字作句中狀語　共有四種形式

　　a.疊字狀語＋動詞謂語　例如：

　　　(1)惴惴小心。（小雅・小宛）（昀案：惴惴，戒懼貌。）

　　　(2)潰潰回遹。（大雅・召旻）孔《疏》：潰潰然錯亂，其行邪僻。（昀案：
　　　　　「回」、「遹」皆謂邪僻，同義連文。）

　　　(3)桓桓于征。（魯頌・泮水）《毛傳》：桓桓，威武貌。（昀案：「于」爲詞
　　　　　頭。）

　　b.疊字狀語＋動詞謂語＋賓語　例如：

　　　(1)坎坎伐檀兮，寘之河之干兮。（魏風・伐檀）《毛傳》：坎坎，伐檀聲。朱
　　　　　《傳》：用力聲。

　　　(2)坎坎鼓我，蹲蹲舞我。（小雅・伐木）鄭《箋》：爲我擊鼓坎坎然，爲我興
　　　　　舞蹲蹲然。朱《傳》：坎坎，擊鼓聲；蹲蹲，舞貌。

　　　(3)此令兄弟，綽綽有裕。（小雅・角弓）孔《疏》：綽綽然有饒裕也。

　　c.疊字狀語＋動詞性偏正詞組謂語　例如：

　　　(1)肅肅宵征，夙夜在公。（召南・小星）《毛傳》：肅肅，疾貌。陳《疏》：
　　　　　《爾雅・釋詁》：「肅，疾也。」重言之爲肅肅。肅肅猶數數，數亦疾
　　　　　也。

　　　(2)耿耿不寐，如有隱憂。（邶風・柏舟）《毛傳》：耿耿，猶儆儆也。（昀
　　　　　案：心緒不寧貌。）

　　　(3)契契寤嘆，哀我憚人。（小雅・大東）《毛傳》：契契，憂苦也。

　d.疊字狀語＋動詞「在」＋處所補語　這種形式的小句共有六個，運用了六個疊字。「處所」或指具體的處所，或指抽象的處所，或指方位。例如：

(1)雝雝在宮，肅肅在廟。（大雅·思齊）《毛傳》：雝雝，和也；肅肅，敬也。

(2)遭家不造，嬛嬛在疚。（周頌·閔予小子）鄭《箋》：嬛嬛然孤特在憂病之中。（昀案：嬛嬛，孤獨貌。）

(3)無曰高高在上，陟降厥土，日監在茲。（周頌·敬之）鄭《箋》：無謂天高高在上，遠人而不畏也。

　2.疊字作句首狀語　共九個小句，運用了五個疊字。例如：

(1)臨其穴，惴惴其栗。（秦風·黃鳥）孔《疏》：惴惴然恐懼。

(2)呦呦鹿鳴，食野之苹。（小雅·鹿鳴）《毛傳》：鹿得苹呦呦然鳴而相呼。朱《傳》：呦呦，聲之和也。

(3)藹藹王多吉士。（大雅·卷阿）《毛傳》：藹藹，猶濟濟也。朱《傳》：眾多也。

　除了作謂語、定語、補語和狀語之外，另有幾個疊字形容詞在《詩經》中是作主語、賓語。這時，它們所起的語義作用是代表具有其所表示的某性狀的事物，這就是修辭上的借代用法。有這種用法的只有如下四個疊字：

(1)佌佌彼有屋，蔌蔌方有穀。（小雅·正月）《毛傳》：佌佌，小也；蔌蔌，陋也。鄭《箋》：穀穀，祿也。孔《疏》：毛以為佌佌然小人彼已有室屋之富矣，其蔌蔌窶陋者方有爵祿之貴矣。

(2)既成藐藐，王錫申伯。（大雅·崧高）《毛傳》：藐藐，美貌。孔《疏》：此既成之形貌藐藐然而美也。

(3)蹻蹻王之造。（周頌·酌）《毛傳》：蹻蹻，武貌。鄭《箋》；蹻蹻之士

　　皆爭來造王。

　　例(1)前一小句「仳仳」與「彼」爲同位語，均代指「小人」；後一小句「蕨蕨」代指「陋者」。兩疊字皆作主語。例(2)「薨薨」代指謝邑城郭，作「成」的賓語。例(3)「蹻蹻」代指武士，作「王之造」（「造王」的變化句法）的主語。

　　排除修辭意義上的借代用法不計，繪景和擬聲的疊字一般不充當主語、賓語，這是不同於名詞的。它們跟動詞一樣，可充當謂語；但後面不帶賓語，這又不同於動詞中的及物動詞。它們跟副詞一樣，可充當狀語；但又可單獨做謂語和定語，這又不同於副詞。我們正是根據這些語法特徵，並結合考慮到其繪景和擬聲的語義作用，將這三百五十餘疊字看作形容詞的。跟一般形容詞一樣，《詩經》中的疊字形容詞在句法功能上也有一詞二任、一詞多任的情況。一詞二任者是比較多的，這主要是指充當：謂語｜補語、謂語｜定語、謂語｜狀語；還有少量是：定語｜狀語、補語｜狀語。例如：

　　⑴淇水湯湯，漸車帷裳。（衛風・氓）《毛傳》：湯湯，水盛貌。｜沔其流水，其流湯湯。（小雅・沔水）鄭《箋》：湯湯，波流盛貌。

　　⑵威儀抑抑，德音秩秩。（大雅・假樂）鄭《箋》：抑抑，密也。｜抑抑威儀，維德之偶。（大雅・抑）《毛傳》：抑抑，密也。

　　⑶或湛樂飲酒，或慘慘畏咎。（小雅・北山）（昀案：慘慘，憂苦之貌。）｜視爾夢夢，我心慘慘。（大雅・抑）《毛傳》：慘慘，憂不樂也。

　　⑷桓桓武王，保有厥土。（周頌・桓）。鄭《箋》：我桓桓有威武之武王，則能安有天下之事。｜桓桓于征。（魯頌・泮水）《毛傳》：桓桓，威武貌。

　　⑸春日遲遲，采蘩祁祁。（豳風・七月）《毛傳》：祁祁，眾多也。｜諸娣從之，祁祁如雲。（大雅・韓奕）（昀案：祁祁，眾多貌。）

　　例(1)「湯湯」一作謂語，一作補語。例(2)「抑抑」一作謂語，一作定語。例(3)「慘慘」一作狀語，一作謂語。例(4)「桓桓」一作定語，一作狀語。例(5)「祁祁」一作

補語，一作狀語。

有幾個疊字，它們作爲形容詞一身三任，可充當三種句法成分。「肅肅」在《詩經》中共出現十三次，是使用最頻繁的疊字之一。它其實代表了三個不同的詞：一是「肅」字的借音詞，擬聲，表示羽毛振動的聲音；二是「肅」字的衍生詞，繪景，表示恭敬之貌及其相關義；三也是借音詞，繪景，描寫急速之貌。前兩個已見前「引言」部分所引之「肅肅鴇羽」與「肅肅在廟」，第三個已見本章所引「肅肅宵征」。以其第二個詞而論，它在句中可作謂語、定語、狀語三種成分：

> 有來雍雍，至止肅肅。（周頌·雍）鄭《箋》：肅肅，敬也。｜肅肅王命，仲山甫將之。（大雅·烝民）鄭《箋》：肅肅，敬也。｜肅肅兔罝，椓之丁丁。（周南·兔罝）《毛傳》：肅肅，敬也。鄭《箋》：罝兔之人鄙賤之事猶能恭敬。

論句法功能，《詩經》中最爲活躍的疊字當是表示「長遠」義及其相關義的「悠悠」一詞，它可以充當四種成分：

> 思須與漕，我心悠悠。（邶風·泉水）昀案：悠悠，深遠思慮貌。｜驅馬悠悠，言至於漕。（鄘風·載馳）《毛傳》：悠悠，遠貌。｜悠悠蒼天，此何人哉。（王風·黍離）《毛傳》：悠悠，遠意。｜悠悠南行，召伯勞之。（小雅·黍苗）朱《傳》：悠悠，遠行之意。

在這四個句子裡，「悠悠」分別充當謂語、補語、定語和狀語。

主要參考文獻

1. 林之棠：〈詩經重言字釋例〉，《國學月報》第 2 卷第 12 期（1927 年），頁 639－675。
2. 袁湘槐：〈疊字與詩經〉，《出版周刊》新 89 號（1934 年），頁 6－11。
3. 唐圭璋：〈詩經複詞考〉，《制言》第 17 期（1936 年），頁 1－10。

4.曹先擢：〈詩經疊字〉，《語言學論叢》第七輯（北京：商務印書館，1980年），頁 16－26。

5.向熹：〈詩經裡的複音詞〉，《語言學論叢》第七輯（北京：商務印書館，1980年），頁 27－54。

經 學 研 究 論 叢
第 十 輯　　頁75～84
臺灣學生書局　2002 年 3 月

鍾惺《詩經》評點成書時間考
——辨證《鍾惺年譜》一誤

侯美珍*

一、前言

在明代的《詩經》著作中，鍾惺（1574－1625）《詩經》評點備受矚目，研究者之眾、相關論文之多，他書罕及。就筆者所知，研究鍾惺《詩經》評點相關的論文，有以下諸篇：

1. 村山吉廣著、林慶彰譯〈鍾伯敬《詩經鍾評》及其相關問題〉

   原載：《詩經研究》第 6 號，頁 1－7，1981 年 6 月（昭和 56 年）

   《中國文哲研究通訊》第 6 卷第 1 期，頁 127－134，1996 年 3 月

2. 村山吉廣著、林慶彰譯〈竟陵派的詩經學——以鍾惺的評價爲中心〉

   原載：《東洋の思想と宗教》第十號，頁 1－4，1993 年（平成 5）6 月

   《中國文哲研究通訊》第 5 卷第 1 期，頁 79－92，1995 年 3 月

3. 游適宏〈就「詩」論《詩》：晚明《詩經》評點的興起及其性質〉

   《道南文學》第 12 輯，頁 321－347，臺北：國立政治大學中文系，1993 年 12 月

4. 傅麗英〈鍾惺的《詩經》研究論〉

---

* 　侯美珍，臺南女子技術學院講師。

《第二屆詩經國際學術研討會論文集》，頁 484－492，北京：語文出版社，1996 年 8 月

《明代詩經學》，頁 60－67，北京：語文出版社，1996 年 8 月

《經學研究論叢》，頁 83－90，臺北：聖環圖書公司，1997 年 4 月

5.李先耕〈鍾惺《詩》學著書考〉

《詩經研究》第 21 號，頁 1－4，1997 年 2 月

6.楊晉龍〈鍾惺及評點式參考書〉

《明代詩經學研究》，頁 289－301，國立臺灣大學中國文學研究所博士論文，1997 年 6 月

7.陳文采〈鍾惺《批點詩經》析論〉

《臺南女子技術學院學報》第 17 期，頁 15－25，1998 年 6 月

8.劉毓慶〈鍾惺的「詩活物」說與《詩經》評點〉

《從經學到文學——明代《詩經》學史論》，頁 183－191，北京大學中文研究所博士論文，1999 年 4 月

9.張淑惠《鍾惺的詩經學》

私立東吳大學中國文學研究所碩士論文，2000 年 6 月

以上諸作，在這個研究領域中做了披荊斬棘的開創工作，然而在上述的論文中，或限於篇幅之因、或因對素材取捨之故，多數集中於此書內容特色的介紹，對於一些基本問題仍未釐清，譬如：鍾惺《詩經》評點初評本和再評本有何差異？鍾惺《詩經》評點之作，成於何時？本文首先著手處理鍾惺《詩經》評點完成時間的問題。

鍾惺《詩經》評點，傳世有多種版本，雖初評本彼此互異，然就筆者所見的臺灣國家圖書館、日本九州大學、上海復旦大學三處所藏的三本而言，大體上是一樣的，僅局部略有出入，皆屬鍾惺《詩經》的初評本；而再評本則是立足於初評本之上，再次評點、補充而成，評語較詳盡、豐富，與諸初評本間有較多的歧異。筆者所見復旦大學藏三色套印本卷前附有鍾惺所作〈詩論〉，後署「明泰昌紀元歲庚申冬十一月竟陵鍾惺書」，所以再評的三色本成書時間較無疑義，可據〈序〉而定爲庚申——泰昌元年（1620）左右成書。以下主要討論鍾惺《詩經》初評本的成書時間。

陳廣宏先生所作《鍾惺年譜》將《詩經》初評本完成的下限繫於「萬曆四十四年」，云「評點《詩經》已成」、「至遲是年春之前，伯敬已有《詩經》評本」❶，之後，張淑惠即從此說。❷然而，陳廣宏所訂的時間是否正確呢？

陳廣宏論定的依據，參其後附的兩條資料。其一為凌濛初（1580－1644）〈鍾伯敬批點《詩經》序〉，凌〈序〉云：「吾友鍾伯敬，以《詩》起家，在長安邸中，示余以所評本。……」凌〈序〉未署時間，文中亦未言及鍾惺「示余以所評本」的時間，無法用來直接證成初評本作於「萬曆四十四年」。另一條為譚元春（1586－1637）的〈與舍弟五人書〉❸，信中言及了譚元春與蔡復一（1576－1625）❹的會晤以及其評點《詩經》的近作《詩觸》，並道及了鍾惺《詩經》評本，是故，此信成為考察的重要對象。

以下將從交代蔡復一宦途入手，藉以考訂譚元春〈與舍弟五人書〉的作成時間，並嘗試從其他線索，重新商榷鍾惺《詩經》初評本完成的時間。

二、譚元春與蔡復一

譚元春〈與舍弟五人書〉言及其評點《詩經》，近日已完成〈商頌〉、〈魯頌〉最後的批點，增減修改之後，「將同蔡鍾二評刻之」，名之曰《詩觸》：

> 《詩經》商、魯二〈頌〉，舟中批完，……到京當再細增減一過，將同蔡鍾二評刻之，題曰《詩觸》，觸於師友也。

❶ 《鍾惺年譜》（上海：復旦大學出版社，1993 年 12 月），頁 148、149。此書為章培恒主編《新編明人年譜叢刊》之一。

❷ 參張淑惠撰《鍾惺的詩經學》（私立東吳大學中國文學研究所碩士論文，2000 年 6 月），頁 110。按：除張淑惠之作外，其他研究鍾惺《詩經》學的著作，皆未言及初評本的完成時間。

❸ 此文收錄於譚元春著、陳杏珍標校《譚元春集》（上海：上海古籍出版社，1998 年 12 月），卷 27。據譚元春撰〈先府君志銘〉（卷 25），譚父生子六人，長即元春，弟五人，依次為；元暉、元聲、方方、元禮、元亮。

❹ 蔡復一，字敬夫，《明史》列傳第 137 有傳。其生年據鍾惺《隱秀軒集》（上海：上海古籍出版社，1992 年 9 月），卷 22〈蔡先生傳〉云「伯子少惺二歲，才德命世」推得）；卒年則據譚元春〈送少司馬蔡師閩楲文〉（《譚元春集》卷 26）所云。

此蔡、鍾二評，指的是蔡復一、鍾惺的《詩經》評點之作。❺陳廣宏訂此信的作時爲萬曆四十四年丙辰（1616），故以爲鍾惺的初評本當於此時已完成。然而，譚元春寫此信的時間果眞爲萬曆四十四年嗎？

　　蔡復一與鍾惺相識於萬曆三十八年（1610），因鍾惺之故，譚元春結識蔡復一❻，且師事之❼，兩人交情深厚，見錄於《譚元春集》中，相關的詩文、書信極多。蔡復一讚美譚元春「筆慧而人樸，心靈而性厚」（卷 27〈與舍弟五人書〉）；譚元春以蔡復一爲「師友骨肉」（同上），譽其爲「人倫之表也」（卷 31〈遣奠楊弱水先生哀詞〉），並許其爲「生平知音」（卷 28〈答韓求仲書〉）。蔡氏過世之後，譚元春所作的悼念之作❽，可見「知音」之說，殆非虛言。而辨證〈與舍弟五人書〉作時的關鍵，在於信中所提到的譚蔡「鄖陽之會」，到底兩人相會於何時。

三、譚蔡的「鄖陽之會」

〈與舍弟五人書〉一開頭即與諸弟分享和蔡復一於鄖陽相會之事：

> 廿九到鄖陽，初六自船返裏中，與胡用涉從大路行。每會蔡公一番，即骨爲之重，識爲之高，人生眞不可向損處走也。蔡公以黔事大壞，奉命速征，軍書如山，思手不停，偷閒節勞，與我作兩夕靜談。

---

❺ 民國林學增等修、吳錫璜纂《同安縣志》（臺北：成文出版社影印民國十八年鉛印本），卷 25〈藝文志〉載蔡復一有「《毛詩評》一卷」。

❻ 鍾惺作於萬曆四十年的〈報敬夫大參〉云：「吾邑譚元春字友夏者，異人也。比於某，眞所謂十倍曹丕。讀公之詩，知其人。今寄其《簡遠》、《虎井》二集，當自知之。譚生今年二十六，尚爲諸生。其時義可出入嘉賓、子遜，砥礪名行，老成簡練，他日有用之才也。有此異人，不可不使公知之。」（《隱秀軒集》卷 28）當是在鍾惺介紹、極力推薦後，譚、蔡二人才得結識。

❼ 〈蔡清憲公全集序〉云：「元春固得親以詩文逮事清憲公，北面稱弟子者」（《譚元春集》卷 22）。〈寄陳玄晏書〉云：「敬夫吾師也，伯敬吾友也。」（同上，卷 27）蔡復一並曾爲譚元春詩集作〈寒河詩序〉（同上，〈附錄一〉）。

❽ 參《譚元春集》卷 22〈蔡清憲公全集序〉及卷 26〈送少司馬蔡師閔槻文〉等。

因「黔事大壞」，蔡復一在赴黔百忙之際，忙中偷閒與譚元春會面。此處涉及蔡復一政治生涯的浮沈，茲引《福建通志》所載以明之：

> 蔡復一，字敬夫，同安人。萬曆乙未進士，授刑部主事。……遷兵部武庫郎中，出爲湖廣參政，分司荊、岳。時方有事貴州，黔撫議剿，復一獨言撫，不聽，坐免。起鎮易州，撫治鄖、襄。黔苗爲亂，擢兵部侍郎，賜尚方劍節制五省，入黔督師，斬馘無算。復一議爲搗巢之計，會施州兵逃歸，不克成功，罷免。移境上候代，尚日夜治軍需，調兵食，勞瘁不輟，卒于軍。賜祭葬，諡清憲，贈尚書，有《遯庵全集》行世。❾

擔任湖廣參政時，「黔撫議剿」，復一「獨言撫」，故坐免。後起用，然因「黔苗爲亂」——即譚元春所云「黔事大壞」，又令其「入黔督師」。但道歷程，而時間則未點明，幸好可藉《明史》蔡復一傳及譚元春相關的記述，將模糊的時間稍爲廓清。

《明史》載蔡復一萬曆二十三年成進士，「居郎署十七年，始遷湖廣參政」。「則復一赴湖廣參政任，當在萬曆辛亥」。❿萬曆三十九年辛亥（1611）就任湖廣參政，而何時去職呢？

據譚元春〈少司馬蔡公撫黔文〉云：「當萬曆乙卯、丙辰間，公在辰陽。辰與黔，兵食相及，有欲用民力於苗者，公執不可，因自解歸去。」（《譚元春集》卷 24）知其「萬曆乙卯、丙辰」——即萬曆四十三（1615）、四十四年（1616）仍在任上，而不久，即因意見不合免官歸去。再參〈送少司馬蔡師閫檄文〉所述：「憶公萬曆己庚間，公已拂衣歸鄉，自號遯士。」（同上，卷 26）「萬曆己庚」，指萬曆四十七年己未（1619）、萬曆四十八年庚辛（1620），此時已拂衣歸鄉，可見去職之時約在 1616 至 1619 年之間。

《鍾惺年譜》在「天啓四年」處考證云：

❾　引自清郝玉麟等監修、謝道承等編纂乾隆版《福建通志》卷 45〈人物〉。

❿　此參《鍾惺年譜》，頁 79。

譚元春《譚友夏合集》卷五有〈伯敬畫武夷一景寄蔡先生以授其婿林觀曾題之〉，知伯敬尚有畫贈蔡復一，當亦在去年伯敬返竟陵至今春間作。時復一尚居閩。今年二月，蔡復一始任兵部右侍郎兼右僉都御史巡撫貴州，見《熹宗實錄》卷三十九。⓫

由此得知「擢兵部侍郎，賜尙方劍節制五省，入黔督師」之時，在天啓四年（1624）二月左右。蔡復一因「黔事大壞」而「入黔督師」之前與譚元春相會，故譚蔡之會當在天啓四年二月之際。而由於〈與舍弟五人書〉中又有「久旱早熱，晚春便如仲夏」語，故這封信的寫作時間當在「天啓四年晚春」。而萬曆四十四年丙辰之時，蔡復一在湖廣參政任內，無「入黔督師」之事，譚蔡郿陽之會當不在此時。

　　除了以蔡復一的政治生涯作爲論證外，尚可由以下兩端，進一步推翻「萬曆四十四年」之說，而強化筆者「天啓四年」的推論。

　　其一，〈與舍弟五人書〉云在舟中批完商、魯二〈頌〉，「到京當再細增減一過，將同蔡鍾二評刻之」。〈送少司馬蔡師闉櫬文〉又云：「公來黔，方予過京師，郿署埶別。」「到京」、「過京師」的記載，皆指出譚元春郿陽之會後，將趕赴北京的事實，其故爲何？乃因譚元春久困諸生，屢試不中，適逢恩選入太學，天啓四年以恩貢上京應試。⓬若爲萬曆四十四年丙辰，則據譚元春〈游南嶽記〉云：「丙辰三月，譚子自念其爲楚人，忽與蔡先生言：『我且欲之嶽。』於是遂之嶽。」湖南之遊，似與前所言的郿陽之會、趕赴京師應考諸事有所衝突。

⓫ 引自該書頁 234。前引《福建通志》云蔡復一在赴黔之前，「起鎮易州，撫治郿、襄」。譚元春〈少司馬蔡公撫黔文〉亦云辭官之後：「數年來，海內多事，天下思公甚，公亦念天下，由晉岳起郿中丞，民以乂安。」所以蔡復一被派任兵部右侍郎兼右御史巡撫貴州之前，並非居閩、賦閒在家，而是在「撫治郿、襄」，陳廣宏先生此處亦誤。此又可據《明史》卷249〈蔡復一傳〉得到佐證，〈傳〉云：「光宗立，起故官，遷山西左布政史。天啓二年以右副都御史撫治郿陽。」知光宗泰昌元年（1620）蔡復一已重返政壇，於天啓二年撫治郿陽，天啓四年入黔督師。

⓬ 參陳杏珍：《譚元春集·前言》。

其二，〈送少司馬蔡師聞檄文〉云蔡復一天啓五年十月四日「以病終於平越」。文中又言及兩人：「郵署執別，殷勤相訂，但謂公明年凱旋，則相迎於武陵之邸。曾未兩年，而功未成而遽歸，身未歸而遽死。」以蔡復一死於天啓五年十月往前推算，「未兩年」，與筆者所論定的「天啓四年晚春」符合，二者相距一年半左右，未滿兩年。

根據上述種種理由，所以陳廣宏將〈與舍弟五人書〉繫於萬曆四十四年是錯誤的，故以此信爲據，進而論定鍾惺《詩經》初評本於萬曆四十四年已完成，在推理上也不能成立。❸

四、初評本完成時間重探

因鍾惺《詩經》再評的三色本署泰昌元年（1620），而譚元春〈與舍弟五人書〉完成於天啓四年（1624），晚於再評本，所以，此封信對於考察初評本完成的時間可說是毫無助益。倒是凌氏所刊初評的朱墨本前所附凌濛初〈鍾伯敬批點《詩經》序〉，留有一些線索。

凌濛初〈序〉云：「吾友鍾伯敬，以《詩》起家，在長安邸中，示余以所評本。……」在本文〈前言〉中已言此〈序〉後未署時間、文中未明言鍾惺何時示以評本，凌濛初雖云「吾友鍾伯敬」，但《隱秀軒集》中卻未留存任何兩人往來的詩文記載。而凌濛初的生平，至今尚未能鉤勒得很清楚❹，無法從凌氏方面得知他何時與鍾惺見面。「時間」既無著落，而地點「長安邸」倒值得一探究竟。

「邸」，指的是宅第，然鍾惺是湖廣承天府竟陵人，考察《鍾惺年譜》，未

---

❸ 筆者要聲明的是，雖證得《鍾惺年譜》之小誤，然瑕不掩瑜，陳廣宏先生此書，引述資料豐富，除譜主外，兼及與鍾惺來往的友人亦做了交代，大有俾益於學界。本文許多的論證，皆以此書的整理做爲基礎，仰仗之處不少，謹致謝忱。

❹ 葉德均：〈凌濛初事跡繫年〉（《戲曲小說叢考》頁 577－590，臺北：文史哲出版社，1989年 3 月），因資料的局限，所呈現的凌氏的生平行蹤仍模糊，例如萬曆三十三至三十六年以及三十八至四十三年完全空白，其他年份亦簡略。

有鍾惺赴長安的記錄，何需於長安設邸？❶假設是短暫停留，故未有詩文往來、是以《年譜》未載，卻又不太可能，因久留乃有設宅第之需。然「長安邸」所指為何呢？

在以往的詩文中，就有以「長安」來泛稱京師的現象，如李白〈金陵詩〉云「晉家南渡日，此地舊長安」，而在鍾惺的詩文中亦不乏其證，《隱秀軒集》卷六有〈十七夜到京看月所寓因題其軒曰儌月〉一詩：

> 不見長安月，那知近二年。卜居惟問此，對影已欣然。
> 光在更深後，圓當我到先。清寒真可儌，絕勝買鄰錢。

據《鍾惺年譜》考證，此詩為萬曆四十年十二月十七夜在北京所作，自萬曆三十九年四月離京出使四川，至此時還京，庶幾二年，故詩有「不見長安月，那知近二年」之語（頁 100），此「長安月」指的是北京的月色。依此類推，凌〈序〉所云的「長安邸」，指的當是鍾惺在北京的住所，以長安舊為京師，故在此詩及凌濛初的〈序〉中用來代指北京。這個推論又可從凌杜若的識語中得到印證：

> 仲父初成自燕中歸，示余以鍾伯敬先生所評點《詩經》本，受而卒業，玩其微言精義，皆于文字外別闢玄機，足為詞壇示法門，非僅僅有神經生家已也。因壽諸梨棗，以公之知《詩》者。

「自燕中歸」，「燕」為河北一帶之簡稱，明清或稱北京為燕京，是「燕」又可以狹義的指北京一地，如鍾惺〈舟獄集自序〉云：「丙辰，鍾子自燕請假而南，暫憩

---

❶ 按：《鍾惺年譜》所以能編成，一則仰賴鍾惺的詩文存世不少，一則仰賴友人與之往來留下的詩文可觀，得以鉤勒出鍾惺的行蹤。鍾惺〈隱秀軒集自序〉云：「盡刪庚戌以前詩，百不能存一。」（《隱秀軒集》卷 17）所以《年譜》在萬曆三十八年庚戌之前，因資料不足較為簡略，然對於探討《詩經》初評本作成時間並無大礙，因為鍾惺在庚戌年始中進士，聲名逐漸傳揚，評點、刻行《詩經》，應在中進士之後。又，觀其庚戌年後，與友人互動頻繁，當不致有鍾惺久留長安，而卻未留有相關詩文為證的情形。

金陵。」（《隱秀軒集》卷 17）〈題魯文恪詩選後二則〉云：「予喜誦鄉先達魯文恪詩文，庚戌官燕，曾從其孫睢寧令乞一部，欲選之。」（同上，卷 35）皆是以「燕」代指北京之例。又如鍾惺作於萬曆四十一年六月的〈題胡彭舉畫贈張金銘〉云：「金銘索予畫在燕，爲癸丑春。予之題成而寄金銘也，予在燕邸，金銘在濟陰官邸。」（同上，卷35）以「燕邸」稱呼其在北京的住宅，又是一例。

　　以上所述，皆足以作爲凌〈序〉中的「長安邸」是指鍾惺在北京的住所的證明。於是，鍾惺在北京逗留的情形，就成了破解初評本完成之時的關鍵了。

　　考察鍾惺停留在北京有以下三個時段：

　　1.自萬曆三十八年初❶至三十九年四月，因奉使四川而離京。

　　2.自萬曆四十年十二月至四十一年九月，因奉使山東而離京。

　　3.自萬曆四十三年二月初還京，至此年六月因出典黔試而離京。試畢還京❶，
　　　至萬曆四十四年八月離京。從此，未嘗再至北京。

　　鍾惺將初評本交付凌濛初是在那個時段呢？筆者以爲在第一個時段中，鍾惺剛於萬曆三十八年三月考中進士，觀政於京，且未有設邸的相關詩文記載，其聲名是否大到足以讓凌濛初造訪、讚揚，爲之傳刻此書，亦值得懷疑。筆者以爲此時段似較不可能。直至萬曆四十年十二月第二次赴京，始有〈十七夜到京看月所寓因題其軒曰傚月〉一詩，言及其卜居於京，名其軒爲「傚月」之事❶，此時交游較先前

---

❶ 以下時段之歸納，多本自《鍾惺年譜》的梳理。考《年譜》所載，鍾惺三十七年八月猶與友朋相聚於南京後，回到竟陵，而後再赴京，〈秋日舟中題胡彭舉秋江卷〉詩其序云：「己酉秋，予將由金陵還楚。」（《隱秀軒集》卷 2）可以爲證。又，〈題焦太史書卷〉云：「惺生平不喜無故而求見海內名人，……至秣陵焦弱侯太史，猶欲一見其人。己酉惺以計偕過秣陵，適先生謝客，未遑求見而去。」（同上，卷 35）舉人入京參加會試稱「計偕」，此記鍾惺己酉赴北京應考路過南京拜訪焦竑不遇之事，隔年三月鍾惺中進士，未能精確斷定鍾惺抵達北京的時間，姑定爲「三十八年初」。

❶ 鍾惺八月在貴州典試，試畢還京途中與譚元春會於安陸，譚作〈伯敬典黔試過家還京與予遇於安陸以詩三首〉，其一有「以家爲道路，驅車仍上京。霜雪我無緣，寒香村氣生」語（卷3），可見鍾惺在霜雪中還京，未明何時抵達，然四十四年春鍾惺已在北京。

❶ 鍾惺友人亦有相關詩文提到「傚月軒」之事，如王象春在萬曆四十四年作〈伯敬至京有軒以傚月名者因同仲良顏之〉，有「有居不得月，何以休瘦骨。傚軒貯床席，傚月爲詩窟。月是

爲廣，聲名益顯，所以揣測交付凌濛初《詩經》初評本約在此之後，至於是萬曆四十一年？四十三年？四十四年？因未見足以爲據的文獻，目前無法判斷。

五、結語

本文因質疑陳廣宏先生《鍾惺年譜》將《詩經》初評本完成的下限繫於萬曆四十四年春，而加以考證。以《年譜》論定的依據，主要仰賴譚元春〈與舍弟五人書〉一文爲萬曆四十四年所作的判定，故文中首先考察此信的時間判定是否正確。透過對蔡復一萬曆至天啓年間宦途的整理，以及譚元春其他相關文章的佐證，推翻《年譜》的論定，證明此信當完成於天啓四年晚春，已晚於刻成於泰昌元年的再評本，是以無法藉此信以證《詩經》初評本的作時。

筆者進而從凌濛初的〈鍾伯敬批點《詩經》序〉所云「長安邸」考索，參以鍾惺的詩文、凌杜若的識語等等，判定「長安邸」乃指鍾惺在北京的住所而言，而鍾惺在北京的停留時間遂成解決此問題的重要依據。

考察鍾惺有三個時段流連於北京，筆者推測，鍾惺、凌濛初在燕邸的會面，以鍾惺在北京設宅後——即萬曆四十一年、四十三年、四十四年較有可能，《詩經》初評本亦當完成於這段時間。

推翻了《年譜》的推論，然亦未能考得初評本確切的作成時間，實因資料有限，證據薄弱，不敢自信，無法做明確的推估。謹將所考整理如上，以嗣將來學者續有發現，可立足於其上繼續探究。

軒主人，儍軒先儍月」等語（《問山亭詩集選》「壬子」）。四十一年鍾惺自作〈儍月軒後竹〉詩（《隱秀軒集》卷 6），陸夢龍則有〈和伯敬儍月軒後竹〉詩，有「促膝長安地，高軒似爾稀，幾時兼種竹，對月倍清暉」語（《憨生集》「五言律」）。以上參《鍾惺年譜》，頁 101、114、115。

經 學 研 究 論 叢
第 十 輯　頁85～104
臺灣學生書局　2002 年 3 月

清代《公羊》學的繼承
——莊述祖的學問與思想

濱久雄著、金培懿譯*

前　言

　　魏晉以來已成絕學的西漢《公羊》學，到了清代，因常州儒官莊存與（1719－1788）而再興。相較於訓詁名物，更重視經世致用之實學的莊存與，特別著眼於《春秋公羊傳》何休的學問，其攝取西漢今文學的時代精神，期待清朝帝國可基於王道而繁榮。❶以莊存與為創始者的常州學派，樹立了與惠棟的吳派、戴震的皖派相異的學風。

　　而以《春秋正辭》為代表的莊存與之學問，由莊氏一門❷繼承下來，即莊述祖、莊有可、劉逢祿、宋翔鳳、莊綬甲等。但歷來《中國哲學史》等概說性質的書中，連莊述祖之名也未能見到，即便有，也止於聊聊數行的記述而已。劉逢祿被解說成彷彿是莊存與直接的繼承者，然而其師莊述祖卻被遺忘了。就如同莊述祖曾說的：「劉逢祿可為師，宋翔鳳可為友」一樣，劉逢祿因著有《公羊何氏釋例》、

---

*　濱久雄，大東文化大學教授。金培懿，雲林科技大學漢學資料整理研究所助理教授。

❶　拙稿〈莊存與の公羊思想〉，《日本中國學會報》第 32 集，1980 年。

❷　莊述祖之父培因，乃莊存與之弟，劉逢祿之母乃存與之女，宋翔鳳之母乃述祖之妹，莊綬甲乃存與之孫，莊有可和存與同族。

❸　宋翔鳳：〈莊先生述祖行狀〉，《碑傳集》，卷 108。

《公羊何氏解詁箋》、《左氏春秋考證》等名著，故給人常州學派偉大後繼者的印象相當強烈。或許因為如此，使得莊述祖相形之下較不顯眼。

但是，莊述祖雖然沒有關於《春秋公羊傳》方面的專著，卻有《明堂陰陽夏小正經傳考釋》、《說文古籀疏證》（《古文甲乙篇》）、《說文今古文考證》、以及收錄在《皇清經解續篇》中的《毛詩考證》、《毛詩周頌口義》、《五經小學述》等多數的著作。而且在這些作品中，莊述祖每每引用《春秋公羊傳》，其闡明祖述何休之學的為學立場這點，實不容忽視。所以說，莊述祖對莊氏一門等後學所起的作用，應該要充分地給予評價才是。其實，劉逢祿便給莊述祖的《明堂陰陽夏小正經傳考釋》相當高的評價，在《劉禮部集》中，則揭舉〈夏時等例說〉，以彰顯莊述祖的業績。

本文在概觀莊述祖的學問與方法的同時，主要就其《明堂陰陽夏小正經傳考釋》，來考察莊述祖是如何掌握住《公羊》思想，並試圖解明其在常州學派所產生的橋樑作用。

一、莊述祖之學問及其方法

莊述祖（1750－1816）字葆琛，江蘇武進人。居室取名為珍藝宧，因此世人又稱其為珍藝先生。其父莊培因為翰林院侍讀學士，乃莊存與之弟。述祖從其伯父存與學習經學，從其母之末弟彭紹升（號尺木）修習古文。爾後受到江沅、龔自珍等佛教思想影響的彭紹升，雖然是述祖的舅舅，但是在考慮清代《公羊》學與佛教相會時，非常令人玩味的是❹，述祖等莊氏一門，完全未受到彭紹升的影響。

弱冠時，述祖娶侍郎倪承寬之女，雖有高官親族故舊等人際關係，但述祖一開始就未染上競求利祿的氣息。乾隆四十五年（1780）述祖成為進士，立即被派任為山東昌樂縣的知縣，翌年，轉任濰縣知縣。述祖立下了「吏治明暢，刑獄得中，豪猾斂跡」❺的治績。又，以經義斷事的述祖，曾留下了以下的趣聞：

---

❹　拙稿〈清代公羊學と仏教〉，《都立五日市高等學校研究紀要》第 15 號，1983 年。

❺　《武進陽湖縣志》，卷 23，〈人物〉。

嘗勘鹽壩廢地，詢之耆老，不能辨，或請嘗土味鹹甘以別之，先生笑曰：
「吾能遍食塊爲若曹辨鹽壩耶？頃吾見田間有生馬帚草者，馬帚，葦也，
即王蒍之類。夏時始於王蒍秀，終於葦秀，其草蒍者宜麥，其草葦者宜
禾，此等出秀之地，不準鹽壩。」耆老皆服。❻

　　〈夏小正〉中有「王蒍秀」、「葦者馬帚也」，精通經義的莊述祖，其臨機
應變的判斷，十足使當時的耆老們欽佩不已。

　　在這之前，述祖在經學之外，在詩賦詞章方面也創造出很多的作品，但因未
能進入翰林院，而將之放棄，專致力於小學，埋頭於許慎的《說文解字》。而以
《爾雅》之例，編有《說文轉注》二十卷，並且在用《廣韻》之例的同時，廣泛地
參考三代秦漢之韻文，編了《說文諧聲考》一卷。如此精通《說文》之學的莊述
祖，周、秦之書悉數讀破，校勘《逸周書》和《夏小正》，甚至也有關於《尚
書》、《毛詩》的著作。從文字的研究轉向校勘之學這點，令人感到其學風與皖派
戴震的學風相通。

　　當時，因爲莊述祖違拗了握有權勢的敗德官僚——大學士和珅，而阻礙了述
祖晉升之途，然而後來和珅失勢之後，正要步入坦途時，爲了奉養老母，嘉慶二年
（1797），述祖四十八歲（虛歲）時歸田，專心於著述。對十歲喪父的述祖而言，
孝養母親是他最關心的大事。根據戴望〈故禮部儀制司主事劉先生行狀〉❼，記有
「有意於治《公羊》，遂輟業」。這年，二十三歲的劉逢祿師事莊述祖，受夏時等
例以及六書、古籀之學。回想當時，劉逢祿在〈夏時等例說〉中，如下說道：

舅氏莊珍藝先生爲言夏時之等，文約而旨無窮，與《春秋》相表裡。出所
著說義初本讀之，觀其論制禮作樂之原，三統內外之辨，治曆明時之道，
庶虞汁月之徵，郊禘視學之典，王宮民居之制，務農重桑之事，土宜土均
之法，憂旱備潦之誼，嫁子取婦之節，養老送死之要，王馬國馬之則，蒐

---

❻　同註❸。

❼　《碑傳集》，卷72。

苗獮狩之令，偃武措刑之德，尊卑上下之別，改火救火之政，淳化昆蟲之則，善善惡惡之旨，扶陽抑陰之義，慎始敬終之戒，富矣哉！洵太平之正經也。由是以知春秋改周之正，行夏之時，百世莫之能違者。夫子以告顏子，溫城董君亦云：損文用忠，變文從質，三王之道，若循環也。莊氏所著考釋、注補、音義等書，多至數十萬言，慮學者不能盡讀，嘉慶三年，冬日多暇，撮其大要爲箋一卷，用引申而不發之旨，成學治古文者，童而習之，條理五經，庶幾得隱括就繩墨焉。❽

　　但是，研修許慎的《說文解字》，致力於小學的莊述祖，注意到許慎的書在古籀方面有很多欠缺、錯誤之處，遂依鐘鼎、彝器、石鼓來修正之，著有《說文古籀疏證》（《古文甲乙篇》），將始於一、終於亥的《說文解字》之偏旁條例，進一步分類編排次序成爲十干十二支。述祖的這個構思，乃是基於其將《歸藏》（商朝之《易》）視爲黃帝之《易》，干支是黃帝時代的大橈所作的，而倉頡爲之取名的這種學術認知。述祖在《說文古籀疏證》序文中，針對文字與干支與八卦的關係，作了如下的說明：

　　　　由文字以求甲子，由甲子以通八卦，知歸藏納甲之義，與《周易》相輔而
　　　　行。八卦非文字，而八卦之名，有不能不假文字以明之者，余嘗致商周彝
　　　　器文，如震、兌、巽、艮，其字皆取象於月，是殷人歸藏之卦，亦流傳於
　　　　吉金銘勒，推而廣之，一名一物，一動一植，有文字者，悉寓至道於其
　　　　中，非兵燹所能侵蝕，決可知也。

　　按照這種說法，納甲乃是將十干十二支納入八卦中的法，到漢代，京房集其大成。但是，納甲之法究竟起於何時，則無法明白❾，莊述祖求其起源於商朝的《歸藏》。而且述祖與張惠言和劉逢祿一樣，信奉將月體附加進八卦、納甲中的虞

---

❽　劉逢祿：〈夏時等列說・序〉，《劉禮部集》，卷2。
❾　沈括《夢溪筆談》〈象數一〉中有「《易》有納甲之法，未知起於何時」。

翻的易說。⑩

　　由於《古文甲乙篇》尚未完成述祖便逝世，所以由其子稚冥紹述遺志效力編纂，然而終未完成。其後，咸豐十年（1860）因庚申之亂（太平天國之亂），常州爲太平軍攻陷時，此《古文甲乙篇》的草稿流轉至粵東（廣東省），歷經張振軒之手後重返回莊氏手中。⑪這簡直就是在爲莊述祖在序文中所說的：「非兵燹所能侵蝕」作證。

　　莊述祖著《古文甲乙篇》的當時，王念孫著《廣雅疏證》，段玉裁著《說文解字注》，宋翔鳳敍述說，王念孫與段玉裁兩人每在採用述祖之說時，感嘆其精心周到。而且宋翔鳳以爲常州學派學風勝於皖派的學風，對王念孫與段玉裁，他說道：「其尚爲微文碎義，不知其非至者也」⑫，用了稍有諷刺性的話語表現。宋翔鳳因爲曾師事段玉裁，修習東漢許、鄭之學，所以也知曉皖派錚錚學者之動靜。

　　又根據咸豐五年（1855）所上梓的桂文燦之《經學博采錄》，當時《古文甲乙篇偏旁條例》一卷似乎有上梓。因爲此書是以寫本流傳，桂文燦是從侍御陳頌南處借來閱讀，詳細介紹其內容。⑬現試舉其一部分觀之。

　　　　自漢以來，皆以小篆爲古籀。小篆之偏旁於古籀不合者多矣。是編推衍始一終亥部分，循其條理以易舊弟，又據鐘鼎之流傳于今者，析其偏旁以爲古籀，安得而不異乎？嗚呼！小篆之去古籀遠矣。而今日之爲古籀，其視小篆之去古籀又遠焉。或得或失。後世自有能辨之者。

可是，一般雖知道劉逢祿著《左氏春秋考證》，論述《春秋左氏傳》乃劉歆之僞作，但卻幾乎沒有人知道莊述祖在《說文古籀疏證》中，論述了妄改經書以及《左傳》乃劉歆擅改之事。述祖善用他對古典所具有的賅博知識，如下說道：

---

⑩　鈴木由次郎：《漢易研究》（明德出版社，1963 年），頁 240。

⑪　潘祖蔭：《說文古籀疏證》〈跋文〉。

⑫　宋翔鳳：〈莊先生述祖行狀〉。

⑬　桂文燦：《經學博采錄》，卷 2，六葉，民國二十二年排印本。

⑭　拙稿〈劉逢祿の公羊思想〉，《都立五日市高校研究紀要》第 12 號，1980 年。

六經遭嬴秦之厄，幸而得存於今，其無缺誤者蓋少。《毛詩》最古，《儀禮》、《周禮》次之，《禮記》次之，《公羊春秋》次之，其餘若《周易》、《尚書》、《左氏春秋》、《穀梁春秋》，則多晉以後之俗字矣。《論語》尚多古字，《孝經》、《孟子》、《爾雅》大抵為後人妄改，而《爾雅》亦非完書矣。其羼入者更復不少。《大戴記》殘缺，《逸周書》無善本，《管子》、《墨子》、《莊子》、《荀卿子》、《孫子》、《楚辭》、《呂氏春秋》、《戰國策》皆周秦古書，間有可采。西漢諸子《淮南鴻烈》本最佳，以其為漢人解漢人書也。凡古字古音皆有禆於六書之學，惜篇卷過隘，不能盡載耳。

《左氏春秋》經劉歆私改者如「壹戎殷」，改「壹」為「殪」；經杜預誤寫者如「不飧」讀為「不夕食」，此皆不明古義。劉之逞臆盧造，杜之襲陋傳訛，其失一也。至如舟鮫為舟鮁、公鳥為公鶶，《說文》猶有可改，至晉以後古人無完書矣。❺

窮盡小學，古書亦精通的莊述祖，即使校勘古文獻也明示出典根據，以己意改動的部分，將之證以舊本，也是完全脗合。舉其一例，如當時《白虎通義》的版本中，有引用「書無逸篇曰，厥兆天子爵」，述祖將之改為「書逸篇」，盧文弨以之妥當，便在其刻本中採用此說。江聲聞之譏笑之，其後，因為盧文弨得宋、元之版本加以比照核對，全都寫成「書逸篇」，江聲始後悔不已。

盧文弨長莊存與兩歲，雖是同一時期的學者官僚，然與戴震、段玉裁親近。但是盧文弨既不屬於吳派，也不屬於皖派。就如支偉成在《樸學大師列傳》中，將之歸為校勘目錄學家似的，其在校勘古文獻方面，有非常顯著的成績。而且我們不能忽略的是：雖然盧文弨長莊述祖三十三歲，但是在其《抱經堂叢書》中，收錄了述祖的《白虎通義考》一卷和《白虎通闕文考》一卷。由此可知其對述祖校勘《白虎通義》所表達的敬重。順便一提的是，《白虎通義》乃東漢章帝時，集學者於白

---

❺　《說文古籀疏證》原目，葉 27。

❻　同註❷。

虎觀，使之討論五經記載之異同，由班固撰集而成的，而最先注意到這本典籍之重要性的人，便是莊述祖。後來，常州學派的陳立著有《白虎通疏證》。

但是，盧文弨於乾隆六十年（1795），七十九歲時辭世，時述祖四十六歲。不難想像兩人之間會有交流。然而，盧文弨對莊氏一門祖述何休的《公羊》學，是採批判的態度。他在〈題鍼膏肓起廢疾發墨守〉**❶**中說：「邵公當日專欲伸《公羊》。然《公羊》之理固短，囿於鄉曲之見」，並且在〈書公羊注疏後〉**❶**中，論道：「獨何氏之識，恨遠不逮江都。故其說苟碎不經之談多」，徹底批判了何休。

莊述祖著述極多。有《尚書今古文授讀》四卷、《尚書記章句》一卷、《尚書今古文考證》*七卷、《尚書雜義》一卷、《校尚書大傳》三卷、《校逸周書》十卷、《書序說義考注》二卷、《毛詩授讀》三十卷、《毛詩周頌口義》*三卷、《毛詩考證》*四卷、《詩紀長編》一卷、《樂記廣義》一卷、《左傳補注》一卷、《穀梁考異》二卷、《五經小學述》*二卷、《五經疑義》一卷、《特牲饋食禮節記》一卷、《論語集解別記》二卷、《明堂陰陽夏小正經傳考釋》十卷、《明堂陰陽記長編》十卷、《古文甲乙篇》*四卷、《甲乙篇偏旁條例》二十五卷、《說文古籀疏證》二十五卷**❶**、《說文諧聲考》一卷、《說文轉注》二十卷、《鐘鼎彝器釋文》一卷、《石鼓然疑》一卷、《聲字類苑》一卷、《弟子職集解》*一卷、《校正列女傳凡首》一卷、《校正白虎通別錄》三卷、《史記決疑》五卷、《天官書補考》一卷、《校定孔子世家》一卷、《歷代載籍足徵錄》一卷、《漢鼓吹鐃歌曲句解》一卷、《詩鈔》二卷、《文鈔》七卷等，標以*印之書籍收載於《珍藝宧遺書》（嘉慶道光間武進莊氏脊令舫刊本）中。

二、《夏小正》的校定及其再評價

〈夏小正〉乃《大戴禮記》的第四十七篇，未見於《漢書‧藝文志》，到了

❶　《抱經堂文集》，卷7，收於《四部叢刊正編》。

❶　同前註，卷8。

❶　卷數乃依照宋翔鳳：〈莊先生述祖行狀〉中的記載，但光緒二十年的版本則是六卷。再者，收錄於《珍藝宧遺書》中的，爲《說文古籀疏證目》一卷（道光十七年刊）。

《隋書·經籍志》中始有收錄。而且有別於《大戴禮記》十三卷，另外收錄了《夏小正》一卷，爲戴德所撰。亦即，《夏小正》與《大戴禮記》被視爲是各別獨立的典籍，而被加以收錄。

　　但是，有關《大戴禮記》與《小戴禮記》（《禮記》）的成書一事，眾說紛紜，莫衷一是。武內義雄博士對唐以前文獻中所記載論述的四種說法，即(1)鄭氏〈六藝論〉、(2)〔晉〕陳邵的〈周禮論〉（陸德明《經典釋文》敘錄中有引用）、(3)《隋書·經籍志》、(4)《初學記》等進行綿密的檢討，結果武內義雄博士支持陳邵以下的說法。❷

　　　　戴德刪古禮二百四篇爲八十五篇，謂之大戴禮，戴聖刪大戴禮爲四十九
　　　　篇，是爲小戴禮。後漢馬融、盧植，考諸家同異，附戴聖篇章，去其繁重
　　　　及所敘略而行於世，即今之《禮記》是也。鄭玄亦依盧、馬之本而注焉。

又，就《禮記》及《大戴禮記》的編纂時代，津田左右吉博士對所謂四十九篇的《禮記》是西漢宣帝時的學者戴聖所編纂，《大戴禮記》則是同時代的戴德（大戴）所編纂的這種一般說法，抱持著疑問。展開其否定的說法，斷言道：「要之，由西漢末年到東漢初年稱之爲禮記的，乃是見於〈藝文志〉中的一百三十一篇的叢書，但是東漢中葉時，選取其中重要者編纂成四十九篇的《禮記》，其後又出現了輯其剩餘者，此即被稱爲《大戴禮記》。」❷

　　〈夏小正〉之所以分爲經與傳，乃是宋朝的傅崧卿所分。傅崧卿年輕時讀《禮記》，對於「孔子，得夏時自杞」一文，和所謂：「夏四時之書也，於其存者有小正」這一鄭玄的注，抱持強烈的興趣。而且注意到措辭大體上簡約嚴謹，類似秦漢以來的文章，於是相信其應是有夏氏的遺書。因此，傅崧卿想見其全貌，但這

---

❷　武內義雄：〈儒教資料として見たる兩戴記〉，《内藤博士還曆記念支那學論叢》（弘文堂書房，1926 年），頁 445。《武內義雄全集》第 3 卷·儒教編二（角川書店，1979 年），頁 420。

❷　津田左右吉：〈禮記及び大戴禮記の編纂時代について〉，收於《津田左右吉全集》第 16 卷（岩波書店，1965 年）。

個願望並未達成。

　　然而，傅崧卿偶而在其外兄關澮的藏書中發現了《夏小正》，乃判斷其爲夏之月令。於是傅崧卿便探求集賢殿（唐代文學三館之一，刊輯經籍，搜求佚書者）中所收藏的《大戴禮》之版本，參校是正之，仿《左氏春秋》分經傳，以每月爲一篇，編成了十二篇四卷的《夏小正戴氏傳》。❷收載於《通志堂經解》。

　　莊述祖就傅崧卿的《夏小正戴氏傳》論道：

> 僅得一錯訛舊帙，獨參考愼擇而釐析之，誠異於俗學所爲。間誤以經爲傳、以傳爲經，疑傳之失本恉，終莫能有所是正，然賴以知古經猶幸未泯滅，不得概視爲傳、記之書。彼其表章之功，顧又何可少哉！❸

雖然不表示全面性的贊同，但對其表彰《夏小正》的功績，則給予極高的評價。

　　那麼莊述祖對《夏小正》的問題意識及其校定方法，究竟是何物？莊述祖於嘉慶元年（1796）九月九日所寫的《明堂陰陽夏小正經傳考釋》序文中，如下說道：

> 《禮運記》云：「孔子曰：『我欲觀夏道，是故之杞，而不足徵也，吾得《夏時》焉；我欲觀周道，是故之宋，而不足徵也，吾得《乾、坤》焉。《乾、坤》之義、《夏時》之等，吾以是觀之。』」鄭康成以爲其書存者，有《小正》、《歸藏》。《隋·經籍志》云：「《歸藏》漢初已亡（觀述祖之意，以《歸藏》隨小篆之滅而亡），晉《中經》有之，惟載卜筮，不似聖人之旨。」孔穎達亦謂《歸藏》僞妄之書。（《隋志》：「《歸藏》十三卷，晉太尉參軍薛貞注。宋《中興書目》有〈初經〉、〈齊母〉、〈本著〉三篇，今佚。」）是孔子所以觀夏、殷之道者，其幸而僅存於今，惟《夏小正》而已。
> 世所傳《夏小正》既傳寫失眞，今以古文大小篆校正其經文，共四百六十

---

❷　傅崧卿：《夏小正戴氏傳》序，收於《通志堂經解》。

❸　《夏小正經傳考釋》序（嘉慶元年）。

五字，定爲《夏時》，而以《夏小正》爲傳，考其異同，釋其義例，名曰《明堂陰陽夏小正經傳考釋》。

文中《禮記‧禮運篇》的記述，乃是孔門十哲之一的子游，問禮於孔子時的回答話語，莊述祖與傅崧卿一樣，都重視這記述，並且根據鄭玄的注、《隋書‧經籍志》以及孔穎達的見解，來挖掘出《夏小正》的絕對性價值。於是，莊述祖批判性地繼承了傅崧卿所編纂的《夏小正戴氏傳》，依其獨自的學問方法，試圖恢復《夏小正》。

　　但是，由於莊述祖是常州學派，當然是信奉今文學的。然而，在上述的引文當中，其明言道：「以古文之大小篆，校定其經文」，遂令人產生一個簡單的疑問，那就是這豈不是與西漢今文學的立場相矛盾嗎？

　　誠如眾所皆知的，先秦時代的經書乃以古文寫成，但是到了漢代則變成以隸書來書寫。這便是今文。魯共王自孔壁中所發現出的文字，是《說文》中的古文，與籀文都是周宣王的大史所作的文字。沒有任何道理的則是秦文，亦即小篆。又，與秦之小篆相對的，則籀文這一大篆。而基於經書字體的不同，所引發的經學上的今、古文之爭的理由，則是因爲經書本文的文字有異同，演變成離開字體的爭論。❷

　　今文與古文的關係，莊述祖個人之見解敘述如下：

> 蓋古文自嬴秦滅學之後，久絕師傳，當時初除挾書之律，閭里書師，各以意指授，皆小篆也。相傳孔子壁中書藏於祕府，謂之中古文，能讀者尠，《尚書》家言今文者，皆自伏生，伏生爲秦博士，不得私習古文，至老而求得壁藏書，諒亦以意屬讀而已。張懷瓘云：「漢文帝時，秦博士伏勝，獻古文《尚書》」，是伏生亦以今文讀古文，與孔安國同。王莽使甄豐改定古文，豐不能明，往往雜以小篆，今所傳刀布是也。又秦八體之大篆，即秦篆之繁者，其省者謂之小篆，在漢時皆以秦大篆爲籀文，謂之史書。

❷　大東文化學院研究部編《經學史》（松雲堂書店，1933 年），頁 29。

尉律云：「諷籀文九千字，乃得爲吏」，《漢·藝文志》有史籀十五篇，秦時先代之書，掃地盡矣。安得籀文獨完。㉕

這即是說：文字演變的過程並不單純，而且今文學的典籍全都以口傳相承，也不可以說到了漢代就以隸書寫成，理當也有改古文爲今文者。而且不能說在其過程中沒有傳抄之誤、和誤讀、僞造等。因此，莊述祖認爲以古文的大小篆來校定經文，未必就與今文學的立場相矛盾。

然而，說今文與古文對立，雖然有明瞭如《公羊傳》和《左傳》、《儀禮》和《周禮》者，但也有像《禮記》這般，今文與古文之說共存者。㉖原本從莊存與開始的常州學派的學者們，關於《春秋公羊傳》，雖然貫徹西漢今文學乃至何休之學，但是對於《古文尚書》、《周禮》、《毛詩》等古文學，在一定的見識之上則採取柔軟的態度，也有與這些經書有關的著述㉗，堅持是則是、非則非的爲學立場。

上述之事姑且不論，莊述祖取名爲《夏時明堂陰陽經》，復原《夏時》，如下說道：

《夏小正》多古文，漢時經師以隸讀之，故「霾」爲「麕」、「君」爲「丹」、「内馬」爲「白馬」、「央」爲「而」、「民」爲「卯」，凡此類者，皆古文。以傳復較，可互以相定，惟「抵」爲「坻」讀異。其傳寫之誤，如「句」爲「呴」、「胏」爲「黍」、「芑」爲「色」、「牧」爲「收」、「荼」爲「茶」、「匕」爲「人」、「穴」爲「大」。或脫爲半字，如「擾」爲「憂」……，其復字如「乃衣瓜」。一字誤兩字如「麀鹿匕」，悉從校正，唯委楊韋羊，特兩存之，以識闕疑之義。至「鴰」爲

㉕　《說文古籀疏證》序。

㉖　諸橋轍次：〈經書解題略〉，《經學研究序說補編》，《諸橋轍次著作集》第 2 卷（大修館書店，1976 年），頁 262。

㉗　拙稿〈莊存與の公羊思想〉。

「句」、「某」爲「梅」、「擾」爲「擾」、「敦」爲「章」、「蠱」爲
「殼」、「職」爲「識」、「騖」爲「陟」、「矗」爲「匡」、「絞」爲
「校」、「震」爲「辰」，皆古文假借也。今其存者，《小戴》所記，有
〈月令〉、〈明堂位〉二篇，鄭目錄以爲別錄皆屬明堂陰陽，則大戴所記
〈夏小正〉、〈盛德〉二篇，以類求之，亦屬明堂陰陽，《夏時》其經
也。《夏小正傳》，蓋高、赤之流，學者失其傳，故閭里小知得附焉。
〈盛德記〉云：「明堂，天法也；禮度，德法也。」❷《夏時》與《禮經》
相爲表裡，故禮家合而記之。竊以爲夏禮所存，孔子所正，一王大法，先
聖微言，皆百姓之所日用，而天道著其文，約其悁，明其等，粲然可觀。
謹校定爲《明堂陰陽經》，宜與曲禮之正篇并錄焉。

　　莊述祖所以取名爲《夏時明堂陰陽經》的根據，也可以由以上的說明得到認
同，而且我們也可以理解他依據大小篆來校定、復原經文時所嘗試使用的方法。特
別應該注意的一點是：述祖將《夏時》與《禮經》視爲表裡一體之物來加以掌握的
同時，他又認爲其乃是經過孔子手定之物，斷定說：「一王之大法，先聖之微言，
皆百姓日日所用，而天道著。」然後，述祖擴充膨脹其構想，將《夏小正》與《春
秋公羊傳》統一起來加以掌握。

　　爲了使述祖《明堂陰陽夏小正經傳考釋》的結構可以一目瞭然，筆者乃將劉
逢祿曾揭示在《劉禮部集》中〈夏時等例說〉的一覽表，登載於下以供參考。又，
明顯錯誤之處，筆者乃就己意改之。

---

❷　高應該是高柴（字子羔）。道德禮儀篤實。赤乃公西赤（字子華，赤爲其名）通曉儀式、禮
　　儀。諸橋轍次《論語人物考》，《諸橋轍次著作集》第七卷，頁 68、81。莊述祖很重視高
　　柴、公西赤與子游、子夏於禮學中所發揮的作用。

夏時等例	大正				王事		小正			
	斗建	大辰	諸星	諸氣候	王政民事	祭祀	鳥	獸	蟲魚	草木
正月	斗柄懸在下	初昏參中	鞠則見	啓蟄 時有俊風 寒日滌凍涂	農緯厥耒 農率均田 農及雪澤 初服于公田	初歲祭耒 豳 囿有見韭 采芸	雁北鄉 雉震雊 鷹則為鳩 鷄孚粥	田鼠出 獺獸祭魚	魚陟負冰	柳梯梅杏 杝桃則華 緹縞
二月					往櫌黍禫 綏多女士 剝鱓 始牧	初俊羔助 厥母粥 丁亥萬用 入學 祭鮪 采芑采繁 由胡 抵蚳 時有見梯	來降燕乃 睇 有鳴倉庚		昆小蟲	榮堇 榮芸
三月		參則伏			攝桑 頒冰 妾子始蠶 執養宮事	采識 祈麥實 越有小旱	鳴鳩	㺊羊 田鼠化為駕	螜則鳴	拂桐芭
四月			昴則見初昏南門正		取荼 執陟攻駒	囿有見杏 越有大旱			鳴札 鳴蜮	王萯秀 秀幽
五月		參則見初昏大火中		時有養日 匽之興五 日翕望乃 伏	乃衣 啓灌藍蓼 頒馬將間 諸則	煮梅蓄蘭 未霍	鴂則鳴 鳩為鷹		浮游有殷 良蜩鳴 唐蜩鳴	
六月	初昏斗柄正在上					煮桃	鷹始摯			
七月	斗柄懸在下則旦		初昏織女正東鄉	漢案戶 時有霖雨	灌荼			狸子肇肆	寒蟬鳴	秀雚葦 湟潦生苹 爽死荓秀
八月		辰則伏 參中則旦			元校 內馬	剝瓜剝棗 栗零	君鳥羞 鴽為鼠	鹿從		
九月		辰繫于日			內火 主夫主火 王始裘	遰鴻雁 陟元鳥蟄 雀入于海為蛤		熊羆狗貘 鼬鼬則穴 若蟄		英麹
十月			初昏南門 織女正北 鄉則旦	時有養夜			黑鳥浴 雉入于淮 為蜃	豺祭獸		
十有一月					王狩陳筋革 嗇人不從			隕麋角		
十有二月					元駒賁納民 玈虞人入梁		鳴隼	隕麋角		

三、莊述祖的公羊思想

　　莊述祖雖沒有有關《春秋公羊傳》的專門著作，但是翻閱《夏小正經傳考釋》和《說文古籀疏證》的話，隨處可見其對《春秋公羊傳》的引用。下面所引的序文，說明了述祖對何休之學的熱情和造詣之深。

　　蓋以古書之僅存，屢爲後人所亂，校書者又各以其意定之，是其所是而非其所非，迄無所取正，而亂益甚。於是伏而思之，《春秋》之義，以《三傳》而明，而《三傳》之中，又以《公羊》家法爲可說。其所以可得而說者，實以董大中綜其大義，胡毋生析其條例，後進尊守，不失家法。至何邵公作《解詁》，悉隱括就繩墨，而後《春秋》非常異義可怪之論，皆得其正。凡學《春秋》者，莫不知《公羊》家，誠非《穀梁》所能及，況《左氏》本不傳《春秋》者哉！假設無諸儒之句剖字析，冥心孤詣，以求聖人筆削之旨，則緣隙奮筆者，皆紛紛籍籍，以爲《左氏》可興，《公羊》可奪矣。《夏時》亦孔子所正，《夏時》之取夏四時，猶《春秋》之取魯史也。聖人之旨於是乎在，其以大正、小正、王事科爲三等，蓋出於游、夏之徒，高、赤之等，兩漢時猶有能言之者。故蔡中郎以爲有陰陽生物之候，王事之次。然呂不韋造《月令》，亂《夏時》之等，并滅其書，其藏於民間者，簡斷字脫，不可句度。時師各以意讀之，丹鳥元駒，菽蘪卵蒜，瑣類農家，碎同小說，且改傳文前後以傅會之。又曰：「小正者，以小箸名也。」豈不謬哉！述祖病此久矣，欲疏通而證明之，而以一人之力，欲兼儒者數十筆之勤，亦不自諒之甚也，但不能默默而已，故先列其等，次求其例，有不可通者，尋繹其次序，解剝其句讀，剔抉其古字古音，然後古聖王所以省躬，所以授時，所以敷政，皆可得而說，庶幾或附任城（何休）之後塵。如曰不然，以俟來哲。（莊述祖：《夏小正經傳考釋序·第三》）

　　莊述祖在此闡明了由董仲舒、胡毋生所傳承的西漢今文學之家法，並給予何

休所著的《春秋公羊解詁》以高度的評價，說道：「坿任城之後塵庶幾」，以何休之後繼者自任。邵公爲何休的字，任城（山東省濟寧縣）是何休的出生地。

狩野君山博士曾說：「換言之，《公羊》學的特色乃因爲何休而得以發揮。而歷來的人（孔廣森、莊存與等皆然），只取本文而不取注，但是到了逢祿則本文與何休之注皆取。或許是因爲如此，《公羊》的特色因而愈加濃厚。」❷（著重點乃狩野博士所加），莊存與和莊述祖不論是誰都繼承了何休的「通三統」（王魯說）和「張三世」，這點在拙稿〈莊存與的公羊思想〉及本文所敘述的業已明瞭。相對於此，孔廣森傳授自莊存與的《春秋公羊傳》，但卻否定何休學的「通三統」和」「張三世」，堅持原始《公羊》學所說的。

又，述祖將《夏時》和〈夏四時之書〉、《春秋》和〈魯史〉的關係，並列地加以掌握，將《夏時》與《春秋公羊傳》與《禮經》統合性地加以充分理解，而推斷〈夏時三等例〉乃子游、子夏、高柴、公西華等所傳授之物。

從前，大東文化學院教授安井朴堂，在爲增島蘭園的《夏小正校注》所寫的跋文中，曾言道：「小正之學，後儒罕講。立辭簡奧，經傳淆涽，號稱難解。相傳，經者禹啓所書，傳者子夏所作。禹啓、子夏並不可信。傳文者《公》、《穀》類，疑戰國漢初之人所作，經則或是夏史之筆。」❸又狩野君山博士說：關於經書的文章，如「……者何」、「孰謂」、「曷爲其言」、「……何」、「此何以書之」等，皆設疑問，然後說明者後世也有很多，然《公羊》才是其本。❸因此，筆者認爲應該肯定《夏小正》與《公羊傳》的相似性。

而且，莊述祖以蔡邕❸所謂的：「陰陽生物之候，有王事之次」這一文句爲根據，而推定兩漢時存在有《夏時》三等，斷定其因爲呂不韋的〈月令〉而混亂，且其書也消失掉了。〈月令〉乃《禮記》篇名，記載一年十二個月的氣候，和每個月所實施的政令。而月用夏正。

---

❷ 狩野直喜：《中國哲學史》（岩波書店，1953年），頁622。

❸ 增島蘭園：《夏小正校注》〈跋文〉，收於《崇文叢書》（崇文院，1927年）。

❸ 狩野直喜：《支那文學史》（みすず書房，1970年），頁124。

❸ 蔡邕，東漢人，字伯喈，少博學，好辭章、數術、天文，官拜儀郎，後受封左中郎將，著有《獨斷》、《蔡中郎集》。

根據歷來的說法，《淮南子·時則訓》的十二紀，以及《禮記·月令》，都
是基於呂不韋使人編輯的《呂氏春秋》之十二紀。針對這點，島博士否定這種歷來
的說法，論述道：原始十二紀的時令，乃以《管子·四時》爲底本，參考《管子·
幼官》和《大戴禮記·夏小正》而成立的。❸

莊述祖之見解的前提，雖與上述的歷來說法立於同一基礎，其見解是否妥
當，暫且不論。但是至少他對經書的認識，是基於上述這種思想的根據而來的。

《大戴禮記》的注釋書，雖然有〔北周〕盧辯的《大戴禮記注》十三卷，但
是簡略而且校定不周全。因此盧文弨和戴震等嘗試校定；其後，戴震門下的孔廣森
（1752－1786）著有《大戴禮記補注》十三卷、《序錄》一卷。孔廣森完成此著述
後，三十五歲時便歸道山。阮元給孔廣森的業績很高的評價，說是：「博稽群書，
參會眾說而爲注十三卷，使二千餘年之古經傳復明於世，用力勤，而成功鉅也。」
❸又，周中孚也讚賞道：「較之於盧抱經、戴東原之合校訂本，愈覺用力勤，而功
鉅也。」❸

孔廣森少莊述祖兩歲，因爲科舉考試時的主試官（座主）是莊存與，按照習
慣應尊存與爲師，實際上，孔廣森師事存與，傳授《春秋公羊傳》。存與之母辭世
時，孔廣森獻上了〈辛卯進士祭座主莊侍郎太夫人文〉。❸因此，筆者以爲他應該
也與述祖見過面。而且，述祖當然閱覽過《大戴禮記補注》才是。但是，兩人對
《夏小正》的認識與校定的方法有所不同。相對於述祖是貫徹何休的《公羊》思
想，廣森則是信奉批判何休《公羊》思想的鄭玄。孔廣森將其書房取名爲儀鄭堂的
理由也在於此。孔廣森在《大戴禮記序錄》中說：

> 唯北周僕射，范陽公盧辯景宣，始爲之注。起漢世之墜學，紹涿郡之家緒
> 矣。但經記綿袠，詞旨簡略，大義雖舉，微言仍隱，廣森不揣淺聞，輒爲

❸ 島邦男：《五行思想と禮記月令の研究》（汲古書院，1971 年），頁 59 以下。
❸ 阮元：〈孔檢討大戴禮記補注序〉，《揅經室集》上冊（臺北：世界書局），頁 225。
❸ 周中孚：《鄭堂讀書記》，《國學基本叢書》（臺北：臺灣商務印書館，1968 年）。
❸ 孔廣森：《儀鄭堂駢儷文》卷 3，收載於《四部備要》集部（臺北：臺灣中華書局）。

補注，更螢亥虎，參證邪穀，敢希後鄭足，申禪于毛義，庶比小劉，兼規
正于杜失。……

其闡明《大戴禮記補注》中專心致志的意圖，試圖追隨鄭玄在《毛詩正義》中箋注
的業績，並且自比作劉歆，表示其訂正杜預《春秋左氏傳》中注解錯誤的決心。被
看成是《公羊》學者的孔廣森，所以想與《公羊》學者之敵的劉歆比肩的理由，或
恐是想在《補注》中，實現劉歆所評價的「引傳文以解經，轉相發明，由是而章句
義理備」❸這種成績吧！

又，孔廣森在《序錄》中，就《夏小正》，如下說道：

太史公曰：孔子正夏時，學者多稱夏小正。今其遺篇，上紀星文之昏旦，
雨澤之寒暑；下陳草木稊秀之候，蟲羽飛伏之時；旁及冠昏祭薦，耕獲蠶
桑之節。先王所以敬授人時，與明堂月令實表裡焉。漢世諸經解詁，皆與
本書別行，故熹平石經《春秋傳》不載經文，小正亦別有全經，此特其傳
耳。傳或一事分釋，或兩言兼訓，後人復就此篇，分別經傳，失其真矣。
記本文頗脫誤，世單行夏小正非一家，唯宋山陰傅崧卿所定者，尤多可取
云。

孔廣森以司馬遷所謂：「孔子，正夏時」的記述為根據，說：「先王之敬授人時
故」，斷定「〈明堂〉，與〈月令〉實表裡」，相對於此，莊述祖則說：「夏時與
禮經相表裡。」孔廣森的想法，乃是基於劉歆、鄭玄所謂《禮記》〈月令〉、〈明
堂位〉兩篇，是屬於《漢書‧藝文志》中所刊載的〈明堂陰陽三十三篇〉的這種判
斷而來。相對於此，述祖的想法則是基於《大戴禮記》〈夏小正〉、〈盛德〉兩
篇，乃是屬於〈明堂陰陽三十三篇〉的這種判斷而來。乍看之下，兩者的見解幾乎
沒有差異，但是兩者之間決定性的不同，便在述祖將《夏時》與《春秋公羊傳》統
一掌握這點。而且強調《夏時》的三等。

❸　《漢書》卷36，〈劉歆傳〉。

述祖在《明堂陰陽夏小正經傳考釋》的〈夏小正等例文句音義第三〉中，將《夏時》之等，分類爲大正、小正、王事。而大正乃「正月、啓蟄」之類，日月、星辰、雨暘（晴）、寒燠（暑）、風便是，小正乃「雁，鄉北」之類，畜穀、飛征、庶虞、草木便是。可參照前文所揭示的〈夏時等例〉一覽表。述祖引用《禮記・郊特牲》中的「地載萬物，天垂象，材取地，法取天。以此尊天親地也」一文，說：「傳言小正者三，言大正者一，皆王者尊天親地之事也」，闡明大正、小正、王事的根據。

述祖又在〈夏時說義下〉中說：

> 四月昴則見、日度也。記昴者西宮星之中也。初昏南門正、天法也。南門者天門也。南門正、然後爲南門天之所以垂象、王者所以域四海也。故四月曰初昏南門正。十月亦曰初昏南門。四月純陽之月、謂之正月。在易爲乾。十月純陰也。兼於陽謂之陽月。在易爲坤。乾坤者易之門也。南門者天之門也。四月初昏南門正、闢戶之象也。乾也。十月初昏南門、闔戶之象也。坤也。乾坤闔闢、天地之樞也。故曰易非卜筮也。春秋非記事也。夏時非記時也。聖人著之於經、所以觀三代之道也。天地之德也。聖人之心也。易之卦也、春秋之義也、夏時之等也、一也。

就如同《春秋》不單止於記錄魯史一樣，《夏時》也不只是有關夏天四時之書而已，是經過孔子筆削，記述夏、商、周三代之道的文獻，《易》之卦，與《春秋》之義，與《夏時》之等，本質上是相同的。

述祖並且將〈夏小正〉的「正月、啓蟄」、「十有二月，隕糜角」，與《春秋》的「十有二月，有螽（蠕）」、「西狩獲麟」並列地加以掌握，解釋成是聖人隱喻得失之戒的微言。在下一段引用文❸中，莊述祖常州學派《公羊》學者的面

---

❸　《明堂陰陽夏小正經傳考釋》〈夏時說義下〉。但是，王樹榮在《續公羊墨守》（收於《紹邵軒叢書》）序文中則說：「末流之弊，動輒援《公羊》以遍鑿群經。自莊珍藝，作夏時等例，以夏小正禮運之吾，比付得夏時之說，劉逢祿推衍其意作論語述何」，批判莊述祖等人的《公羊》思想脫離了何休的《公羊》思想。

目，躍然於紙上。

> 夏時推原終始之運，本其所以興，曰正月啓蟄。又戒之以所由癈，繫之十
> 有二月，曰隕糜角。十有二月隕糜角，失閏也。《春秋》再書十有二月
> 螽，終以西狩獲麟。麟者周之瑞獸也。《春秋》繼亂，反諸正，當修文王
> 之政。夏時繼治，失其道。是爲十有二月隕糜角。得失之戒，昭昭甚明。
> 故《易》終〈未濟〉，《書》終〈秦誓〉，《詩》終〈商頌〉，《春秋》
> 終於西狩獲麟，夏時終於隕糜角。戒之哉，戒之哉。著其義，以俟後之言
> 夏小正者。或有采焉。（《明堂陰陽夏小正經傳考釋‧夏時說義下》）

結　語

　　莊述祖的《公羊》思想，以應該也可以說是樸素的自然法則秩序之《夏小
正》爲核心，求孔子的理想與精神於五經之中，特別是以統合地掌握《夏時》、
《禮記》和《春秋公羊傳》爲目標。而後斷定《夏時》之等是大正、小正、王事，
展開其獨創性的理論系統。劉逢祿所以讚賞說：「童而習之條理，五經得隱括，庶
幾就於繩墨」的道理，也可以叫人信服。

　　但是，《明堂陰陽夏小正經傳考釋》一般不爲人知，孔廣森的《大戴禮補
注》則如本文前面所說的，受到高度的評價，還傳到了我國日本。文化三年
（1806）的官方版本即是，流傳廣泛。因此，增島蘭園《夏小正校注》的參考文獻
中，《大戴禮補注》與戴震、盧文弨的《大戴禮》本，都一起被收錄。

　　然而，既然大正是以經的「初昏南門正」，和傳的「南門者星也。歲再見壹
正，蓋大正所取法也」爲根據，即使莊述祖和孔廣森所理解的內容不同，大正一詞
仍訓爲：「大正は法を取るとこらなり」。而且，孔廣森注解說；「大正疑記夏時
之書也。此篇之事對彼爲小，故名小正。」王聘珍所撰的《大戴記解詁》中，將
「正」解爲人君。

　　元祿六年（1693）上梓的淺見絅齋所撰的《大戴禮記》訓點本，是將正字解
爲「正ヲ大トス，法ヲ取ル所ナリ」，文化五年（1808）上梓的渡邊荒陽所撰的

《夏小正經傳垾解》，則與莊述祖等作同樣的解釋，並未特別施加注解。文化八年增島蘭園所著的《夏小正校注》也作同樣的解釋，但卻注爲「應是小正之誤，不必爲之說」，仍舊是意義不詳。這些姑且不論，令人深感興趣的是，我們可以從江戶時代的儒者身上，看到他們對《大戴禮記》和〈夏小正〉的學術性關心。其中，安井朴堂特別給予增島蘭園的《夏小正校注》很高的評價，將之收錄於《崇文叢書》中。

最後，筆者想就產生莊述祖《夏小正經傳考釋》的時代背景來談談。當時，在乾隆末期社會經濟矛盾漸次激烈，以敗德大官僚和珅爲代表的支配階級，其搜刮農民的惡政仍舊持續。乾隆皇帝年老而讓位給嘉慶皇帝，然而嘉慶帝稱不上是明君。面對危機時代，作爲中堅官僚的莊述祖，勢必深切地感覺到要實現王道政治。其對《夏小正經傳考釋》的執筆熱情，在這樣的時代危機中逐漸增高。在此，我們可以充分窺見爲學志在經世致用之實學的常州學派的面貌。莊存與之孫也是其弟子的莊綬甲，曾讚賞道：「生平學業，萃於夏時。櫽括董、胡，規模有等差。」筆者以爲這是對莊述祖在常州學派所產生的橋樑作用，充分給予評價的話語。

附　記

本文執筆時，深深感謝東洋文庫及東京大學東洋文化研究所圖書館，提供給筆者閱覽漢籍資料的機會。

又，東洋文庫架藏的《珍藝宦遺書》，乃劍峰藤田豐八博士的舊藏本。東西文化交流史之權威的藤田博士，爲何會對清代公羊學莊述祖的著書寄予關心，已無從得知，然筆者以爲這是當時有心的學者，關心公羊學的證據。

1984 年 1 月 15 日完稿

——譯自《公羊學の成立とその展開》（東京：國書刊行會，1992 年 5 月），頁 201－226。

經 學 研 究 論 叢
第 十 輯 頁105～122
臺灣學生書局 2002 年 3 月

皇侃《論語集解義疏》
——六朝疏學的展開

室谷邦行著、陳靜慧譯*

前 言

　　《論語集解義疏》書如其名，是依據何晏的《論語集解》再加以注疏而完成的。（以下，在本文中一律簡稱《義疏》）

　　撰者皇侃❶，南朝梁人，是位篤實派的學者，原本以禮的研究、注釋等而享有盛名，在當時學界有舉足輕重的地位。其傳記雖然有收入正史❷之中，但簡略而欠詳盡，只大約知道他出身吳郡，師事賀瑒❸，嫻熟三禮（《禮記》、《周禮》、《儀禮》）及《孝經》、《論語》，任國子助教講學，曾著《禮記講疏》五十卷❹獻與朝廷，被召入宮中講學，時之皇帝（武帝）大悅。大同十一年（544）卒，享年五十八歲。依據《義疏》序文所說，其編輯方式如下：先有江熙❺集晉人衛瓘、

---

* 　陳靜慧，教育部追求卓越計畫研究助理。

❶ 　「皇侃」有コウカン和オウカン二種讀法，一般習慣讀作後者。

❷ 　《梁書》卷 48，《南史》卷 71。

❸ 　《梁書》卷 48 及《南史》卷 62 載其傳，說他曾仕梁，爲太學博士、五經博士，特精通禮學，據說也有《老子》、《莊子》的相關著述。《義疏》中幾次以「師說曰」介紹他的思想。

❹ 　《隋書‧經籍志》中說是四十八卷，又說皇侃還撰《禮記義疏》九十九卷。

❺ 　《隋書‧經籍志》中作《集解論語十卷》。（另外也載有何晏、孫綽的《集解論語十卷》）

繆播、欒肇、郭象、蔡謨、袁宏、江淳、蔡系、李充、孫綽、周壞、范甯、王珉等
十三人之注，皇侃講學之際，先是參考何晏注，而後「若江集中諸人有可採者，亦
附而申之。其又別有通儒解釋於《何集》無妨者，亦引取爲說，以示廣聞也。」總
之，這是一部規模相當龐大的注疏，除了何晏的《集解》，上述十三人及江熙之說
外，還有皇侃留意到的通儒之說，當然也包括他本人的皇侃之說。結果當然是成了
空前的大巨冊，不用說漢代的鄭玄、馬融、包咸等人之注，就連集諸大成的《集
解》都遠及不上其規模。在《論語》的研究史上，它堪稱是第一本極盡詳備之能事
的注疏。

有關《義疏》一書的傳承，有一段引人議論紛紛的過程。據說到了南宋初，
該書曾一度亡佚，之後與眾多的佚書一樣消沈無蹤，直到十八世紀後半乾隆年間，
才由日本逆向輸回中國，清朝的學者一時競相講學該書，這也是眾所皆知的。當時
存在日本的版本爲數不少，被帶回中國的是一位叫根本遜志的人在寬延年間，根據
足利學校所藏的版本校訂而成的，今收入《知不足齋叢書》等。❻不過，因爲與本
來的架構有所出入，在中國有僞書說之說，今則有武內義雄氏校勘諸版本的訂正本
問世。❼

一、當是誤也

〈學而篇〉第八章中有「主忠信，無友不如己者」一句。一般很容易被解釋
作：不要與不如自己的人爲友。皇侃卻不作此解，他費了一番思量，最後說：

> 或問曰：若人皆慕勝己爲友，則勝己者豈友我耶？

是說：從全體來看所謂的朋友關係的話，那麼這句話是有矛盾的，依字面的意思則
朋友關係是不可能建立的。因爲，如果孔子的意思是要人一定選擇比自己優秀的人

---

❻　此事詳見武內義雄《校論語義疏雜識》（收入全集第一卷中）。

❼　《論語義疏》全六卷，懷德堂紀念會，大正十三年發行（全集第一卷中也有縮印）。不過訛
　　字、印刷錯誤、注解脫落等的問題也不少。

為友，那麼從對方的角度來看時就變成和「不如己者」為友了，在交往時一定會受到拒絕的。該怎麼辦呢？他接著說：

> 或通云：擇友必以忠信者為主，不取忠信不如己者耳。不論餘才也。

亦即，把重心放在「主忠信」一件事上，純粹只談精神問題的「忠信」，其他則不論，把人與人交往時的差異問題範圍縮到最小。他認為只談忠信問題，至於知識、學問等的差異就不必太計較，而只追求真誠的人品，這應該不會太難。他又說：

> 或通云：敵則為友，不取不敵者。

是說程度大致相同就可以相以為友，這裡把優劣上下的標準模糊化了，企圖以此解決問題。

不只如此，接著皇侃又考慮到交友的目的為何？這涉及到為學的基本態度問題，所以他引了蔡謨之說：

> 言本同志而為友。此章所言，謂慕其志而思與之同，不謂自然同也。夫上同乎勝己，所以進也；下同乎不如己，所以退也。……然則求友之道，固當見賢思齊，同志於勝己。所以進德修業成天下之疊疊也。今言敵則為友，此直自論才同德等，而相親友耳。非夫子勸教之旨也。……

他認為只與程度相近的人為友，很難激發上進心，而為學之本首重「見賢思齊」（〈里仁篇〉第十七章），藉此提昇自己，所以他認為孔子的意思應該是與志向高遠者發出共鳴，有志一同，而自己因為也擁有相同的志向，所以在志向的層次上有了共通點，而不是指從一開始就找程度相近的人結合為友。這裡的「同」，不是形容詞，而應該讀作動詞。

像這樣子，在經過一番仔細思量後，他發現孔子的這段發言中有關「交友」的問題有難解之點，最後他從所謂的為學的精神、態度的角度切入，找到了自己滿

意的解答。我們知道，這是皇侃綜合各方面的資料，企圖尋求一精密度較高的論證，而把問題推到了這裡，這整個過程不光只靠皇侃一人的。

皇侃的注網羅了各家注的異同，並盡力去闡明每個問題點，也因爲他鋪陳各說並從中比較，所以才成了一本大巨冊。在這點上，他與早他三百年，何晏的那種只是單純並列各家注的作法，大異其趣。

作注時一般來說疏不破注是大原則，疏破母注另立新解是作注時的忌諱，不過皇侃似乎沒有這層顧慮。

例如「管仲之器小哉」（〈八佾篇〉第二十二章）這章，孔子所舉的理由是「管氏有三歸」，《集解》的包咸注說❽：「三歸，娶三姓女」，不過皇侃卻認爲管仲的身分是大夫，理應從一國娶三女，結果他娶的卻是三國之女，這是諸侯之禮了。而且在這種情況下，應該是從大國娶正夫人，從二小國娶媵妾，且這三國之女應該要同姓才對，所以他說：

> 今雖三國，政應一姓，而云三姓者，當是誤也。

又如對「子謂韶，盡美矣，又盡善也。謂武，盡美矣，未盡善也」（〈八佾篇〉第二十五章），皇侃說：「美者，堪合當時之稱也；善者，理事不惡之名也」，而美與善（美名與善事）卻不一定相隨而來。他認爲舜既盡美又盡善，所以兩得其名，至於武王的話，天下之民雖然樂於見武王動干戈伐紂，就這點而言他可以說得其美，但從人臣的角度來看伐君一事卻不是善事。對於這裡，《集解》所引的孔安國注說：「韶，舜樂名，謂以聖德受禪，故盡善」、「武，武王樂也，以征伐取天下，故未盡善」。亦即，孔安國以爲征伐是惡事，皇侃卻認爲伐紂一事有百姓的支持，所以不必定是惡的。對於自己的疏與原注的立場不同一事，皇侃在上面這二段話後面分別追述說：

> 注不釋盡美而釋盡善者，釋其異也。

---

❽　《義疏》作苞咸，本文從集解本作包咸。

　　注亦釋其異者也。

表明注與疏有時立場有異。像這樣的例子相當的多，上述的例子是直接明言的，另外也有一些的例子，皇侃雖沒有直說，但實際上疏、注之間卻各往不同的方向發展，對此他似乎是不以為意的。

二、同物畏之

　　《論語》中有好幾段大家耳熟能詳的故事，〈陽貨篇〉的首章就是其中之一。內容是魯國的當權者陽虎（陽貨）想要脅迫孔子出仕，他先饋贈孔子豚肉，計畫在他來回禮時提出要求。沒想到孔子故意利用陽貨不在的時候前去回禮，很不巧的在回家的途中給遇上了。這一切應該是出乎孔子的意料之外，結果皇侃卻說：

　　孔子聖人，所以不計避之，而在路相逢者，其有所以也。若遂不相見，則陽虎求召不已，既得相見，則其意畢耳。但不欲久與相對，故造次在塗路也。

我們從本文讀得的印象似乎不是這樣，這裡皇侃似乎設定了個前提：即孔子是不可能犯錯的。所以他替孔子辯護道：這件事，表面上看起來好像孔子失算了，實際上則是因為孔子不想正式會見陽貨，拖延太久時間，所以故意設計在路旁相見，以便隨時告別。所以他認為孔子並沒有失算。

　　這一章的末尾，孔子敵不過陽虎的咄咄逼人，回答他說：「諾，吾將仕矣」，對此，皇侃則引述了郭象的話：

　　聖人無心，仕與不仕，隨世耳。陽虎勸仕，理無不諾。不能用我，則無自用。此直道而應者也。

是說孔子身為聖人，以無心對應現實，對陽虎之勸在道理上無以為拒，所以他只好承諾了。（在〈子罕篇〉第四章的「子絕四，毋意、毋必、毋固、毋我」注解中，

皇侃就曾用「聖人無心」形容孔子。）郭象的這段話跟皇侃針對前半段所提出的解釋，雖然表達的重點不同，不過從這上述可以看出，《義疏》一貫的立場是認爲，聖人孔子是不可能犯錯的。關於這點，我們在〈公冶長篇〉第九章也可以找到同樣的例子——「子謂子貢曰：汝與回也孰愈？對曰：『賜也何敢望回，回也，聞一以知十，賜也，聞一知二。』子曰：弗如也，吾與汝弗如也。」這是很有名的一段，意思也很清楚，唯一在解釋上會稍有出入的是最後一句。這句話在解釋上爭議最大的地方是：把這句話單純的解釋作孔子自承不如弟子顏回，這種說法是否恰當？既爲聖人，又爲人師的孔子在能力上若有不如弟子之處，那是很難堪的。

對於上述，《集解》舉了包咸注，大意是說：孔子爲了安慰子貢，所以故意說這樣的話，並不是孔子真的認爲自己不如顏回，結果《集解》也同樣認爲孔子不可能會屈居下位。眞是用心良苦哉！而皇侃則是更強烈的表達這種主張。

他先引顧歡（南齊人）之說——對孔子之問，子貢深知自己遠不如顏回，所以那麼回答。接著他說：

> 夫子嘉其有自見之明而無矜剋之貌，故判之以弗如，同之以吾與汝。此言我與爾雖異，而同言弗如，能與聖師齊見，所以爲慰也。

最後皇侃又補充說：

> 侃謂顏意是言，我與爾俱明汝不如也，非言我亦不如也。

總之，他認爲「吾與汝弗如也」一句，不是說我們二人都不如顏回，而是說我們都知道你（子貢）不如顏回。這種說法其實是相當牽強的。❾

又如〈子罕篇〉第五章「子畏於匡。曰：文王既沒，文不在茲乎……」，對此皇侃也是說：

---

❾　又，他還引秦道賓之說，說「與」，「許」也，說孔子承認子貢不及顏回，此說，朱子注中也有引述。

時匡人誤以兵圍孔子，故孔子同物畏之。

說害怕的是其他人，因爲大家都害怕，所以孔子也假裝跟大家一樣。這怎麼說呢？他引了孫綽的解釋：

> 夫體神知幾，玄定安危者，雖兵圍百重安若太山，豈有畏也！雖然兵事險阻，常情所畏。聖人無心，故即以物之畏爲畏也。

乍聽之下，這是一段很巧妙的辯白。說孔子本身其實全然無所畏懼，而他之所以表現害怕的樣子，是反應一般人的心情。聖人是無心的（這是道家常用的形容詞），就像鏡子一樣很自然的反映出周遭的狀況，因爲不得不以眾人之畏爲畏，所以才有那樣的表現。這種理論是應用了《老子》的「聖人無常心，以百姓之心爲心」（四十九章）的說法。因爲無心，所以落到現實上便可能以各種形態（有）出現。這種思想的理論基礎來自《老子》的「無爲無不爲」（三十七章、四十八章），也就是無而有，不畏而畏的思想。

另外一點很重要的是，《義疏》根本就認定，對孔子而言，是不可能有一般定義的「畏」的。所以即使原文中明明很清楚的寫著「畏」字，《義疏》卻不肯承認，想辦法要解決這裡的矛盾。不管是從維持道家的聖人形象，或者是從孔子身爲儒家宗師所擁有的絕對性地位來說，這樣的結論似乎是必然的。另外要把「畏」字解釋作「不畏」，這需要相當的功夫才行。甚至也許不知覺中已經讀作「畏」了，但是仍然要否認。演出這一招絕活，背後是靠《老子》的理論作支撐，上述之外還有一張王牌那就是「人之所畏，不可不畏」（二十章）這一章。是說人民所畏懼的，聖人也不可以不畏，這裡皇侃可能是運用了這一章來作解釋的。

與上述類似的還有「顏淵死，子哭之慟」（〈先進篇〉第十章）這章，他引了郭象和繆協的話說：

> 人哭亦哭，人慟亦慟。蓋無情者與物化也，聖人體無哀樂，而能以哀樂爲體。

所謂的無情而有情；無哀樂而有哀樂，其實與「無爲」而「無不爲」正是同一套理論架構。

三、形器以上——聖人之所體也

接著下一章裡，所要討論的是有關孔子的多才多藝與他的聖人形象之間的矛盾。

〈子罕篇〉的第六章說：「太宰問於子貢曰，夫子聖者與，何其多能也！子貢曰：固天縱之將聖，又多能。子聞之曰：太宰知我者乎！吾少也賤，故多能鄙事，君子多乎哉，不多也。」第一句話裡，皇侃認爲太宰懷疑了孔子聖者的身分，所以說：

> 太宰聞孔子聖，又聞孔子多能，其心疑聖人務大不應細碎多能，故問子貢曰：孔子既聖，其那復多能乎？

也就是身爲聖人者不應該有太多瑣碎的才能，那些雕蟲小技應該是屬於下層官僚們的技藝。因爲事關聖師的名譽問題，所以子貢趕緊補充說聖人與多才多藝是不互相衝突的：

> 孔子大聖。是天所固縱又使多能也。

皇侃以爲，一般而言，多才多藝與聖人的形象是不相符的，子貢用「天縱之……」的說法，說孔子是爲身分特殊的聖人，所以不能用一般的想法去規範他。最後，對於孔子回答子貢的一段話，皇侃又說：

> 孔子聞太宰之疑而云知我，則許疑我非聖是也。……江熙曰：太宰嫌多能非聖，故云知我，謙之意也。又說我非聖而所以多能之由也，言我少小貧賤，故多能爲粗鄙之事也。
> 更云：若聖人君子，豈多能鄙事乎，則不多能也。

上述，大致上與原文文意相去不遠，是說孔子自承因爲從小出身貧賤，所以學會許多小才能，又說自己稱不上是聖人。問題是，這就傷腦筋了，因爲在皇侃的想法裡，孔子必須是聖人，即使孔子自己說他不是聖人，皇侃也不得不加以否認。所以他引了江熙的話說：「謙之意也」，即孔子所說的未必是他的本意，他只是謙虛罷了。一般而言，言不由衷是不能原諒的，但是如果是因爲謙虛的話，它可能反而是一種美德，從這裡皇侃爲孔子造了一個完美的下台階。

接著，他又在包咸注的部分引用了欒肇之說：

> 周禮百工之事，皆聖人之作也。明聖人兼材修藝過人也。……明兼才者自然多能，多能者非所學。所以先道德而後伎藝耳，非謂多能必不聖也。……

欒肇的意思是說：依《周禮》所載，很多小發明小設計都是出自聖人之手，聖人本來就是多才多藝的。身爲「兼材」的聖人是天生多能，而不是後天學來的，多能與聖人未必是相衝突的。意即聖人是天生多能，其條件是自然而然，他的「多能」與他的「聖」之間是不相矛盾的。這裡有多少子貢「天縱之將聖」的意思。這裡用了有道家味的「自然」一語，意思變得複雜深刻多了，也把問題解決了。他在孔子身上找到後天以前的自然，關於這個問題，皇侃在「予一以貫之」（〈衛靈公篇〉第三章）的說明中也有觸及：

> ……故此更荅所以不多學而識之由也。言我所以多識者，我以一善之理貫穿萬物，而萬物自然可識，故得知之。故云予一以貫之也。

說孔子不是因爲後天的學習而變得博學多識，他雖多識卻不多學，或者至少說他不是因爲多學而後多識的。他是用「一」來貫穿萬物之道，識得自然之理的。

從以上可以知道《義疏》裡用「自然」來解釋孔子，至於他的理論基礎是什麼？我認爲有必要交代，以下我們簡單說明：

在〈先進篇〉第十八章的「子曰：『回也，其庶乎屢空』」（皇侃似乎認

爲，「庶」是希望的意思。），對於「空」字，皇侃依《集解》的說明列舉了二種解釋，其一是說顏回因爲疏於理財所以生活窮困，其二是說「空」字指的是精神上的虛靜狀態，皇侃似乎是比較贊同第二種解釋的。他說：

> 言聖人體寂而心恆虛而無累，故幾動即見，而賢人不能體無，故不見幾，但庶幾慕聖，而心或時而虛，故曰屢空，其虛非一，故屢名生焉。

緊接著他又引了三人之說補充不足，總之，賢人顏回不能體無，所以就不能見「幾」⑩——即事情發生以前的徵兆（從而是一種接近有之前的無的狀態），雖然如此，但是他偶而也有體無的時候，所以說「屢空」。相對於此，孔子則是隨時能夠做到體無和虛心，而這才是孔子眞正的內涵。與此類似的還有〈爲政篇〉第九章的「子曰：吾與回言，終日不違如愚。」這裡皇侃說：

> 自形器以上，名之爲無，聖人所體也；自形器以還，名之爲有，賢人所體也。

上述很清楚的是「孔子＝聖人＝無」、「顏回＝賢人＝有」的一套公式。這句話原本的出典應該是《易・繫辭上》篇的「形而上者謂之道；形而下者謂之器」，皇侃把孔子比喻爲與道一體的根源者、造物者，把顏回及不如他的，比喻作受具象制約的一般性存在，而這二者的本質是截然不同的。他認爲孔子的精神狀態已經超越一般性的具象情感，由此而導引出「聖人無情」⑪說，這也是很自然的事了。之前我們舉過的例子裡，有孔子感嘆顏回之死的一章，所謂的無哀樂而有哀樂的說法，應該與這章也有相契之處。

---

⑩ 這裡主要是引用《易・繫辭傳下》「知幾其神」的思想。

⑪ 眾所周知，何晏是此一論調的早期代表人物。（見《魏志・鍾會傳》的裴松之注。）

四、孔子亦當必有王位也

　　對於多受具象制約的一般人而言，孔子既然是一個高高在上的體道者，立足於一切存在的根源的聖人，因之，把他視爲人間政治的最佳統治者的孔子爲王說，也就不那麼令人意外了。就如同道是萬物的根本，道有統括萬象的力量一樣，體得形而上之無的聖人，也應該有統治人間社會的力量。類似的論調，早在漢代已隨著讖緯說的流行而登場，皇侃之說恐怕也是受到這一類論調的影響。

　　〈憲問篇〉第五章「南宮适問於孔子……」裡，《集解》引述馬融注說：「禹及其身，稷及後世，皆王也。适意欲以禹稷比孔子」，是說南宮适想要用王者大禹或者是周之始祖后稷來比擬孔子，這樣的想法在漢代似乎是司空見慣的事。馬說之外，皇侃還補充說：

　　适所問孔子者，以孔子之德比於禹稷，則孔子亦當必有王位也。

另外，在〈堯曰篇〉的開頭，他也說：

　　……又下次子張問孔子章，明孔子之德同於堯舜諸聖也，上章諸聖所以能安民者，不出尊五美屏四惡，而孔子非不能爲之，而時不值耳。

又，對同一篇第二章的「子張問政於孔子曰……」及第三章的「孔子曰：不知命無以爲君子也」他說：

　　明孔子同於堯舜諸聖之義也。
　　明若不知命無以爲君子，所以更明孔子知命，故不爲政也。

基本上他認爲孔子的能力、道德並不亞於堯舜，只是時不我予，而孔子也深知天「命」之義，所以才不願爲王。沒有成爲王者，但有王者之才的孔子，惟恐遭忌被當時的當權者視爲危險人物，因此他必須適當地提防。所以在「鳳鳳不至，河不出

圖，吾已矣夫」（〈子罕篇〉第九章）這章裡，皇侃又說：

> 夫時人皆願孔子有人主之事，故孔子釋己之不得以塞之也。

接著他引了孫綽之說：

> 蓋王德光于上，將相備乎下。當世之君咸有忌難之心，故稱此以微己之不
> 王，絕不達者之疑望也。

另外，孔子為什麼「述而不作」，對於這個問題，皇侃認為也與當時的政治環境有
關。所以對〈述而篇〉首章「子曰：述而不作，信而好古，竊比於我老彭」，他說
道：

> 孔子自言我但傳述舊章，而不新制禮樂也。夫得制禮樂者，必須德位兼
> 並，德為聖人，尊為天子者也。所以然者，制作禮樂必使天下行之。若有
> 德無位，既非天下之主，而天下不畏，則禮樂不行。若有位無德，雖為天
> 下之主，而天下不服，則禮樂不行。故必須並兼者也。孔子是有德無位，
> 故述而不作也。

是說有聖人之德而無王者之位的話，即使制禮作樂也不能推行於天下。所以有德無
位的孔子，因為不符合「作」的條件，只能專心於「述」這件事上。他還說：

> 老彭亦有德無位，但述而不作，信而好古。孔子欲自比之，而謙不敢灼
> 然，故曰竊比也。

也就是說孔子的「述而不作」、「信而好古」實際上都是效法同樣有德無位的老
彭，對於先賢他不敢專美於前，所以謙虛地說「竊比」，意思很清楚，且不管事實
為何，皇侃他認為孔子對所謂的隱者（或者說道家式的人生態度——彭祖是這方面

的代表性人物）抱有相當的敬意，這也是重要的原因之一。總之，不管如何，在皇侃的想法裡（從某一方面來說，也許是個事實），孔子是非常在乎自己的政治意義的。

　　站在這樣的出發點上，皇侃接著解釋說孔子之所以嚮往周公攝政，是因為雖然不得為王，但他仍存有輔佐人君的強烈意願。所以說：

> 夫聖人行教，既須德位兼並。若不為人主，則必為佐相。聖而君相者周公是也。雖不九五（天子），而得制禮作樂，道化流行。孔子乃不敢期於天位，亦猶願放乎周公，故年少之日恆存慕發夢。（〈述而篇〉第五章「甚矣吾衰也，久矣吾不復夢見周公也。」）

皇侃認為孔子之所以夢見周公，是被他的人格及文化氣質所吸引，他希望自己也像周公一樣握有制禮作樂的政治權限的。這裡讓人想起「顏淵死，子曰：噫！天喪予！天喪予！」（〈先進篇〉第九章）這章，《論語》中記述孔子痛傷顏淵之死的有好幾章，這是其中之一。在這裡皇侃說：

> 夫聖人出世，必須賢輔。如天將降雨必先山澤出雲。淵未死，則孔道猶可冀，縱不為君，則亦得為共教化。今淵既死，是孔道亦亡，故云天喪我也。

從前述一連串的說明裡可以知道，這裡的「縱不為君」是多少帶有一點政治性意味的。皇侃認為孔子之所以如此感嘆，是因為他原本想要借助顏回的力量，對他來說顏回的存在是必要的。顏回死了，對孔子而言幾乎是斷了希望之路，所以他更是悲從中來了。前面我們提到過皇侃曾引述郭象的話，說聖人是無情的，這裡他又不諱直言的說孔子是很悲傷的，原因就是在此了。

五、原壞者方外之聖人

《論語》有所謂的：「言語：宰我、子貢」（〈先進篇〉第三章），其中的宰我是所謂四科十哲中的一人，不過在《論語》中時而擔任挨罵的角色。「宰予畫寢」（〈公冶長篇〉第十章）章就是其中之一，對於這章皇侃有「一家云」，說：

> 與孔子爲教，故託跡受責也。

接著他又引了珊琳公、范甯等之說替他辯護，說他看到其他弟子們精神鬆弛，所以故意畫寢挨罵，以提醒大家振作、反省。類似的事情在〈陽貨篇〉也可以看到，該篇第十九章記述宰我認爲守三年喪太長了，孔子因而很生氣地說他「不仁」。對此，皇侃先解釋爲什麼有三年喪，其意義一在「抑賢」，二在「引愚」，前者怕子女太過盡孝所以在第三年時強迫他停止；後者則是怕不肖子女偷懶，所以強迫他至少守喪三年。接著，他引述了繆播的話，說：

> 爾時禮壞樂崩，而三年不行。宰我大懼其往，以爲聖人無微旨以戒將來，故假時人之謂咨憤於夫子，義在屈己明道也。

依繆播之說，宰我是一個惟恐禮樂廢行，深具危機意識的人，他爲了要讓孔子有機會說一些罵人的重話，所以才故意那麼說的。另外，他又引了李充之說：

> 余謂，孔子目四科，則宰我冠言語之先，安有知言之人而發違情犯禮之問乎。將以喪禮漸衰，孝道彌薄，故起斯問以發其責，則所益者弘多也。

與上述所敘，看法雷同。

另外，〈子路篇〉第四章「樊遲請學稼……」中，說樊遲因爲太過於現實主義，招來孔子不悅，皇侃在引述了李充的話之後，說：

　　遲之斯問，將必有由，亦如宰我問喪之謂也。

與前述還是一樣的看法。

　　皇侃對人物、事件常有出人意料的看法，其中最明顯的莫過於對原壤這個人的評價了。原壤出現在〈憲問篇〉第四十三章，似乎是孔子小時候的朋友，粗魯無禮。孔子說他：「幼而不遜悌，長而無述焉，老而不死，是爲賊也」，又「以杖叩其脛」。不過皇侃卻說：

　　原壤者方外之聖人也，不拘禮教，與孔子爲朋友。

相對於此：

　　孔子，方內聖人，恆以禮教爲事，見壤之不敬，故歷數之以訓門徒也。

他說孔子是「方內之聖人」，原壤是「方外之聖人」，把二人並列在聖人之列。而孔子之所以敲原壤的腳，不是因爲有什麼嚴重的對立，而是他就一個方內者的立場，有必要教導門人尊重禮教罷了。

　　所謂的「方內－方外」之說，出自《莊子》的〈大宗師篇〉，記述孔子用「遊方之外者也」形容痛失朋友卻載歌載舞的道家人物，而說自己是「遊方之內者」。另外，原壤這個人《禮記》〈檀弓下篇〉中說他的母親去世時，他還爬到棺木上唱歌，皇侃可能因此把原壤列入《莊子》書中，經常出現的畸人畸行一類的人物。

　　總之，在這裡原壤所代表的是超越了禮教世界秩序的存在，是另一種理想的人間類型，由他身上展現出的是道家生命的精神，而另外一種類型是像孔子一樣，是人倫政治社會的最高理想。這麼一來，儒家的面子也保住了，儒、道二者成了一種兼容並列的局面。皇侃他很巧妙地把儒與道齊頭並立，可以說把六朝的時代精神推演到極點了。

結　語

　　皇侃他似乎對當時勢力逐漸擴張的佛教也有相當的了解，這從他爲文不長的傳記中多少可以看出。至於他到底了解到什麼程度？由於筆者對佛學相關知識貧乏，在此不敢斷言。不過，《義疏》中經常使用「照了」、「勝業」、「平等」等的佛教用語，也經常引用在東晉佛教思想界享有盛名的孫綽，甚至佛僧慧琳等人的話，無庸置疑的皇侃本身對佛學抱有相當的好感。舉個例子來說，對《論語》中很有名的「季路問事鬼神，子曰：未能事人，焉能事鬼？」（〈先進篇〉第十二章）這章，皇侃說：

> 外教無三世之義，見乎此句也。周孔之教唯說現在，不明過去未來。而子路此問事鬼神，政言鬼神在幽冥之中，其法云何也？此是問過去也。

其實子路本是站在儒家的立場發問，儒家原本就有敬鬼神（死者靈魂等）的想法。不過在此，皇侃認爲儒家只說現在，不談過去、未來（前世、來世），子路卻偏以此爲話題。又以「外教」稱儒教，幾乎是把自己歸入佛家行列中，由此可以窺見他也有寄情佛學的一面。

　　如上所述，皇侃的《義疏》裡有許多超越儒學界線的解釋，不過，基本上他是道家傾向的，對於這點本文中沒有特別立文一一說明，那是因爲數不勝數，再者是因爲在各章節裡我們已經多有觸及了，所以筆者認爲無此必要。

　　本稿最後，我想再談一下有關於「禮」的問題。這是因爲皇侃他原本是一個禮學專家，我想從他拿手的禮學，與他思想上的道家傾向這二者的關係中，也許我們可以找到《義疏》的性格特色。

　　在〈先進篇〉第一章的「先進於禮樂，野人也。後進於禮樂，君子也。如用之，則吾從先進。」裡，他作了充滿道家味的解釋說：

> 此孔子將欲還淳反素，重古賤今。

接著又說：

> 野人，質樸之稱也。君子，時會之目也。孔子言以今人文觀古，古質而今文，文則能隨時之中，此故爲當世之君子也。質則樸素而違俗，此故爲當世之野人也。

是說現在是一個「文」的時代，符合時世潮流的稱爲「君子」；而性格質樸，不符合潮流的稱之爲「野人」。從而，原本是一個稱讚語的「君子」，在這裡卻行不通了。這種說辭，說得更明白一點，幾乎與《莊子·大宗師篇》的「天之小人，人之君子；天之君子，人之小人」❷的想法如出一轍。另外，在引何晏注的部分，他說：

> 時淳則禮樂損，時澆則禮樂益。若以益觀損，損則爲野人，若以損行益，益則爲君子也。

意思是道德淳樸的時代裡，禮樂多派不上用場，只有在道德澆薄的時代，禮樂才會大行其道。因此，從禮樂隆盛的角度來看，過去的時代像野人一樣，而所謂的君子，就是指道德不行時，大力提倡禮樂的人。又說：

> 此謂以益行益，俱得時中，故謂爲君子也。以今觀昔，則有古風，以古比今，故爲野人。

總之，所謂的君子是在道德衰退，禮樂大行時應運而生的人物，決不是理想的人物類型。而「禮」也不是個值得高興的東西，要說的話它就像衰世裡必然會有的壞東西。從這裡來看，皇侃可能有《老子》「大道廢有仁義」（第十八章）一類的想法，或者《淮南子·齊俗訓》的「仁義立則道德遷，禮樂飾則純樸散」的說法，也

---

❷ 該句後半諸本作「人之君子，天之小人也」，不過最近多改作「天之君子，人之小人也」。

許更接近一點。

　　儘管皇侃是個禮學專家，仍然把禮定位爲薄世之物，這如同是把「儒」定位在「道」之下。這裡他很明顯的有這樣的思想傾向，其他的時候不曉得他的立場如何，至少我們從《義疏》裡看到的現象是如此，這有些不可思議，不過也許正反映了六朝時代的思想特色。

　　　　——譯自松川健二編：《論語思想史》（東京：汲古書院，平成 6 年 2 月），頁 101—
　　　　124。

經 學 研 究 論 叢
第 十 輯 頁123～134
臺灣學生書局 2002 年 3 月

論訓詁學研究與儒家注疏之關係

張寶三*

前 言

　　中國訓詁學在傳統學問中屬於小學之一部分，小學自漢代以來，即以經學附庸之性質而存在❶，因而訓詁學向來被視為經學的工具之學。現代學者研究訓詁學，每欲將訓詁學自經學附庸之範疇中解放出來，以建立訓詁學獨立之地位與價值。❷然訓詁學與經學向來具有密切之關係，故訓詁學之研究內容，其中仍多涉及經學之領域，若欲研究訓詁學，仍須具備良好之經學基礎，否則難以為功。

　　在經學領域中，注疏之學與訓詁學之關係尤為密切，例如傳注體乃訓詁體裁重要類型之一❸；此外，討論訓詁之內容、方法等亦常須舉注疏為例，凡此皆可見

---

* 張寶三，臺灣大學中國文學系教授。

❶ 王力〈新訓詁學〉中云：「舊訓詁學的弊病，最大的一點乃是崇古。小學本是經學的附庸，最初的目的是在乎明經，後來範圍較大，也不過限於『明古』。」（《開明書店二十週年紀念文集》民國 36 年 3 月初版，頁 180）另楊端志《訓詁學》第一章第一節〈小學與訓詁學〉中亦云：「在漫長的中國封建社會中，『小學』一直是『經學』的附庸。首先，古代的目錄學著作大多把小學書作為經書的附類排在經書之末。（中略）其次，古代學者研究小學，也大多是為著『治經』服務的。」（濟南：山東文藝出版社，1986 年一版，頁 1）

❷ 如周大璞主編《訓詁學初稿》（武昌：武漢大學出版社，1987 年一版）第一章第四節〈研究訓詁學的方法〉，其中第二項即「徹底擺脫經學附庸的從屬地位」，見該書頁 12。

❸ 如楊端志《訓詁學》第二章第四節〈訓詁學的體裁〉中將訓詁體裁區分為「正文體」、「傳注體」、「專著體」三類。另周大璞主編《訓詁學初稿》則將「訓詁體式」區分為「文獻正

注疏在訓詁學研究上之重要性。訓詁學者若對注疏研究之基礎不足,則易對注疏產生誤讀或作出錯誤之推論。

　　本文即從今賢所著幾部訓詁學著作中略舉數例加以討論,以顯現訓詁學研究與注疏間之密切關係,並藉以呼籲訓詁學者將來宜更重視對注疏之研究。文中所舉諸賢,皆為筆者所素仰,本文純為學術性之討論,非有意唐突前輩,讀者幸察焉。

一、訓詁學者對注疏須有基本之認識

　　由於訓詁學者常引用注疏作為論證之材料,故訓詁學者對注疏須具有基本之認識,方能確保其論述之正確性。以下試舉二例以明之:

㈠楊端志《訓詁學》第三章第六節〈釋實詞〉中云:

> 《公羊傳·宣公十二年》:「是以使寡人得見君之玉面而微至乎此。」孔穎達《正義》:「言玉面者,亦美言之也。」這裡的「玉」指「面美」。《文選·七發》:「伏聞太子玉體不安。」李善注:「言玉,美之也。」這裡的玉指「體美」。《尚書·洪範》:「惟辟玉食。」鄭玄注串講為「美食」,這裡的玉又指「食美」。❹

案:楊先生此處舉出三則傳注以論述傳注中所解有關「玉」之「比喻義」❺,然所述三則傳注之作者竟二則有誤。其一,《公羊傳》係徐彥為之作疏,而非如楊先生所謂之「孔穎達正義」。❻再者,《尚書·洪範》:「惟辟作福,惟辟作威,惟辟

文裡的訓詁」、「隨文釋義的注疏」、「通釋語義的專著」、「雜考筆記中的訓詁」等四類。兩者分類雖略有不同,「傳注體」與「隨文釋義的注疏」大致可以相當。

❹ 見同註❶,頁 45－46。

❺ 楊先生在前文中云:「其次,由於傳注隨文釋義,立意靈活,而專著釋義確定概括,便使得有些意義僅見於傳注而不見於專著,譬如詞的附加意義。在傳注中,常釋的附加意義有修辭義、搭配義等。修辭義又包括比喻義、借代義。」(頁 45) 以下即舉「雲」、「玉」等以為傳注釋「比喻義」之例。

❻ 參見《春秋公羊傳注疏》(臺北:藝文印書館影印清嘉慶二十年江西南昌府學刊本)。

玉食。」僞孔安國《傳》云：「言惟君得專威福爲美食。」❼楊先生謂「鄭玄注串
講爲『美食』」者，當是誤認僞孔《傳》爲鄭玄《注》。❽倘若對注疏有較基本之
認識，當可避免此類錯誤。

　　㈡白兆麟《簡明訓詁學》第七章〈隨文釋義的傳注〉第二節〈毛亨《詩詁訓
傳》〉中云：

> 　　《毛傳》包括五個部分：首先是《詩序》。《詩序》有大序和小序。（中
> 略）其次是釋詞。這是《毛傳》最主要的部分。（中略）第三是詮句。（中
> 略）第四是標出興體。（中略）最後是離經析句。（下略）❾

案：白先生此處謂「《毛傳》包括五個部分」，而以《詩序》爲其中之一，若就現
有《詩經》學之基本知識斷之，其說恐難成立。蓋無論對《詩序》成立時代之早晚
持何種態度，《毛傳》與《毛詩序》二者本不相統，當無可疑。❿白先生謂《毛

---

❼　見《尚書注疏》卷12（臺北：藝文印書館影印清嘉慶二十年江西南昌府學刊本），頁15。

❽　《尚書》鄭玄《注》今佚，據〔清〕孫星衍《尚書今古文注疏》所錄，鄭玄於〈洪範〉「惟
　　辟作福，惟辟作威，惟辟玉食」嘗注云：「此凡君抑臣之言也。作福，專慶賞也。作威，專
　　刑罰也。玉食，備珍美也。」孫氏《疏》云：「鄭《注》見《公羊傳》成元年《疏》及《史
　　記集解》。」（臺北：文津出版社影印點校本，民國76年），頁309。由此益可證楊端志先
　　生所述之語爲僞孔《傳》而非鄭《注》也。

❾　見《簡明訓詁學》（臺北：臺灣學生書局增訂版，民國85年），頁197。本書原於1984年
　　由浙江教育出版社出版，1990嘗加增訂，本文即據其臺灣版之增訂本。

❿　考《毛詩序》云：「〈南陔〉，孝子相戒以養也。〈白華〉，孝子之絜白也。〈華黍〉，時
　　和歲豐，宜黍稷也。有其義而亡其辭。」鄭《箋》云：「此三篇者，鄉飲酒、燕禮用焉。
　　曰：『笙入，立于縣中，奏〈南陔〉、〈白華〉、〈華黍〉。』是也。孔子論《詩》，
　　〈雅〉、〈頌〉各得其所，時俱在耳，篇第當於此。遭戰國及秦之世而亡之，其義則與眾
　　篇之義合編，故存。至毛公爲《詁訓傳》，乃分眾篇之義，各置於其篇端云。」（《毛詩注
　　疏》卷9之4，臺北：藝文印書館影印清嘉慶二十年江西南昌府學刊本，頁10－11）據此可
　　知鄭玄即以《序》、《傳》爲二物，《序》之作在《毛傳》之前。今學者有謂《序》、
　　《傳》同爲毛公所作者（如王錫榮〈關於《毛詩序》作者問題的商討〉，參下註⓫），然即
　　使如此論，亦不可謂《傳》可包《序》也。

傳》包括《詩序》，似未合宜。⓫

二、訓詁學者須熟悉注疏之體例

訓詁學者在運用注疏以論述問題之際，須熟悉注疏之體例，方能準確運用此等材料。舉例如下：

㈠白兆麟《簡明訓詁學》第五章〈訓詁的體式〉第一節〈注疏的類別〉中云：

> 徵引事實，是注疏中最典型的敘事。如《詩・鄘風・載馳》《毛傳》：「懿公死，國人分散。宋桓公迎衛之遺民渡河，處之於漕邑，而立戴公焉。戴公與許穆夫人俱公子頑烝於宣姜所生也。」（頁126）

案：白先生此處引「懿公死，國人分散」至「戴公與許穆夫人俱公子頑烝於宣姜所生也」一段，謂其乃出自《毛詩・鄘風・載馳》之《毛傳》。實者，此文係〈載馳・序〉下之鄭《箋》也。⓬《毛傳》不為《序》作注⓭，《序》下之注乃是鄭《箋》，白先生蓋不明《毛詩注疏》之體例，故誤認鄭《箋》為《毛傳》也。

㈡程俊英、梁永昌合著《應用訓詁學》第一章〈訓詁概說〉中云：

⓫ 張永言《訓詁學簡論》第三章〈訓詁著作舉要〉「一、《毛傳》和鄭《箋》」中亦云：「《毛傳》的訓詁包含多方面的內容，簡介如下：㈠解釋題意。《毛詩》『大序』中講〈關雎〉的一段和每篇詩前面的『小序』就都是說明全篇的主題旨意的。（下略）」（武昌：華中工學院出版社，1985年一版，頁70–71）此亦將《詩序》歸入《毛傳》的訓詁內容中。惟作者於此段之末附註云：「《詩序》作者是誰歷來說法不一，這裡姑且把它看作《毛傳》的一個組成部分。參見王錫榮：〈關於《毛詩序》作者問題的商討〉，《文史》第一〇輯，北京：中華書局，1980，頁191–197。」（頁71）張先生此處加註以表明「姑且」之權宜作法，似較為合理。

⓬ 參見《毛詩注疏》，卷3之2，頁7。

⓭ 孔穎達《毛詩正義》於「周南關雎詁訓傳第一」標題疏云：「《毛傳》不訓《序》者，以分置篇首，義理易明，性好簡略，故不為傳。」（卷1之1，頁1）有關《傳》、《序》二者時代孰先孰後問題，學者頗多爭議，此姑從孔氏之說。

《詩‧周南‧關雎》鄭玄《箋》：「是以關雎樂得淑女以配君子，憂在進賢不淫其色。」孔穎達《疏》：「男過愛女，謂淫女色；女過求寵，是自淫其色。此言『不淫其色』者，謂后妃不淫己身之色。『其』者。『其』后妃也。」孔《疏》說明鄭《箋》的「其」在這裡是指代后妃自身的（不是指代君子的）。❹

案：作者此處引述《毛詩‧周南‧關雎》鄭《箋》及孔《疏》之語，以明訓詁著作中有「分析語法」之內容。然考諸《毛詩注疏》原文，作者所引「鄭玄箋」云云，實為《詩序》之語❺，作者或未諳注疏之體例，故誤認《詩序》為《箋》文也。

　㈢周大璞主編《訓詁學初稿》第二章第二節〈隨文釋義的注疏〉中云：

孔穎達《毛詩正義》卷一：「漢初為傳訓者，皆與經別行，三傳之文不與經連。故石經書《公羊傳》，皆無經文。《藝文志》云：『《毛詩經》二十九卷，《毛詩故訓傳》三十卷，是毛為詁訓，亦與經別也。』及馬融為《周禮》之注，乃云「欲省學者兩讀，故具載本文。」然則後漢以來始就經為注。」據此，把傳注附在經下，從馬融就已開始，更在鄭、王以前了。❻

案：周先生此處引用孔穎達《毛詩正義》卷一之文，其中《正義》引述《漢書‧藝文志》之說，應僅「《毛詩經》二十九卷，《毛詩故訓傳》三十卷」二句❼，「是毛為詁訓學，亦與經別也」一句則是《正義》案斷之言。周先生蓋未察《正義》行文之體例，故將《正義》之語併為〈藝文志〉文也。

---

❹　見《應用訓詁學》（上海：華東師範大學出版社，1989年一版），頁8。

❺　見《毛詩注疏》，卷1之1，頁18。

❻　見同註❷，頁50。

❼　《漢書‧藝文志》〈六藝略‧詩〉中著錄「《毛詩》二十九卷。《毛詩故訓傳》三十卷。」（臺北：鼎文書局影印點校本，民國68年，頁1708）《正義》所言當指此。

三、訓詁學者論述經、注之含義宜適度參考注或疏

　　訓詁學者論述訓詁問題，常涉及經、注之含義。在引述經、注時，若能適度參考注、疏之解說，則較能準確把握其含義。反之，若棄傳統注疏於不顧，則容易致誤。舉例如下：

　　㈠楊端志《訓詁學》第四章第十一節〈解釋語法現象〉中云：

> 屬於解釋語法範圍的還有一個內容，就是指出古代文獻中語言的毛病。例
> 如：《公羊傳・襄公五年》：「公會齊侯、宋公、陳侯、衛侯、鄭伯、曹
> 伯、莒子、邾婁子、滕子、薛伯、齊世子光、吳人、鄫人于戚，吳何以稱
> 人，吳、鄫人云則不辭。」作者認為，諸侯會同，當稱爵，而對吳國、鄫
> 國稱「人」，不合《春秋》條例，這就叫作「不辭」。從語言的角度看，
> 「不辭」就是用辭不當，因為「人」不能與其他爵名平列在一條線上。（頁
> 78）

案：此處楊先生引述襄公五年《公羊傳》之說以立論，然所述《公羊傳》之含義，實有誤也。考何休注《公羊傳》「吳何以稱人」句云：「據上善稻之會不稱人。」（卷19，頁8）又注「吳、鄫人云則不辭」云：

> 孔子曰：「言不順則事不成。」方以吳抑鄫，國列在稱人上，不以順辭，
> 故進吳稱人。（卷19，頁9）

依《公羊傳》所述《春秋》之義例，《春秋》載諸國行事，其稱有七等之別，乃所以別尊卑、寓褒貶。莊公十年《春秋》經：「秋九月，荊敗蔡師于莘，以蔡侯獻舞歸。」《公羊傳》云：

> 荊者何？州名也。州不若國，國不若氏，氏不若人，人不若名，名不若
> 字，字不若子。（卷7，頁10）

何休《解詁》云：

> 爵最尊，《春秋》假行事以見王法，聖人爲文辭孫順，善善惡惡，不可正言其罪，因周本有奪爵稱國、氏、人、名、字之科，故加州文備七等以進退之。（卷7，頁10）

據此可知《公羊》之義，稱「人」尊於稱「國」，襄五年《春秋》經云：「公會晉侯、宋公、陳侯、衛侯、鄭伯……吳人、鄫人于戚。」《公羊傳》云：「吳何以稱人？吳、鄫人云則不辭。」《傳》所謂「吳、鄫人云則不辭」，依何休所解，其義乃謂《春秋》經欲以吳抑鄫⓲，故序吳在鄫上，然鄫既稱「人」，吳若稱國而書「吳、鄫人」，如此則「國列在人上，不以辭順」，即《公羊傳》所謂「不辭」之義也。爲免於「不辭」，故《春秋》乃進吳而稱「吳人」，遂言「吳人、鄫人」也。欲論述《公羊傳》此處「不辭」之含義，宜參考何休《春秋公羊傳解詁》，以明瞭《公羊》之義例。楊先生未能如此，乃謂「作者認爲，諸侯會同，當稱爵，而對吳國、鄫國稱『人』，不合《春秋》條例，這就叫作『不辭』。從語言的角度來看，『不辭』就是用辭不當。」其所解，去原義亦遠矣。⓳

　　㈡楊端志《訓詁學》第三章第九節〈校勘〉中云：

> 有些「高妙」的理校，爲後世解決很多疑難，一直被大家所共認。如《禮記·檀弓上》：「人之見之者，皆以爲葬也。其愼也，蓋殯也。」鄭注：「愼當爲引，禮家讀『然』，聲之誤也。」（中略）鄭注是從聲音關係上進行理校的。他認爲「引」、「愼」、「然」三字讀音相近，文中用

⓲　《春秋》所以抑鄫者，因鄫以異姓爲後也。參襄公五年、六年《公羊傳》文及何休《注》。另參李新霖《春秋公羊傳要義》（臺北：文津出版社，1989 年）第二章第二節〈華夷之進退〉。

⓳　楊端志先生此處引述襄公五年《公羊傳》文，除前述對其含義詮釋不當外，引文中《春秋》經文未加引號與《傳》文區分，又經文中「齊侯」爲「晉侯」之誤，《傳》文「吳何以稱人」下未標問號，凡此俱有未宜也。

「慎」，禮家讀爲「然」，都是音近而誤，只有「引」字才正確。我們驗之於古音，上古「引」屬余母眞部，「慎」屬禪母眞部，「然」屬日母元韻。「引」與「慎」爲旁紐雙聲，疊韻；「引」與「然」亦爲旁紐雙聲，韻母通轉。三字讀音確乎極近。抓住三字聲音關係。分別將它們代入句子，「慎」、「然」於文義不可通，只有「引」字意義吻合。（頁66）

案：楊先生此處論「理校法」，引《禮記·檀弓上》《鄭注》爲證，然所釋《鄭注》之含義亦有誤也。考《禮記·檀弓上》云：

孔子少孤，不知其墓，殯於五父之衢。人之見之者，皆以爲葬也。其慎也，蓋殯也。問於耶曼父之母，然後得合葬於防。❷⓪

鄭玄注「其慎也，蓋殯也」句云：

慎當爲引，禮家讀然，聲之誤也。殯引，飾棺以輤；葬引，飾棺以柳翣。孔子是時以殯引，不以葬引，時人見者謂不知禮。（卷6，頁9）

孔穎達《正義》疏注「慎當」至「知禮」云：

挽柩爲引，無名慎者，以慎、引聲相近，故云「慎當爲引」。云「禮家讀然」者，然猶如是也，言禮家讀如是引字，故〈大司徒〉云：「大喪，屬其六引。」是讀引也。（卷6，頁10）

案：《鄭注》「禮家讀然」一句，依《正義》所釋，乃謂「禮家讀如是引字」，「然」爲「如此」之義，非如楊端志先生所解「文中用『慎』，禮家讀爲『然』」也。《正義》之說合理可從，楊先生若參酌《正義》，對此處《鄭注》或可不必別

解而致誤也。

四、訓詁學者對注疏之解讀須力求正確

訓詁學者在引述注疏據以推論時，對於注疏之解讀必須力求正確，方能具有
說服力。舉例如下：

㈠楊端志《訓詁學》第四章第十三節〈釋句〉中云：

> 還有一點需要我們注意：古代訓詁中，爲了更清楚明白地解釋句子，往往
> 是釋詞連同上列方法綜合運用的。例如：《詩・大雅・公劉》：「弓矢斯
> 張，干戈戚揚，爰方啓行。」（中略）又：「旣登乃依，乃造其曹，執豕于
> 牢，酌之用匏。」《毛傳》：「賓已登席坐矣，乃依几矣。曹，群也。執
> 豕于牢，新國則殺，禮也。酌之用匏，儉以質也。」詩的這幾句是描寫到
> 豳以後，公劉大宴賓客的盛況。《毛傳》自「賓」到「几矣」是對第一句
> 的直譯。「曹，群也」是對第二句的釋詞。「新國則殺，禮也」是對第三
> 句「執豕于牢」的推因。「儉以質也」是對第四句「酌之用匏」點明含
> 意。（頁92）

案：楊先生此處引述《毛詩・大雅・公劉》《毛傳》以論其釋句之情形。其中所述
「執豕于牢，新國則殺，禮也。」一段《傳》文，楊先生所讀有誤，當作「執豕于
牢，新國則殺禮也。」考孔穎達《正義》疏《傳》云：

> 饗禮當亨大牢以飲賓，此唯用豕者，〈秋官・掌客〉曰：「凡禮賓客，國
> 新殺禮。」公劉新至豳地，殺禮也。（卷17之3，頁10）

據此可知，《毛傳》所謂「執豕于牢，新國則殺禮也。」其意乃謂公劉饗賓客，依
禮當用牛、羊、豕三牲，此唯用豕者，以新建國而減禮也。楊先生將此段傳文讀爲
「新國則殺，禮也。」恐難闡明《毛傳》此解之眞意也。

㈡楊端志《訓詁學》第八章第三十二節〈常用注音兼釋義術語〉中云：

「讀若」、「讀如」這兩個術語又用於改變一個字原來的讀音以表示意義
的易字。（中略）例如：《詩·豳風·狼跋》：「公孫碩膚。」鄭《箋》：
「公，周公也。孫，讀當如『公孫于齊』之孫，孫之言遜遁也。周公攝政
七年致大平，復成王之位，孫遁辟此，成公之大美，欲老成王。」按：
孫，本爲子孫之孫，讀平聲。「公孫碩膚」之孫，鄭破讀爲去聲，變爲
「孫遁」之孫，「孫遁」之孫後來寫作遜。（頁308）

案：楊先生此處引述《毛詩·豳風·狼跋》鄭《箋》以論訓詁中「讀如」之術語。
其引鄭《箋》「周公攝政七年致大平，復成王之位，孫遁辟此，成公之大美，欲老
成王。」一段，所讀有誤也。考鄭《箋》原文作：「周公攝政七年，致大平，復成
王之位，孫遁辟此成功㉑之大美，欲老，成王又留之以爲大師。」（卷8之3，頁
9）楊先生誤以「孫遁辟此」點斷，又讀「欲老成王」爲句，省去「又留之以爲大
師」七字《箋》文，遂至文意幾不可解，恐將減損其引述資料之效用也。

結　語

　　以上略舉數例以論述訓詁學研究與注疏間之密切關係。經由上述所論，可知
訓詁學者應重視注疏之研究，以免在引述注疏之際，或誤名其作者，或不明其體
例，或誤解其含義，或誤斷其句讀。大陸學者馮浩菲在其《毛詩訓詁研究》之〈前
言〉中嘗云：

　　　研究我國的訓詁學，應當從踏踏實實地鑽研經籍注疏入手。這是前輩通人
　　　一致的看法。二十多年前，當自己還是一個年輕的大學生時，曾向先師彭
　　　鐸教授請問研究訓詁學的方法。先生即以此意申教。長期以來，自己潛心

㉑　阮刻本「功」原作「公」，《毛詩注疏校勘記》出「乃遜遁避此成公之大美」，校云：「閩
　　本、明監本、毛本同。」則閩本以下諸本作「功」。考《正義》疏《箋》云：「『周公攝政
　　七年，遜遁避功成之大美』，《尚書·洛誥》有其事。」（卷8之3，頁10）則《正義》所
　　據本《箋》文亦作「功」，今據改。

考求，逐一地閱覽群籍，逐一地積累資料。幾經風雨，從未改度。❷❷

現代學術之進步日新月異，訓詁學之研究方法亦更趨多樣，從注疏之鑽研入手雖未必爲研究訓詁學入門之唯一途徑，然訓詁學研究既與注疏有如此密切之關係，則對注疏之研究實爲訓詁學研究之重要基礎，訓詁學者未來似宜更重視注疏之研究，方能更保證引述材料之正確性，並得以增強對注疏材料之深入認識。

※本文曾於 2000 年 12 月 22 日韓國中國語文研究會在漢城高麗大學舉行之〈二十世紀中國語學研究的熱點〉國際學術研討會上宣讀。

---

❷❷　見《毛詩訓詁研究》〈前言〉（武昌：華中師範大學出版社，1988 年一版），頁 1。

經 學 研 究 論 叢
第 十 輯　頁135～154
臺灣學生書局　2002 年 3 月

《說文》所見漢儒思想舉隅

周美華*

壹、前言

　　許愼爲中國偉大的文字學家，也是東漢經學大師，遠在一千八百多年前（東漢和帝永元十二年，西元 100 年）❶，爲了不使今文家以「非其不知而不問，人用己私，是非無正，巧說邪辭，使天下學者疑」❷的解經方式，扭曲經學大義，於是編纂了中國第一部分析字形、字義和聲讀的字書——《說文解字》。不過在《說文》中，許愼除單方面的解說文字外，也自然地將漢儒思想，融入說解當中，於是《說文》除了是部字書，也是一部可用來探索漢儒思想的著作。本文擬從《說文》字例、部首及六書內容等方向，淺談其所展現的漢儒思維。

貳、《說文》所見漢儒思想舉隅

一、釋字舉隅

　　㈠人、天地之性最貴者也，象臂脛之形。（《說文·人部》，頁 369）

　　案：凡具臂脛之形者未必只限於人，舉凡貓、狗、牛、羊、豬、猴……等動物，一樣都具有臂脛。「人」甲骨文作 𐩒（後上一七·一）、弍簋作 𐀤、散盤作

---

*　周美華，玄奘人文社會學院中國語文學系兼任講師。

❶　李傳書：《說文解字注研究》（長沙：湖南人民出版社，1997 年 10 月），頁 1。

❷　見〔東漢〕許愼：《說文解字·敍》（臺北：書銘書局，1997 年 8 月第 8 版），頁 771。

��，乃象人側面站立，所見臂脛之形❸；在金文中，「人」或特著其頭形�、ㄋ，因此，「人」在釋形上，也可釋爲象頭、臂、身、脛之形。❹許愼釋「人」形本無不當，唯「天地之性最貴者也」，與「象臂脛之形」，形義不合，顯然許愼釋「人」，是以引申義代替本義。透過許愼對「人」字的詮釋，也記錄了漢儒對先秦人文思想的繼承。孔子曰：「人能弘道，非道弘人。」❺；《列子》：「天生萬物，唯人爲貴。」❻；《晏子春秋》：「凡人之所以貴於禽獸者，以有禮也。」❼「人」受到重視後，地位隨之扭轉，於是「人」自然也成爲「天地之性最貴者」；人正面張臂跨立的「大」字，也解成了「天大、地大、人亦大焉」❽（大部・頁496）。

　　儒家談「人」，常跟「仁」一起討論，如孔子「人而不仁，如禮何；人而不仁，如樂何」❾；《孟子・盡心下》「仁也者，人也」❿；《荀子》「今夫仁人也，將何務哉？上則法舜、禹之制，下則法仲尼、子弓之義。……仁人之事畢，聖人之跡著矣。」⓫儒家一再強調，「人」跟「仁」不可分割，只有具備「仁」的特質，才符合儒家「人」的標準。《說文》釋「仁」作：「親也，從人二。」（《說

---

❸ 參方述鑫：《甲骨金文字典》（四川：巴蜀書社，1993 年 11 月），頁 573。

❹ 李國英：《說文類釋》（臺北：書銘書局，1993 年 9 月），頁 61。

❺ 《論語・衛靈公》（十三經注疏本，臺北：藝文印書館），卷 15，葉 8。

❻ 《列子・天瑞第一》：「孔子遊於太山，見榮啓期行乎郕之野，鹿裘帶索，鼓玲而歌。孔子問曰：『先生所以樂，何也？』對曰：『吾樂甚多，天生萬物，唯人爲貴，而吾得爲人，是一樂也。』」（北京：中華書局，1985 年），卷 1，頁 7－8。

❼ 〈景公飲酒酣諸大夫無爲禮晏子諫第二〉，《晏子春秋》（北京：中華書局，1985 年），卷 1，頁 2。

❽ 蔡信發《說文部首釋例》：「（大）該字甲文做ㄤ，金文做ㄊ、ㄆ，篆文做ㄌ，都象人正面張臂跨立的樣子，據具體實像造字，屬象形。……，大小之大，很難構形，而我國自來強調人本哲學，以人爲貴，就據正面人形之『大』，引伸做大小之大，所以大之本義應爲『人』，而『天大、地大、人亦大焉』，則是它的引伸義。」（臺北：作者，1997 年 8 月），頁 128。

❾ 《論語・八佾》（十三經注疏本，臺北：藝文印書館，出版年月不詳），卷 3，頁 25。

❿ 《孟子・盡心下》（十三經注疏本，臺北：藝文印書館，出版年月不詳），卷 14，頁 251。

⓫ 《荀子・非十二子》（北京：中華書局，1985 年），頁 61。

文‧人部》，頁369）李孝定先生以爲，「仁」或與「千」、「尸」同字⑫；又甲骨文中，「二」多作數字。今許慎「仁」字，釋形取「人」、「二」相合，釋義作「親也」，所探討的自然是「人際」問題。儒家對與人相處非常重視，《論語》「汎愛眾，而親仁」⑬；《孟子‧盡心（上）》「親親而仁民，仁民而愛物」⑭，皆取人性最自然而直接的本質，以說明待人接物的事宜。今《說文》以「親」釋「仁」，顯然是將先秦以來的儒家思想，融入文字之中。

㈡天、顚也，至高無上。從一、大。（《說文‧一部》，頁1）

案：許慎採聲訓「顚」訓「天」，目的是爲無聲字「天」，找尋音近字，以說明音讀。⑮「顚」本義「頂也」（《說文‧頁部》，頁420），「天」也在人頭頂上，於是許慎就取與「天」音義相近的「顚」字作聲訓，並在「顚也」下，補充「至高無上」的本義。「天」本是自然界狀態，毫無意志，它是用來指稱人的頭頂，「如只畫頭輪廓的一個圓圈，也易與它物混淆，故加一大人之形於其下以明確意義。」⑯季旭昇先生〈說一〉也指出：「『天』字古金文作「⧆」，象大人正面站立而特墳其首，本義爲顚首，其後圓點變橫作「不」（參《金文詁林》003號）。所以「天」字的上橫筆是由象形的部件變成的不象形的符號，不能單獨成文。」⑰《說文》凡取「從某」釋形者，皆說明獨立之文⑱，唯「一」在《說文》裡，除了作「純粹表抽象意義的指事符號，如『一』」；或「會意字的形符，如『二』、『三』」，爲獨立之文，其餘皆不能單獨成文，只在文字中表現某一概念

⑫　李孝定《讀說文記》：「此字小篆（⿰亻二）及古文（⿸尸二）、皆會意，千心即人心，季字小篆从千爲聲，而契文作⿰千子，从人，契文一千作⿰千人、二千三千作⿰千人⿰千人，均古人千同字之證。仁之古文或从尸，古文尸、人亦通。」（臺北：中央研究院歷史語言研究所，1992年），頁201。

⑬　《論語‧學而》，同註⑨，卷1，頁6。

⑭　《孟子‧盡心上》，同註⑩，卷13，頁243。

⑮　「天：他前切」（透母、12部），「顚：都季切」（端母、12部）二者爲疊韻聲近。而天爲無聲字，許慎爲明其音，故以一音近之形聲字來標其音。

⑯　許進雄：《簡明中國文字學》（臺北：學海書局，2000年7月），頁45。

⑰　季旭昇：《第九屆中國文字學全國學術研討會‧說一》（臺北：國立臺灣師範大學國文學系‧中國文字學會，1998年3月21日），頁30-31。

⑱　段玉裁於《說文》「仄」字下注：「許書通例，其成字者必曰從某。」，同註❷，頁225。

或圖像。⑲許慎釋「天」爲「從一、大」，「從一」，說明「一」爲獨立之文，字義應作數字解。今「大」字本義爲人，一、大與「至高無上」，不見得有必然關係。⑳許慎既要記錄「天」的時代意義，又要兼顧本義，於是就在「地」字，補充「天」的內容：

　　地：元气初分，輕清昜爲天，重濁侌爲地，萬物所敶列也。从土、也聲。

　　　（《說文・土部》，頁688）

許慎在「地」字裡，明顯地是以自然界狀態，說明「天」、「地」本義。既然許慎已明白「天」義，何以在「天」字下說明引申，在「地」字才標示本義？這是受到漢朝政治和經學背景的影響。漢武帝時罷黜百家，獨尊儒術，又尤其偏好今文經學的《公羊傳》㉑，因爲《公羊傳》的理論架構，非常適合實現大一統帝國的根

---

⑲ 季旭昇〈說一〉：「《說文》諸字所从的『一』形，實際上共有以下幾類：一・指事類（可分爲）㈠純粹表抽象意義的指事符號，如：一。㈡指示部位的符號，如：本、末。㈢表制止的符號。如：馬。㈣由其它部件演變而成的符號，如：十、正。㈤具有區別作用的指事符號，如：吏、百。二・象形類（可分爲）㈠象天，如：雨。㈡現地，如：屮、丘。㈢象其他，如：血、葬。三・會意字的形符，如：二、三。四・贅筆飾符，如：元、兩。同註⑰，頁33－34。

⑳ 馬森如《殷墟甲骨文引論》指出，「天」字甲骨文作𠆸（後下 18・7）、𠘰（甲 3690）、𠘰（乙 4505），均象「正面立式的人形」。而頭上的「一」或「口」，是用來示天，來表示人的頭頂頂上爲天。（長春市：東北師範大學出版社，1993 年 4 月），頁 270。張宗方先生也舉「天」頌鼎作𠔼、无㠱簋作𠔼、鼎文作𠔼：「是一面站立而突出頭頂的人形，引申爲頭頂以上的天空。」見《金文識讀》（濟南：齊魯書社，1996 年 1 月），頁 1－2。許進雄先生《中國古代社會──文字與人類學的透視・祭祀與迷信》也指出：「天在商代是偶而被祭的對象，而且同後代的天可能是兩回事」，又「戰國末期的鄒衍匯合陰陽與五行學說以解釋宇宙的現象，他的理論到漢代開花結果，成了天人合一迷信的高潮。」（臺北：臺灣商務印書館，1990 年 12 月 2 版），頁 441－465。

㉑ 章權才〈論兩漢經學的流變〉：「武帝重《春秋》，尤重《公羊春秋》。……他把治《公羊春秋》的公孫弘提拔起來做丞相，足見他的偏愛情緒。」見於林師慶彰主編：《中國經學史論文選集（上冊）》（臺北：文史哲出版社，1992 年 10 月），頁 158。

據。❷此外《公羊傳》的文字比較隱晦，闡釋起來也可任意穿鑿，加上《公羊》學大師董仲舒，又以《公羊》學說爲基礎，建立了一套「天人感應」的神學經學。因此時至東漢，雖然古文經學已漸漸受到重視，但是今文經還是處於主導的地位，漢代的統治者也深信並大肆利用這套學說。❷許慎雖師承古文經師賈逵❷，《說文》也盡可能以古文經觀點，來反對今文家的讖緯神學，但許慎畢竟無法完全掙脫陰陽五行及神權觀念的束縛❷，更何況他於《說文‧敘》也強調，文字是「經藝之本，王政之始」❷；是「宣教明化於王者朝廷」❷的工具。因此，在《說文》裡，難免

---

❷　楊向奎〈論何休〉：「《公羊》學最主要的理想是『大一統』，這在《公羊傳》及其學派中有許多發揮。」，見林師慶彰主編：《中國經學史論文選集（上冊）》，頁 345。

❷　章權才說：「今文學家大力宣揚『天人合一』的學說，其目的是企圖借助『天命』或『神道』，把地主政權塗上神聖不可侵犯的色彩，要人們相信『天不變，道亦不變』的道理。」同註❷，頁 157。又呂紹綱〈董仲舒與春秋公羊學〉也說：「董氏將他這天人感應的臆說硬加到《春秋》頭上，既給後世的《春秋公羊》學投下了深刻的陰影，也開了漢代政治生活中符瑞、讖緯風的先河。」同註❷，頁 233。

❷　章權才先生：「歷來認爲，賈逵屬古文學派。筆者則認爲賈逵是綜合學派的初期代表，他在經學史上的地位是開了綜合工作的先河。……賈逵是在比較廣泛的基礎上找尋今古文學之間共同基礎的經學家。」同註❷，頁 167。楊廣偉：〈論鄭玄通學產生的歷史原因〉：「章帝在他執政的二十餘年內，進一步提高了古文經的地位，促進了經學兩派的交流。……他經常與古文經大師賈逵探討古文經的統治效用問題，賈逵爲了給古文經爭得學官的地位，也竭力強調它對強化中央集權的特殊作用。……於是，章帝詔令賈逵在學習今文經《公羊春秋》的學生中間，挑選一些高材生，教授古文經《左傳》。」同註❷，頁 359。賈逵雖爲融通古、今文大師，但他既爲古文文經爭取學官，又教授古文經，故暫以古文經師稱之。

❷　黃開國〈論漢代讖緯神學〉：「東漢經學大師賈逵、班彪父子、馬融、鄭玄等人，也無不深受讖緯神學的影響。……章帝建初四年，召開的白虎觀會議，實際上是一次以讖緯統一五經的會議。」同註❷，頁 307。陳五雲先生：〈說文解字和許慎語言哲學初探〉：「西漢儒學之所以復興，一則由於公孫弘，一因著董仲舒。只是經過他們的改造，儒學演變爲經學，由原來的質樸變爲玄妄，同時也變得更加依附政治，更加追逐所謂『微言大義』。……東漢時期，讖緯並不因王莽的利用而被廢，反因著劉秀的喜愛而更盛。東漢經學中的讖緯風氣籠罩著所有的學者，許慎當然無法例外。」見《上海師範大學學報（社會科學版）》，2000 年 11月，第 29 卷第 4 期，頁 85。

❷　同註❷，頁 771。

❷　同註❷，頁 761。

會顯現君主至上的意識，這是漢儒所深信的君權神授思想。❷在「王」字中，許慎也有同樣的意識：

> 王、天下所歸往也，董仲舒曰：「古之造文者，三畫而連其中謂之王。三者天、地、人也，而參通之者王也。」孔子曰：「一貫三爲王。」（《說文·王部》，頁9）

「王」甲骨文作 **✚**（甲三三五八）、**王**（前五·一五·五），成王鼎作 **王**、頌簋作 **王**，皆象刃部下向之斧形❷，它和天、地、人無關，也談不上參通之道。許慎看不到甲骨文，難免會受到董仲舒的影響，而誤解字義。不過許慎最後又引孔子說，今檢視十三經及先秦諸子典籍，皆不見孔子曰內容，可知《說文》所徵引的「孔子說」，多不可信，何況「一貫三爲王」，也不符合（王）造字本意。❸王夢華《說文解字釋要》，對《說文》所釋「王」字，就曾提出批判：

> （王）象斧鉞鋒刃向下之形，在商周時代，斧鉞是一種兵器，是用以征服天下的；也是一種刑具，是用于死刑砍頭的，由最高統治者號令使用。因此它成爲王權和軍事統帥權的象徵物，後來就用以指稱王者。王字作爲象形符號，並不是什麼「三畫而連其中」，《說文》的解釋是錯誤的。❸

王君指出，先民最初造「王」字，是畫一個斧頭，本義爲兵器。後來因兵器使用權在統治者，於是也把統治者稱爲「王」。許慎釋「王」爲「天下所歸往也」，是引申義而非本義。許慎把「王」字解錯，主要是受限於出土物不發達，和董仲舒的儒學思想。於是王夢華最後又補充：「許慎把王說成是可以貫通天地人之道的至高無

---

❷ 董仲舒《春秋繁露·王道通三第四十四》：「天地之志，君臣之義也，陰陽理人之法也。」（北京：中華書局，1985年），卷11，頁185。

❷ 同註❸，頁21。

❸ 王寧：《《說文解字》與中國古代文化》（瀋陽：遼寧人民出版社，2000年1月），頁39。

❸ 王夢華：《說文解字釋要》（長春：吉林教育出版社，1990年7月），頁105。

上的聖人，他的權利和地位是神聖不可侵犯的，這明顯地是維護他們的統治，爲最高統治者唱贊歌。」❸❷又說：「（許慎）釋『君』爲『尊也』，釋『女』爲『服也』，明顯地宣揚了君王必定尊，婦女應該服的封建等級觀念，完全是站在統治階級的立場上」。王寧《〈說文解字〉與中國古代文化》，也說：「『王』字下所引董仲舒的話『古之造文者，三畫而連其中謂之王，三者天地人也，而參通之者王也』，正可說明王不僅與天地平列，而且起著樞紐作用。在統治階級的心目中，王權已經大于神權。」❸❸由於許慎《說文》在解字時，穿鑿天子神聖和美化君威的思想，因此，「王」字中的三橫，解釋成「三者天、地、人也」；「三」《說文》也說：「數名，天、地、人之道。」（三部，頁 9）許慎既已說「三」爲數名，又還跟天、地、人扯上關係，之間矛盾，是可以理解的。

　　㈢朕、我也，闕。（《說文‧舟部》，頁408）

　　案：「朕」甲骨文作（乙 8368 反）、（乙 9067）、（甲 1500），馬森如以爲朕，象雙手持楫播船，本義爲播船也❸❹；李孝定先生則說，「（朕）象兩手奉器以實舟縫之形」，本義作「舟縫也❸❺」。清儒段玉裁，對「朕」字本義及用義，曾作分析：

> 按：朕在舟部，其解當曰舟縫也，从舟、灷聲。何以知爲舟縫也，《考工記‧函人》曰：「視其朕，欲其直也。」戴先生曰：「舟之縫理曰朕。」故札續之縫亦謂之朕，所以補許書之佚文也。〈釋詁〉曰：「朕、我也」。此如卬、吾、台、余之爲我，皆取其音，不取其義。趙高之於二世，乃曰天子所以貴者，群臣莫得見其面，故號曰朕。此傳朕字本義而言之。❸❻

❸❷　同前註，頁 59。
❸❸　同註❸❺，頁 30。
❸❹　同註❷❶，頁 505。
❸❺　同註❶❷，頁 217。
❸❻　同註❷，頁 408。

《史記・秦始皇本紀》：「天子自稱曰朕。」裴駰《史記集解》：「蔡邕曰：
『朕、我也，古者上下共稱之，貴賤不嫌，則可以同號之義也，……至秦然後天子
獨以爲稱，漢因而不改。』」李孝定先生釋「朕」字，與段氏完全相同，段氏又補
充，「朕」作「我」是假借義，最早使用爲秦始皇。蔡邕也說，「朕」在秦朝成爲
天子專利後，「漢因而不改」。依蔡邕及段玉裁說解，知「朕」本義不作「我」，
今《說文》釋「朕」爲「我」，乃是受了秦以來文化制度的影響。

㈣辛、辠也，从干、二，二古文上字。（《說文・辛部》，頁103）

　案：「辛」卜辭作𢉖（後下34・5）、𢆉（後下36・7）、𠂕（粹987），馬森
如先生以爲，「辛」是一個獨體象形物，疑本義是某一種刑具。❸❼魯實先先生《文
字析義》：「（辛）并象曲刀側視之形，篆文作辛，乃象曲刀正視之形，審音攷
義，乃剠剅之初文❸❽。」剠剅是一種曲刀，爲施黥所用的刑具❸❾，其形殆如今之圓
鑿而鋒其末，刀身作六十度之弧形。❹❶「辛」既象剠剅之類的刑具，許愼釋「辠
也」，也是解成了引申義。又許愼釋「辛」結構爲「从干、二，二古文上字」，段
玉裁注：「干上是犯法也。」許愼釋「辛」爲「从干、二」，除了遷就小篆，似乎
也說明，國君是一國中地位最崇高的，犯上，就是犯了最重的一項，故許愼以「犯
上」釋「辛」，無疑是對君權做維護。《說文》也收「𨐌」字，魯實先先生指出，
「辛」、「𨐌」兩字同字。《說文》釋「𨐌」爲：「秋時萬物成而孰，金剛味辛，
辛痛即泣出，从一、𨐌，𨐌、辠也，辛承庚，象人股。」（辛部，頁748）此爲陰
陽五形說，不可信。許愼既以「秋時萬物成而孰」釋「辛」字，何以「𨐌」字，釋
義爲「辠人相與也」？況《說文》从「辛」爲偏旁者，多具「辠」、「法」字義。❹❶
《說文》中凡天干、地支、方位、數字等，多取陰陽五行說，今日看來，自然不能
採信。不過，藉由這些現象，也說明漢儒在思維上，受讖緯和今文經學影響的情

---

❸❼ 同註❷❶，頁330。

❸❽ 魯實先先生：《文字析義》（臺北：魯實先全集編輯委員會，1993年6月30日），頁39。

❸❾ 施黥通常是在男女奴隸身上，即將其臉皮刺破，塗上黑色，作爲奴隸的標記。

❹❶ 同註❸，頁1160。

❹❶ 「辠、犯灋也」（辛部，頁748）、「𨐌、辠也」（同上）、「辤、辠也」（同上，頁
749）、「辟、法也」（辟部，頁437）、「㓝、法也」（同上）、「燮、治也」（同上）。

況。

　（五）目、人眼也，象形，重童子也。（《說文·目部》，頁131）

　　案：「目」卜辭作⟨◎⟩（前4·32·6）、⟨◎⟩（甲215）、⟨◎⟩（拾10·3），均象左右眼睛形，本義是目。❷造字以通象爲原則，重童子在史籍裡，只有虞舜、項羽等人❸，許愼以重童子析「目」形，違反造字原理，形義不合。「重童子」在史籍中，多是用來凸顯天賦異稟，如《史記·項羽本紀》：

　　太史公曰：「吾聞之周生曰：『舜目蓋重瞳子。』又聞項羽亦重瞳子，羽
　　豈其苗裔邪。」

瀧川龜太郎《史記會注考證》：「史公好以帝王將相爲古聖賢苗裔」❹。司馬遷與許愼皆漢朝人，兩人立說，難免離不開「天人感應」的影響，於是司馬遷誇大聖人形象；許愼也取聖人的特質「重童子」，以詮釋通象。雖然段玉裁指出，「目」字的錯誤，是「嫌人不解二，故釋之曰重其童子也」。但以今日所見《說文》和《史記》，皆出現奇人異象之說，顯示漢儒深信，天賦異秉是可以藉由外貌而察覺。

　（六）示、天垂象見吉凶，所以示人也。從二、三垂日、月、星也。觀乎天文以察
　　　時變，示神事也。（《說文·示部》，頁2）

　　案：「示」甲文作⟨◎⟩、⟨◎⟩、⟨◎⟩、⟨◎⟩，李師國英以爲，「示」爲「象籌算從橫之形，而當以計算示人爲本義。」❺李孝定先生《讀說文記》：「許君以示隸上部，遂以天解上；以日月星解下之三垂，三垂何以證其爲日月星，實不可解，蓋小篆既變爲示，而從示之字，又皆與神事有關，許君遂望文生義耳。」❻許愼將「示」解成「天垂象見吉凶，所以示人也」，與董仲舒「天人感應」說，有相互呼應之處：

---

❷　同註❷，頁365。

❸　同註❹，頁18。

❹　瀧川龜太郎：《史記會注考證》（臺北：萬卷樓圖書公司，1996年10月），頁158。

❺　同註❹，頁2。

❻　同註❷，頁4。

天地之物，有不常之變者，謂之異，小者謂之災，災常先至，而異乃隨之。災者，天之譴也；異者，天之威也。譴之而不知，乃畏之以威。……凡災異之本，盡生於國家之失，乃始萌芽，而天出災異以譴告之，譴告之而不知變，乃見怪異以驚駭之，驚駭之尚不知畏恐，其殆咎乃至。❹

段玉裁對「示」字何以解成「天垂象」，也作了詮釋：

言天縣象，箸明以示人，聖人因以神道設教。

段氏所言「神道設教」，與漢儒「天人感應」，如出一轍，皆爲「君權神授」找到依據。其實「天人感應」和「君權神授」，在〈堯典〉中早已出現❹，目的是促進國君施行德政，以鞏固帝位。漢儒董仲舒再次倡導此說，本是爲了抑止君權，只是漢代君王，變相地利用其說，反而大肆地擴張了自己的權力。許慎把「示」解成「天垂象見吉凶，所以示人也」，除了附和君威，也意味著對國君施政的提醒！

　㈦臣、牽也，事君者。象屈服之形。（《說文·臣部》，頁119）

　　案：許慎以「牽」釋「臣」，爲聲訓，「事君者」才是本義。「臣」卜辭作𦥯（粹12）、𦣹（前4·27·3）、𦣝（甲2904）等，象一豎寫人的眼睛形。❹魯實先先生《文字析義》也指出：「臣……，象舉目仰視，而爲頤之初文。於六書屬目之變體，故孳乳爲望。望於卜辭作𦣻、𦣼，以示挺身遠視之義。」❺又「望」字，《說文》釋：「月滿也，與日相望，似朝君，从月从臣从壬，壬、朝廷也。」❺

---

❹　董仲舒：《春秋繁露·仁義發第二十九》（同註❷，頁144）。

❹　《尚書·堯典》：「堯典曰：『若稽古帝曰放勳，欽明文思安安，允恭克讓，光被四表，格于上下，克明俊德，以親九族，九族既睦，百姓昭明，協和萬邦，黎民於變時雍。乃命羲和，欽若昊天，厤象日月星辰，敬授人時』」（臺北：藝文印書館，《十三經注疏》本），卷2，葉6-10。

❹　同註❷，頁350。

❺　魯實先先生：《文字析義》，頁405。

❺　見於《說文·壬部》，同註❷，頁391。

「朢」甲骨文作 🔥（甲 3122）、🔥（前 5・20・7）、🔥（前 7・38・1）等形，象「一人登高舉目張望，本義是張望」[52]。「朢」字，許慎既解爲「月滿」，「月滿」與「朝君」何干？許慎因「朢」中有「臣」，遂以「朝君」比擬。唯字書以解文字本義，比擬爲引申，以引申放入本義，體例矛盾。漢時甲骨文尚未出土，將「臣」字篆文倒寫「🔥」，也頗有屈服之像。「臣」既象事君者屈服之形，則「朢」字解作「似朝君」，也是合於情理。

(八)閏、餘分之月，五歲再閏也。告朔之禮，天子宗廟，閏月在門中，從王在門中。《周禮》：「閏月，王居門中，終月也。」（《說文・王部》，頁9）

　　案：《周禮・春官・宗伯第三》作：「閏月，詔王居門，終月。」（卷 26，頁 13）鄭注：「閏，月無所居，居於門云，故於文王在門，謂之閏者，解閏字之意。以閏月王在門中，故制文字，亦王在門中謂之閏也。」殷墟卜辭和西周金文本來沒有「閏月」，只寫作「十三月」[53]，許慎徵引《周禮》，無非是爲了證明「閏」字的由來。周朝時，天子於宗廟舉行告朔之禮，頒布曆法給每位諸侯執行，舉行的時候，國君會依照不同的月份，居於不同方位。宗廟共有四堂，正東爲「青陽堂」，仲春在青陽堂舉行，孟春居青陽左，季春居青陽右；正南爲「明堂」，孟夏居明堂左，仲夏居明堂，季夏居明堂右；正西堂稱爲總章，孟秋時居其左，季秋居其右，仲秋則居其中；而正北稱爲「玄堂」，孟冬居玄堂左，仲冬居玄堂，季冬則居玄堂右；到了十三月無門可居，只好居門中。這樣的儀式，不僅展現周天子「敬授民食」，也爲大一統思想樹立權威。後來周天子的權勢日漸低落，諸侯也多不遵從，於是子貢認爲，何不將告朔用的餼羊給免了，孔子則說：「賜也，爾愛其羊；我愛其禮！」（《論語・八佾》）孔子乃是藉由禮的重視，以譴責諸侯僭越。許慎在此徵引周代告朔之禮，本是爲了解字，但無形之中，也展現漢儒大一統的共識。

---

[52] 同註⑳，頁 501。

[53] 魯實先先生：「《堯典》云：『以閏月定四時成歲。』此閏字之始見載籍者。然考之卜辭、彝銘，第有十三月而無閏月。」詳見《文字析義》（臺北：魯實先全集編輯委員會，1993 年 6 月 30 日），頁 1249。

㈨玉、石之美有五德者：潤澤以溫，仁之方也；䚡理自外，可以知中，義之方
也；其聲舒揚，專以遠聞，智之方也；不撓而折，勇之方也；銳廉而不忮，
絜之方也。象三玉之連，丨其貫也。（《說文・玉部》，頁10）

　　案：「玉」甲骨文作𤣩（乙 2327）、丰（粹 12），象側視之玉片，用絲索縱
貫之形❺❹，本義爲玉。《說文》釋爲「石之美有五德者，……絜之方也」，與「象
三玉之連」形義不合，顯然所詮釋的是引申義而非本義。❺❺許愼已言「石之美」，
就說明他很清楚「玉」字本義，但他在本義之外，又放入引申義，應是透過解字，
以闡揚他的經學思想。《周禮・春官・宗伯第三》，談到古代公、侯、伯、子、
男，佩帶五種不同的玉❺❻，這是儒家對五種身分所做的期待和要求。另外，《禮
記・聘義》也記載：「夫昔者君子比德于玉焉：溫潤而澤，仁也；縝密以粟，智
也；廉而不劌，義也；垂之如隊，禮也：叩之其聲清越而長，其終詘然，樂也；瑕
不掩瑜，瑜不掩瑕，忠也；爭尹旁達，信也；氣如白虹，天也；精神見于山川，地
也；圭璋特達，德也；天下莫不貴者，道也。」❺❼透過《禮記》，我們不妨推測，
許愼已說「玉」爲美石，又把「玉」贊美成這樣崇高的德性，多少是受了儒家經典
的影響。除了「玉」，許愼解「酒」字，也有同樣特色。他說：「酒、就也，所以
就人性之善惡，从水、酉，酉亦聲。一曰造也，吉凶所造起也。」（酉部，頁
754）許進雄先生釋「酒」字曰：「（酒）甲骨文作一酒尊及濺出的三滴酒形。」
❺❽，又「酒是種穀物釀造的液體飲料，若只畫小點酒滴，就要與許多事物混淆，加
上酒尊的酉，指稱就很清楚。」❺❾《說文》將「酉」、「酒」作兩字處理，釋
「酉」爲「就也，八月黍成，可爲酎酒，象古文酉之形」（酉部，頁 754）。由許

---

❺❹　馬森如：《殷墟甲骨文引論》（同註❷⓪，頁 281）。

❺❺　蔡信發《說文部首類釋》：「（玉）該字本義爲『美石』，而《說文》釋以『石之美有五德
　　者』云云，是誤以引申義爲本義。」（臺北：萬卷樓圖書公司，1997 年 8 月），頁 24。

❺❻　《周禮・春官・宗伯第三》：「王執鎮圭，尺二寸。公執桓圭，九寸。侯執信圭，七寸。伯
　　執躬圭，五寸，子執穀圭，因執蒲璧，皆五寸。」（臺北：藝文印書館，《十三經注疏》
　　本），卷 20，葉 18。

❺❼　《禮記・聘義第四十八》（臺北：藝文印書館，《十三經注疏》本），卷 63，葉 9。

❺❽　同註❶⓰，頁 41。

❺❾　同註❶⓰，頁 45。

慎對「酉」字詮釋，足以說明「酉」、「酒」同字，本義皆爲飲料⑥，和吉凶無關；人性之善惡，也不因喝酒而改變。因此，許慎以「所以就人性之善惡」、「吉凶所造也」，詮釋「酒」義，顯然是將儒教的正統思想⑥，放入文字中。

　　㈩葬：臧也，從死在茻中，一其中所以荐之。《易》曰：「古者葬厚衣之以薪。」茻亦聲。（《說文·茻部》，頁48）

　　案：「臧」本義爲「善也」（《說文·臣部》，頁119），許慎以「臧」釋「葬」，除了聲訓，也說明古人對屍體作最妥善安排的美意。至於屍體要如何處理？小篆「葬」作「茻」，許慎釋形爲「從死在茻中，一其中所以荐之」，透過許慎的解說，約略可推測，最原始處理屍體，是在外層裹件東西，然後才能置於草叢。包裹屍體，無非是不讓屍體太快腐壞，這是對死者的關懷之情，《孟子·滕文公（上）》，也有記載同樣情境。⑥不過許慎所釋，是取小篆字體，「葬」字在甲骨文中作「茻」（後下、三·十六），李孝定和張宗方兩位先生皆指出，這是象床上放著死人，以表示人死要埋葬的意思。⑥李孝定先生又說：「死在茻中，蓋古之葬者有此俗，亦猶少數民族天葬之意也。」許進雄先生〈生命循環〉一文，也談到先民處理屍體的演進：

---

⑥　魯實先先生：「酉於卜辭作丣、丣，彝銘作丣、丣，鼎銘作丣，（三代二卷3叶）父辛觶作丣，（三代十四卷45叶）俱象酒器之形，當以酒尊爲本義。……酉亦孳乳爲酒，酉、酒同音，故彝銘并以酉爲酒。」見《文字析義》，頁328。

⑥　《尚書·周書·酒誥》：「封！我西土棐徂邦君、御事、小子，尚克用文王教，不腆于酒。」（卷14，頁206）《尚書·商書·微子》：「我用沈酗于酒，用亂敗厥德于下」。又：「天毒降災荒殷邦，方興沈酗于酒。」（卷10，頁145）《尚書·周書·無逸》：「無若殷王受之迷亂，酗于酒德哉！」（卷16，頁242）《毛詩·大雅·蕩抑》：「顚覆厥德，荒湛于酒。」（卷16，頁641）皆表示因爲酗酒，而敗德的例子。

⑥　《孟子·滕文公（上）》：「蓋上世嘗有不葬其親者；其親死，則舉而委之於壑。他日過之，狐狸食之，蠅蚋姑嘬之；其顙有泚，睨而不視。夫泚也，非爲人泚，中心達於面目。蓋歸反虆梩而掩之。掩之誠是也；則孝子仁人之掩其親，亦必有道矣。」（臺北：藝文印書館，《十三經注疏》本），卷5下，葉11。

⑥　參李孝定：《讀說文記》（臺北：中央研究院歷史語言研究所，1992年），頁16。張宗方：《金文編識讀》（濟南：齊魯書社，1996年1月），頁34。

新石器時代的遺址常見二次葬的現象（邵望平 1976：168－72），很可能就是把野獸吃剩的骨頭加以整理埋葬的結果。後世的二次葬則是把埋葬過，肉已朽腐乾淨骨頭挖出再埋，或先讓屍體朽化後才埋骨，顯然都是此習俗的孑遺。它後來發展到用木棺斂藏屍體，不受鳥獸的侵擾。漢代甚至用玉匣藏屍，或層層用木炭、白膏泥密封，希望屍體長久不腐，就大去古人的原意。[64]

依李孝定、張宗方、許進雄三位先生及《孟子》的說法，知許慎據小篆釋「𦵑」字字形，已不是葬的原始義。顧炎武《日知錄》〈厚葬〉條：「《左傳》成公二年八月，宋文公卒，始厚葬。用蜃炭，益車馬，始用殉，重器備。」[65]；胡厚宣先生也說，厚葬制度是封建時代下的產物。[66]由顧氏及胡先生言，皆顯示先民最初處理屍體，應當還沒有厚葬的概念。後世厚葬制度何以形成，顧氏也有簡要分析：

> 古之人有藏於廣野深山而安者矣，非珠玉國寶之謂也，藏淺則狐狸扣之，深則及於水泉。故凡葬必於高陵之上，以避狐狸之患，水泉之濕，此則善矣。……慈親孝子避之者，得葬之情矣。善棺槨，所以避螻蟻蛇蟲也。今世俗大亂之主，愈侈其葬，則心非爲乎死者慮也。生者以相矜尚也，侈靡者以爲榮，儉節者以爲陋，不以便死爲故，而徒以生者之誹譽爲務，此非慈親孝子之心也。[67]

顧氏說明古人原是將屍體埋於深山，後來爲了避螻蟻蛇蟲，才改用棺槨等厚葬措施，目的無非是對死者的關懷，這是孝親的表現。這樣的行爲，除了可與《孟子》

---

[64] 許進雄：《中國古代社會——文字與人類學的透視・生命循環》，同註⑳，頁303。

[65] 顧炎武著・黃汝成集釋：《日知錄集釋》（鄭州：中州古籍出版社，1990 年 12 月），頁358。

[66] 胡厚宣先生在《五十年甲骨學論著目・序言》中說：「後來因爲封建社會喜歡厚葬」。依胡先生所言，厚葬並非於造字時就已經產生（九龍：中華書局，1966 年 10 月），頁18。

[67] 同註[65]。

相互呼應，《禮記・檀弓上》：「國子高曰：『葬也者，藏也；藏也者，欲人之弗得見也。』」❻❽也反應了古人妥善處理屍體的美意。透過儒家經典、古文字，及各家所作「葬」字制度的分析，說明許慎取小篆形構詮釋「葬」字，雖非「葬」的原始義，但卻為先秦以來，儒家厚葬制度的文化，作了詳覈的記錄。

　　㈩武、楚莊王曰：「夫武定功戢兵，故止戈為武。」（《說文・戈部》，頁638）

　　案：楚莊王一語，見於《左傳・宣公十二年》：「楚子曰：『夫文，止戈為武。』」「戢兵」為「藏兵」，說明收拾軍隊不再作戰。依許慎解釋，則「武」字所展現，為先民愛好和平的態度。不過，「武」在甲骨文裡作𡂡（前1・17・3）、𡃛（甲3940）等形，馬森如《殷墟甲骨文引論》引朱芳圃《殷周文字釋叢》：「戈，兵器；止，足趾，所以行走，象揮戈前進也。……《春秋元命苞》：『武者伐也。』此本義也。」❻❾劉興隆《新編甲骨文字典》：「（武）從戈從止，止本足形，示征伐。」❼⓿康殷《文字源流淺說》也指出，「武」在甲骨文裡也作「𧘂」：「表示有人持戈，在通衢大道上麾動之意，用以表示用武之意。」❼❶以上各家之言，皆說明「武」不是阻止戰爭，而是發動戰爭，因此許慎所釋，為引申義而非本義。先秦儒家認為，「武」是用來禁暴、戢兵、保大、定功、安民、和眾及豐財❼❷，於是許慎相信，「武」從止從戈，是不可能主動拿著兵器去攻打他人。《左傳・僖公三十年》：「以亂易整不武。」孔子也讚揚管仲：「桓公九合諸侯，不以兵車，管仲之力也。」（《論語・憲問》）儒家強調「己所不欲，勿施於人」（《論語・顏淵》）；「老吾老以及人之老；幼吾幼以及人之幼」（《孟子・梁惠王（上）》）的博愛關懷，自然是反對暴力。但為了天下安定及百姓福祉，不得已還是需要「爰整其旅，以遏徂莒」（《孟子・梁惠王》），這時所發動的戰爭，就

---

❻❽　《禮記・檀弓上》（臺北：藝文印書館，《十三經注疏》本），卷3，頁149。

❻❾　同註⓴，頁610。

❼⓿　劉興隆《新編甲骨文字典》（北京：新華書局，1993年1月），頁855。

❼❶　康殷《文字源流淺說》（北京：國際文化出版公司，1992年1月），頁380。

❼❷　此亦武所具備的七種德性。《左傳・宣公十二年》記載楚國於邲戰勝晉國，楚國潘黨向楚王提出建議，將晉國士兵的屍體收集起來，封土築成京觀，使後世子孫得以見識這次的武功，楚王不僅沒有接受，還對「武」字進行分析，認為真正的「武」必須具備這七種德性。

是「以戈止武」了。

㈢夫、丈夫也，從一、一以象先，周制八寸爲尺，十尺爲丈。人長八尺，故曰

丈夫。（《說文・夫部》，頁504）

案：丈夫爲成年男子，古代男子成年後才結髮，因此許愼釋「夫」爲「從
一、一以象先」。不過，許愼在最後又補充「周制八寸爲尺，十尺爲丈，人長八
尺，故曰丈夫」，乃是取周朝制度作詮釋，不僅與造字時空不合，也不符合造字本
義。許愼在《說文・敍》裡指出，文字是黃帝史官倉頡所造❼，即使是倉頡所造，
也與周朝相距遙遠，自然也不能拿周朝制度，作爲造字依據❼，何況倉頡造字之說
早被推翻。❼又又戴髮簪，是用以表徵成年男子，這和人長八尺，沒有必然關連。
人長即使不及八尺，已屆弱冠，也稱作「夫」。因此許愼釋「夫」字，無論時空或
邏輯，皆有待商榷。除「夫」外，許愼釋「井」字，也出現同樣情境：

井、八家爲一井，象構韓形，甕象也，古者伯益初作井。（《說文・井部》，

頁218）

「八家爲一井」相傳爲周代的井田制度，據蔡信發先生《說文部首類釋》，井字本
義應爲水井。❼許愼把後世制度當作本義，這與上文所列舉的「夫」字，同樣是受

---

❼　許愼：《說文解字・敍》：「倉頡之初作書」（同註❷，頁761）。

❼　李國英《說文類釋》於「夫」字下云：「說曰：『周制八寸爲尺，十尺爲丈，人長八尺，故
曰丈夫』者，古今尺度不同，未可揑一言之如此以說字，且所云亦非制字之初誼也。」同註
❹，頁128。

❼　倉頡造字說，早被推翻。李孝定《漢字史話》：「至於倉頡造字的傳說，大概由於文字原
始，蒙昧難明，便作此想當然的認定，雖似眾口一辭，大抵由於因襲，文字非成於一時一人
之手，此說自然不能成立。……應該解釋爲倉頡是整理統一文字的功臣。」（臺北：聯經出
版公司，1979年5月），頁3-4；顧實《中國文字學》：「古造書，凡有三人，長名曰梵，
其書右行；次曰佉盧，其書左行；少者倉頡，其書下行。此則釋徒闌言，冀挾外學以少中
夏，不足信矣。」（臺南：北一出版社，1975年元月），頁5。

❼　蔡信發《說文部首類釋》，頁64：「（井）該字本義爲水井，而《說文》釋以『八家爲一
井』，據後世制度爲說，是誤以引申義爲本義。『古者伯益初作井』，出自《世本・作
篇》。伯益，是舜臣，助禹水有功。」

到周文影響。不過許愼在「井」字最後，補充「古者伯益初作井」，就說明他認爲「井」是平日汲水用的水井，與井田制度無關。

　　㈤利、銛也，刀和然後利。從刀和省。《易》曰：「利者義之和也。」（《說

　　文・刀部》，頁180）

　　案：「利」甲骨文作𥝢（後下13・6）、𥝤（甲3914），從刀、從禾，象刀割禾形，本義爲豐收割禾。❼「和」《說文》作「相應也」❽（口部，頁57），刀、和結合，與銛意無關；許愼引《易經》，也只能證明引申義。❼《說文》主在說解文字本義，許愼於析形上取引申義，可能也是爲了體現其經學思想。《中庸》「喜怒哀樂之未發，謂之中；發而皆中節，謂之和」，說明「和」的境界，爲凡事抒發得恰當得體，無過與不及。許愼在此徵引儒家經典，無助於「利」字結構的分析；況刀子要磨了之後才利，這與「和」也無必然關連。許愼把「利」、「和」牽扯在一起，雖然牽強，但也呈現漢儒的思想特色。

二、其他

　　《說文》除了在文字說解上，體現漢儒思維；部首設定，及六書字例，也與當代思潮密切關聯。許愼設部首爲五百四十部，次第爲「始一終亥」，「一」是數字之首，「亥」爲地支之末。「一」首「亥」尾，說明設定的部首數雖只有五百四十，但部首所統馭的字，卻可以如地支一般，不斷循環，生生不息，於是文字和部首，便可以不斷孳乳。在六書字例上，許愼以「日、月」說明象形，「上、下」說明指事，「武、信」說明會意，「江、河」說明形聲，「考、老」說明轉注，「令、長」說明假借。對此，張度《說文解字索引》〈六書易解〉，曾作深入分析：

　　　　指事舉上、下兩字證之，上、下者，天地也。……象形，舉日、月兩字證

---

❼　同註⑳，頁387。

❽　《說文・口部》：「和、應也，從口、禾聲。」（頁57）

❼　李孝定《讀說文記》於「利」字下云：「按利之本義爲刀銛，『義之和』、『和然後利』，皆關人事，與『刀』無涉，乃利之引申義。」（頁118）

之，日、月者，在天之箸者也；形聲舉江、河兩字證之，江、河者在地之
箸者也；會意舉武、信兩字證之，武、信在人之箸者也；轉注之考、老，
假借之令、長，皆推人事之備也。⑧

本來張度舉這些例子，只在證明六書次第，但他的巧妙分析，反而把許慎安排字例
的用心，剖析得很細膩。許慎對六書所舉例的十二字，剛好把天、地、人事全部囊
括，如果說這不是特意的佈局，則象形何以要舉日、月？指事何以特舉上、下？會
意、形聲、轉注和假借字例也很多，許慎為什麼獨獨鍾愛這幾字？與其說是巧合，
不如說是一個時代的學術特色。

　　陳五云先生〈說文解字和許慎哲學初探〉也指出，許慎在部首及六書次第
上，皆有一套預設哲學作指揮，彼此環環相扣，相當具有邏輯。以下僅節錄其部分
內容，以茲參考：

> 許慎像他的同時代人一樣，也信奉著對數字的神秘崇拜，……，但它作為
> 一個吉數為當時大多數人所信奉大概不會錯。
> 許氏六書的次第還反映出一種循環的意識：由指事起，而次象形，次形
> 聲，次會意，次轉注，次假借，文字從點畫的發生到字形結構，以至字之
> 應用（而至無窮），正好畫了一個圓。⑧

以上徵引，第一則說明許慎設部首為五百四十部的原因；第二則說明六書次第，與
許慎哲學思維的關聯。於是，整部《說文》，就是在許慎預設的哲學思維中運作，
陳五云先生也針對此現象，而形容「《說文解字》就是一個完密的『天球』。」⑧

---

⑧　丁福保：《說文解字詁林》（臺北：鼎文書局，1977 年），頁 572。
⑧　陳五云先生：〈說文解字和許慎語言哲學初探〉，《上海師範大學學報（社會科學版）》，
　　第 29 卷第 4 期，頁 83。
⑧　同前註，頁 81。

參、結語

　　《說文解字》是我國第一部對文字作系統整理的字書，其主要內容爲說解先民造字時本音、本形和本義。以上所舉字例，皆呈現下列幾個特色：即許愼解釋字義，或與造字時本義不合；或形義不符；或取後世制度，詮釋造字初意等。我們並非認爲，只要《說文》解字有誤，就一定蘊藏著漢儒思維，畢竟在許愼所生長的時代，地下出土文物沒有今日發達，就連最基本的甲骨文，許愼也沒機會看到。本文只是就許愼明顯地表達「君權神授」、「君威至上」、「陰陽五行」；或許愼以先秦及漢代制度、文化解字；或許愼已知道文字本義，卻取引申義解字……，筆者僅就這些現象和矛盾，探索《說文》所呈現的漢儒思維。

　　再者本文只列舉了十多字，整部《說文》絕不是只有這十多字具備漢儒思維。如雷紫翰〈《說文》鼓字釋義辨析──兼言儒家經學對漢代學術的影響〉，就以「鼓」字，說明《說文》所呈現「屬於漢代流行的禮樂教化思想在儒生頭腦中的具體反映」。同時，雷先生也舉「王、玉、來」等字，說明「走向政治化的儒家經學對漢代學術的影響」❽❸。陳五云先生〈說文解字和許愼語言哲學初探〉，也就《說文》六書次第、部首安排、設定、數字的解說、五行終始與天人合德思想、尊經和博問通人等問題，爲許愼的語言哲學，儘可能地探尋其來源。國立中正大學中文研究所高婉瑜作〈試論說文中的陰陽五行〉一文，也舉天象、地理、數字、天干地支、顏色、器管、其他等字例，說明「漢代思想史上，古文學派不反對陰陽五行的佐證之一」❽❹。這些文章，對《說文》所呈現的漢儒思維，皆有精闢的詮釋，可供參考。

　　許愼《說文》雖是解字專書，呈現漢儒思維也是合於情理。因爲許愼撰寫《說文》，正是他在官場上最爲得意的階段，當時他已經做到太尉南閣祭酒❽❺，以

---

❽❸　雷紫翰：〈《說文》鼓字釋義辨析──兼言儒家經學對漢代學術的影響〉，《蘭州大學學報》2000 年第 3 期（2000 年 3 月），頁 151－157。

❽❹　高婉瑜：〈試論說文中的陰陽五行〉，《大陸雜誌》，第 101 卷第 6 期，頁 27－35。

❽❺　董希謙、張啓煥：《許愼與說文解字研究》（開封：河南大學出版社，1988 年），頁 24－26。

他的身分，難免得擁護國君及朝廷。又在他的經學背景上，他雖受業於古文經師賈逵，但許慎在早期所學的是今文經，加上賈逵也不是純粹的古文學家（他是今古學的融合者），因此許慎即使某些字，採用了今文經的觀點解字，也是正常的現象。後來許慎受詔於東觀校書，也以《說文》教授小黃門的宦官識字，在教學過程中，許慎也一面修正《說文》。許慎既以《說文》教學，爲達到效果，難免得取當時的制度和思維等，輔助解字。因此，《說文》中放入了周朝制度、漢儒思維，或引經、引通人說等，皆與許慎個人的時代背景、際遇及生活等，息息相關。

另外，《說文》除了展現陰陽五行、天人感應、君權神授等現象，對某些字詮釋，也表現了濃厚的儒教道統。這除了說明漢代獨尊儒術，也印證兩漢因遵從儒學，所展現「依仁蹈義，舍命不渝」❽的風氣。這樣的成果，也可以作爲學術史及文化史研究的佐證。

其實《說文》所以呈現「君權神授」、「天人感應」、「陰陽五行」的觀念，以及先秦以來儒教道統、文化和制度等，除了是受限於出土文物的匱乏，在秦始皇統一文字以前，文字形體歧出，漢代以後，文字的解釋眾說紛紜；加上儒學依附政治，由原來的質樸走向妄誕……。許慎在這般千頭萬緒中，既要盡可能地掌握文字的初義，又要兼顧古文經學的闡釋，以及爲王政提供服務，自然在闡釋某些字時，會不自覺地把漢儒思維及文化，也融入其中。縱然如此，許慎《說文》依舊是今日研究字學最重要的底本，歷朝歷代研究字學的人，皆無法捨棄《說文》，即使後來出土文物已被大量挖掘，《說文》的地位依然屹立不搖。足以說明，許慎編纂《說文》，態度是相當嚴謹和用心，加上他個人優異的學識，自然使《說文》呈現卓越的見地。

---

❽　顧炎武：〈兩漢風俗〉，《日知錄》，同註❻，頁305。

經 學 研 究 論 叢
第 十 輯 頁155～182
臺灣學生書局 2002 年 3 月

孔子變形側記

饒龍隼*

生活在春秋晚期的孔子，在特定的情景下，難免遇到兩難之事。孔子的處置辦法，當時就受到人們包括弟子的質疑。比如，欲應叛臣公山弗擾、佛肸召，見衛靈公夫人南子，拒顏路請車以爲顏淵椁等三事。在孔子聖潔的一生中，這類事件的發生，確實是美玉小疵。若是發生在庸常人身上，本不足掛齒，更不會有思想史上的意義；而偏偏發生孔子這個當世大儒、後世聖人、萬世師表身上，人們就不願輕易放過，於是生出許多的分說，或爲之辯白、或爲之深諱、或爲之剖判、或爲之曲解……其結果，孔子依然是春秋晚期的那個孔子，而聖人卻隨之委蛇多變。

一、正道直行

孔子其人，在後世的闡釋中，經歷了多次變形，君子也好，仁人也好，聖人也好，素王也好，神明也好，賢人也好，常人也好，甚至吃人的人也好……這些都與孔子本人無關。要還原孔子以眞實，則應排除後世觀念之闌入，回到孔子本身。即就本文所討論的孔子三事而言，也應當從本事、相關事和相類事以及孔子的自我認識和弟子的議論評價等方面來說明。

孔子欲應叛臣召，見於《論語・陽貨》所載：

　　公山弗擾以費畔，召，子欲往。子路不說，曰：「末之也已，何必公山氏

---

* 饒龍隼，江西師範大學文學院教授。

之之也？」子曰：「夫召我者，而豈徒哉。如有用我者，吾其為東周乎。」

佛肸召，子欲往。子路曰：「昔者，由也聞諸夫子曰：『親于其身為不善者，君子不入也。』佛肸以中牟畔，子之往也，如之何？」子曰：「然，有是言也。不曰『堅乎，磨而不磷』？不曰『白乎，涅而不緇』？吾豈匏瓜也哉，焉能繫而不食。」

首先需考實公山弗擾以費叛、佛肸以中牟叛的背景與年代。據《左傳》載，早在定公五年，公山弗擾背叛季氏之心已萌。是年六月，季平子死，陽虎欲以君侯禮葬之。另一陪臣仲梁懷反對，主張改用大夫禮葬。陽虎想以此驅逐仲梁懷，公山弗擾諫止曰：「彼為君也，子何怨焉？」意謂仲梁懷維護魯國君臣之禮，不可因以逐之。後來，仲梁懷陪季桓子出巡東野，子洩（公山弗擾字）到郊外迎勞，遭到仲梁懷的不敬。子洩怒，便趁機提請陽虎逐仲梁懷。陽虎、公山弗擾與仲梁懷的摩擦，表面上是陪臣之間的鬥爭，實際上是陪臣爭奪對季氏的控制權。到是年九月乙亥，陽虎囚禁季桓子和公父文伯。次年夏，陽虎陪季桓子到晉國獻所獲鄭國俘虜，陽虎乘機展開活動，爭取晉國執政趙簡子的支持，至年底，陽虎盟魯公、盟三桓和詛五父之衢，形成了魯國陪臣執國政的格局。以後，陽虎又展開攻勢，於定公八年，欲去三桓，終至決裂，陽虎入讙陽關反叛，而公山弗擾以費叛。陽虎後來流亡到齊國，請齊師伐魯，不果而逃奔晉國，依趙簡子。對此，孔子評論說：「趙氏其世有亂乎。」孔子的評論暗指後來佛肸以中牟叛趙簡子事。佛肸叛召孔子事，《史記·孔子世家》將其排列在孔子展轉陳、衛和欲西見趙簡子未果之間，時間約在魯哀公二年。定公五年至哀公二年前後，列國相繼進入一個陪臣執國政的階段。陪臣叛亂事件多發，不只魯國、晉國有，甚至周朝亦有，如《左傳》定公七年所載，周儋翩入儀栗叛。不論陪臣叛亂的真實意圖如何，大都以弱執政、強公室為名義。如《左傳》昭公十四年所載，魯南蒯欲以費叛，事敗露，奔齊，侍齊景公飲酒，景公曰：「叛夫。」南蒯對曰：「臣欲張公室也。」子韓晳曰：「家臣而欲張公室，罪莫大焉。」這番對話頗有意味，三人所說分別代表公室、陪臣和執政的利益。叛亂的陪臣多是邑宰，治理一方財賦，掌握一定的軍事力量，叛亂而打著強公室的旗號，表

明邑宰是一股新興的政治勢力。他們以強公室的名義叛亂，對處於同一政治階層的人們，是有一定的感召力的。故《史記・孔子世家》載孔子語：「蓋周文、武起豐鎬而王，今費雖小，儻庶幾乎！」孔子及弟子正處於邑宰這個政治階層。就在公山弗擾叛亂的次年，即九年，魯定公任孔子爲中都宰，卓有政績，四方則之，亦爲邑宰政治勢力上升的表徵。佛肸叛召孔子時，孔子已去大夫位，在流徙列國途中。加上定公十二年，孔子主持墮三都時，與邑宰有過較量，深感邑宰政治勢力之強大，則欲應佛肸召，乃出於對邑宰政治勢力之看好。孔門弟子中，也有多人問卜或居處邑宰之位，如子游爲武城宰，仲弓爲季氏宰，子夏爲莒父宰，子路使子羔爲費宰，閔子騫辭季氏宰。❶孔子處如此情勢，欲應叛亂邑宰的征召，本在情理之中。子路拘執未化，以爲邑宰叛亂不合道義，不可應召；而孔子應道達觀，從邑宰叛亂及其強公室的旗號中，看到了一股新興的政治力量，而幻想憑藉這股勢力來實現自己強公室、興周道的政治願望。所謂「如有用我者，吾其爲東周乎」，就是指此。再說，孔子後來跌落在邑宰的政治層位，欲應叛臣召，也是仕進的一條出路。所謂「吾豈匏瓜也哉，焉能繫而不食」，說的就是這個意思。後人評說孔子欲應叛臣召，多未能弄清孔子前後兩次所處的情勢，而僅僅從道義上憑空裁判，甚者與定公十二年孔子任大司寇，攝行相事，墮三都事件牽扯起來；因而生出許多的分說，說之愈多，而離本眞愈遠。孔子另有一些論說，也有助於探析他欲應叛臣召的心機，如《論語・子罕》所載：

> 子貢曰：「有美玉有斯，韞匵而藏諸？求善價而沽諸？」子曰：「沽之哉！沽之哉！我待賈者也。」
> 子欲居九夷。或曰：「陋，如之何？」子曰：「君子居之，何陋之有？」

孔子眞是直行君子，快人快語。

　　孔子見南子，見於《論語・雍也》所載：

---

❶　見《論語》之〈子路〉、〈先進〉、〈雍也〉諸篇。

　　子見南子。子路不說。夫子矢之曰：「予所否者，天厭之！天厭之！」

　　孔子見南子的背景與年代可考者如下：自攝行相事以來，孔子政績卓著。齊國懼魯國成就霸業，而設計陷害孔子，遺女樂與魯君。魯定公沉緬女樂，殆於政事。孔子諫，不獲聽而去魯適衛，開始了歷時十四年坎坷困厄、流徙多國的生活。《史記・孔子世家》對此有一段描述：「已而去魯，斥乎齊，逐乎宋、衛，困於陳、蔡之間，於是反魯。」這段描寫飽含辛酸，讓人感到孔子活得多麼不容易。一般情況，後儒總是渲染孔子在宋、衛、陳、蔡的困頓，而忽略了孔子去魯、受斥於齊的無奈。關於孔子受斥於齊，《史記》記述不詳，疑孔子離開魯國時，嘗有適齊的打算，因不獲齊接納，便取道衛國。❷孔子到了衛國，先寄宿在子路妻兄顏濁鄒家。後得見衛靈公，獲俸祿粟六萬，然未被委以重用。又因人譖言，孔子恐獲罪，僅居住十個月就離開衛國，打算去往陳國。途經匡，因孔子貌似陽虎，被匡人誤執，拘禁五日方解。後途經蒲，奔波月餘，一無所獲，便回到衛國，寄宿在蘧伯玉家。這已是魯定公十五年，孔子五十七歲❸，困頓無奈之極，乃有見南子事發生。衛靈公夫人南子使人謂孔子：「四方之君子，不辱欲與寡君為兄弟者，必見寡小君。」《史記》記述云，孔子不得已而見南子，並描繪了與南子相見的情景，說孔子以「弗見見之禮答焉」。這樣的記述與描寫雖有點為聖人諱的意味，但也是合乎禮儀的。後文記述「衛靈公與夫人同車……使孔子為次乘，招搖市過之」，表明孔子見南子取得了一定的成效，否則就不會享有隨國君和夫人出行的恩寵。至於孔子向子路發誓「天厭之」以及孔子憤慨「吾未見好德如好色者」，則是孔子見南子之初所未料到的。後儒往往將見南子事與孔子見陽虎事比附，有失倫類。據《論語・陽

---

❷　參見《晏子春秋》卷 8 第 6 條所載：「仲尼相魯，景公患之，謂晏子曰：『鄰國有聖人，敵國之憂也。今孔子相魯，若何？』晏子對曰：『君其勿憂。彼魯君，弱主也。孔子，聖相也。君不如陰重孔子，設以相齊。孔子強諫而不聽，必驕魯而有齊。君勿納也。夫絕于魯，無主于齊，孔子困矣。』居期年，孔子去魯之齊，景公不納，故困于陳、蔡之間。」此則記述未必屬實，然齊國君臣對孔子的陰謀，有利於說明孔子選擇適衛的背景。

❸　匡亞明：《孔子評傳》（南京：南京大學出版社，1990 年 12 月第 1 版），其書附錄〈孔子年譜〉以孔子見南子在魯定公十四年，孔子五十六歲，失考，應以《史記・孔子世家》為準。

貨》載，陽虎欲仕孔子，孔子不與相見。後遇於途，孔子才答應陽虎出仕。這時，孔子在魯，可仕，亦可不仕，與在衛的境遇完全不同。《淮南子・泰族訓》敷衍云：「孔子欲行王道，東西南北，七十說而無所偶，故因衛夫人、彌子瑕而欲通其道。」行道，這是孔子作爲士的本分，而其中亦隱含謀食的心機。再說，除了受累於夫人南子的淫行，衛靈公其時還是相對賢明的君主。《莊子・則陽》載，衛靈公與妻三人同濫而浴，史鰌進御，靈公命搏幣扶翼，使不成君臣之禮，表現出對賢人的肅敬。《孔子家語・賢君》和《說苑・尊賢》均載，孔子答魯哀公問，說當今之君，衛靈公賢。這些記錄都表明，衛靈公雖然寵幸淫亂的南子，但在天下無明主的情勢中，仍不失爲賢君。由此可知，孔子流徙不定，而居留衛國的時間最長，乃至見衛夫人南子，都是因爲衛靈公相對賢明，差可因之以求食行道，不忍輕去。所以，孔子見南子，不是抽象的道義是非問題，而是經過艱難選擇的行止。孔子正道直行，不瞻前顧後，不患得患失，於此亦可見一斑。

孔子，見於《論語・先進》所載：

> 顏淵死。顏路請子之車，以爲之椁。子曰：「才不才，亦各言其子也。鯉也死，有棺而無椁。吾不徒行以爲之椁。以吾從大夫之後，不可徒行也。」

關於此事發生的背景與年代，宋儒邢昺《論語注疏》有考述，云顏回卒時，孔子年六十一，方在陳、蔡間：伯魚年五十卒，孔子年七十左右，已反魯。邢昺的結論大概是綜述《史記・仲尼弟子列傳》和《孔子家語》及王肅注而得。考《仲尼弟子列傳》載：「回年二十九，發盡白。蚤死，孔子哭之慟。」此說顏回發白之年，並云早死，而未指實卒年。至《孔子家語》則云：「（回）年二十九而發白，三十一（二）而已。」❹增加了顏回卒年，不知何所據？這有兩種可能：一是依「蚤死」

---

❹ 今本《孔子家語》卷 10〈七十二弟子解〉作「三十一早死」。而《史記》司馬貞〈索隱〉、《文選・辨命論》注引《家語》均作三十二而死。是則唐人去古未遠，所見《家語》近眞，而今本訛誤。筆者案，關於顏淵卒年，錢穆有專文考證，見《先秦諸子繫年考辨》（上海：上海書店，《民國叢書》本），然案斷不明，問題依然懸而未決。

之辭，自發白之年往後略推三年所得。然此一推想不合常理，也缺乏文例的支持。若從《孔子家語》之說，則顏回死時，孔子年六十一，在陳蔡間，二年之後，孔子又流徙到衛國，而有脫驂賻舊館人事發生，便應和了《禮記·檀弓》的一處記載：「孔子之衛，遇舊館人之喪，入而哭之哀，出，使子貢說（脫）驂而賻之。子貢曰：『于門人之喪，未有所說（脫）驂；說（脫）驂于舊館，無乃已重乎？』孔子曰：『予鄉（向）者，入而哭之，遇于一哀而出涕。予惡夫涕之無從也。小子行之。』」但這裡所說門人之喪，並未確指顏回，疑是更早死的某位弟子。王充嘗將賻舊館人事與拒顏路請車以爲顏淵椁事對照，批評孔子情禮不副、貪官好仕，也只是將二事平行而論，並未關涉其時間序列。因此，不可據賻舊館人的年代反推顏回的卒年；另一種可能是，顏回卒年本來有明文記載，作四十一。後人將簡帛文書豎寫的四十一（三）誤讀爲三十二（三）。這種推想是可能的，合乎先秦兩漢文書傳寫誤讀的通例，也可得到相關史事的支持：《史記·孔子世家》載：「伯魚年五十，先孔子死。」據《闕里志·年譜》，孔子年二十生子，恰逢魯昭公賜鯉魚，便以鯉名而字伯魚。依此推算，孔鯉死時，孔子應年在七十。而據孔子拒顏路請車以爲顏淵椁事推斷，顏回應死在孔鯉之後，則顏回死時，孔子年至少在七十一以上。又《仲尼弟子列傳》云顏回「少孔子三十歲」。以七十一減孔子與顏回的年齡差，恰得四十一。由此可知，將顏回卒年定在四十一，而不是三十二，更吻合各項事跡的記載。顏回卒年的考訂對解說孔子拒顏路請車以爲椁事至關重要，可以使後儒的紛紜訟說不攻自破。孔子晚年專心著述，已非位列大夫，有沒有乘車，實無關大雅。他之所以拒顏路之請，是因爲前一年的亡子之痛猶然殷切，又因孔鯉未嘗居大夫位，不可以大夫之禮葬，故有棺無椁。顏回之死，孔子確實悲痛欲絕，然顏回貧寒微賤，亦未嘗得大夫位，不可營椁用大夫禮葬，若孔子賣車營椁，豈不助成了非禮僭越之事。喪親子，孔子不違禮厚葬；那麼喪門生，豈有違禮厚葬之理。況且，孔子亦非絕對反對厚葬顏回。後來，顏回的門人欲行厚葬，孔子雖曰「不可」，及至終行厚葬，孔子也未嚴加指責，只是感嘆自己不態像父親對待兒子那樣主持顏回的葬禮。❺由此可知，孔子拒顏路請車的主要用意是，亡子之痛未平，不忍師生之

---

❺　參《論語·先進》。

誼超越父子親情。闡明孔子的這一層眞情實意，則後儒的吝財、貪位之說，就顯得無稽，安貧守禮之說亦顯得有點隔。

以上考述表明，孔子的思行是自足而自立的，不待後儒粉飾譽美，也不容誤解歪曲。其實，縱使後儒作出千萬種解說，也無法改變孔子本事。孔子之所思、之所行，正如他自己所說：

> 狂而不直，侗而不愿，悾悾而不信，吾不知之矣。（〈泰伯〉）
> 舉直措諸枉，能使枉者直。（〈顏淵〉）
> 不得中行而與之，必也狂狷乎。（〈子路〉）
> 人能弘道，非道弘人。（〈衛靈公〉）
> 鄉愿，德之賊也。（〈陽貨〉）

這些話語正是上述三事的寫照，孔子就是這樣，處特定情境，若不得中行，則寧爲狂狷，亦不爲鄉愿；所以說，孔子正道直行。

二、爲聖者諱

孔子從何時開始被尊奉爲聖人，難以質實。《論語》所載講學授徒和周遊列國的情境裡，孔子尚未得聖人稱號。在墨家、道家等諸子學派的議論中，孔子是被詆毀的對象，更不會有聖人稱謂。而在《孟子》、《荀子》二書裡，孔子之爲聖人，已是定論。在《孟》、《荀》的稱述中，孔子生平光亮的一面得到極大的闡揚，而晦澀的一面卻極少提起。這是不是爲聖者諱，值得深思。《禮記》記述孔子生平事跡，擇取處置的辦法一如《孟》、《荀》。

蓋孔門後學與孔子弟子的著述心機和旨趣不同。弟子親聆教音，睹其行事，寓目輒書，殆爲實錄。即如《論語・衛靈公》所載：「子張問行。子曰：『言忠信，行篤敬。雖蠻貊之邦，行矣；言不忠信，行不篤敬，雖州里，行乎哉？立，則見其參於前也；在輿，則見其倚於衡也，夫然後行。』子張書諸紳。」將孔子言行隨即記錄書寫在帶狀絹帛上，就是一種類似史家實錄的行爲。既然是實錄，則孔子生平光亮與晦澀的兩面均有記述。後學不得見知孔子，僅憑聞知，故記述孔子言行

不甚眞切；更因稱述孔子言行，是爲了藉以闡發思想學說，就用不著關涉孔子晦澀的行跡。

　　隨著時間的流逝，孔子生平晦澀的記錄似乎被後人遺忘。然而《論語》其書還在。秦始皇焚坑時，它隱匿了一個時期。到漢初廢挾書令，文籍復出，儒學復興，《論語》亦應運而行。據《漢書・藝文志》的著錄，漢初《論語》有齊、魯二本；一爲魯《論》二十篇，與今本篇目相同，一九七三年定州西漢中山懷王劉修墓中出土一批竹簡，中有《論語》文，即魯《論》；另一爲齊《論》二十二篇，多〈問王〉、〈知道〉二篇。二本分別在齊、魯兩地流傳，專門師法傳授，講解的內容稱爲《傳》或《說》。《論語》的齊、魯之別，不僅本文的篇目文字有異，而且「傳」「說」的師法和內涵也不盡相同。《漢書・藝文志・六藝略》著錄：

　　　《論語》魯《傳》十九篇。齊《說》二十九篇。魯夏侯《說》二十一篇。
　　　魯安昌侯《說》二十一篇。魯王駿《說》二十篇。

另又著錄「燕《傳說》三卷」，是否有與之對應的燕《論語》，不得而知。《論語》的齊魯燕「傳」「說」對孔子生平晦澀的事件應有解說。但究竟如何解說，卻難得明文可徵。今本《論語》是鄭玄以安昌侯張禹本諸魯《論》而兼講齊《說》的《論語章句》爲底本，融合古、魯、齊諸文本而形成的。故鄭玄《論語注》十卷中應有齊、魯之《傳》、《說》的內容，然其書殘佚，今所見有清儒王謨、袁均、孔廣森、宋翔鳳、馬國翰、黃奭等的輯本。又新疆維吾爾自治區博物館藏有唐景龍四年卜天壽寫本鄭注《論語》殘卷，存〈爲政〉第二、〈八佾〉第三、〈里仁〉第四、〈公冶長〉第五共四篇。此四篇皆非這裡所要討論的孔子三事所自出。何晏《論語集解》廣泛徵引漢魏古注，而於《論語》齊傳、魯傳的資料所得甚少。職此之故，《論語》的齊、魯《傳》、《說》關於孔子見衛靈公夫人南子、拒顏路請車以爲顏淵椁、欲應叛臣公山弗擾和佛肸召諸事的解說，就不得其詳。

　　《漢志》還著錄《論語》古文二十一篇，云「出孔壁中，兩《子張》」。漢武帝時，魯恭王爲擴建府第，拆毀孔子舊居，從牆的夾壁中獲得古篆文書，中有《論語》古文，經孔子裔孫孔安國校讀，方得以流傳。《漢志》所著錄的《論語》

古文即指此。《漢志》未提及孔安國訓解《論語》古文事，而今本何晏《論語集解》全文集錄孔安國的傳注，這就成了一樁公案，究竟是《漢志》漏錄，還是後人僞托，難以定讞。而依習慣，這裡權當是孔安國的訓解。

以孔安國的訓解爲標本，可以管窺漢儒如何看待孔子生平晦澀的行跡：

關於孔子欲應叛臣召，孔安國訓解云：

> 弗擾爲季氏宰，與陽虎共執季桓子，而召孔子。之，適也。無可之，則止，何必公山氏之適。興周道于東方，故曰東周。
>
> 晉大夫趙簡子之邑宰。不入其國。磷，薄也。涅，可以染皂。言至堅者，磨之而不薄；至白者，染之于涅而不黑。喻君子雖在濁亂，濁亂不能污。匏，瓠也。言匏瓜得繫一處者，不食故也。吾自食物，當東西南北。不得，如不食之物，繫滯一處。

這裡，一則說孔子欲興道於東方，並不是一定要往歸叛臣公山氏，言下之意，欲依公山氏只是虛擬的托辭，其實是因以表達自己興道的志願；另一則說孔子是高潔篤行的君子，處染不染，爲了謀食，當然要東西南北流徙，即使往叛臣之邑，也於孔子的德行無任何傷害，言下之意，欲依叛臣佛肸，不但不能證明孔子之同流合污，反而襯托凸顯了孔子的高潔。

關於孔子見南子，孔安國訓解云：

> 舊以南子者，衛靈公夫人，淫亂而靈公惑之。孔子見之者，欲因以說靈公，使行治道。矢，誓也。子路不說，故夫子誓之。行道既非婦人之事，而弟子不說，與之咒誓：義可疑焉。

所謂「義可疑」，邢昺《論語正義》云：「安國以爲，先儒舊說不近人情，故疑其義也。」即是說見南子事與孔子聽行的一貫表現違礙，因而懷疑先儒舊說，進而否認其事之實有。孔安國不是從考信史實的角度來看問題，而是以聖人高義的觀念先入爲主，致使作出懷疑事實的訓解。

關於孔子拒顏路請車以爲顏淵椁，孔安國訓解云：

> 路，淵父也。家貧，欲請孔子之車，賣以作椁。鯉，孔子之子伯魚也。孔
> 子時爲大夫，言從大夫之後，不可以徒行。謙辭也。

孔子拒絕顏路的請求，講了兩點理由：一是埋葬自己的兒子，孔子沒有捨得賣車營椁，而顏淵是學生，不可享有超過父子的親情；二是孔子嘗爲大夫，出必乘車，不可徒行，賣車將陷於失禮，故車不可賣。這兩點理由，切要的是前者，後者則不痛不癢；因爲此時孔子七十一歲，早已遠離政治，專心著述，有沒有車乘無傷大雅。而孔安國的訓解避重就輕，忽略親情一義，偏執大夫不可徒行之禮義，故而下一「謙辭也」的案斷。

　　總之，或張皇行義，或正話反說，或懷疑史事，或避重就輕，孔安國訓解的眞實意圖是爲聖者諱，其結果是闡揚了孔子生平光亮的一面，而掩飾了晦澀的一面。

三、還聖於賢

　　在兩漢經學思潮下，在一浪浪對聖人孔子的禮讚中，有少數幾聲別樣的音調，聽起來那麼刺耳，然而又是那麼鞭辟入裡，驚醒世人：這聲音是從王充《論衡》中發出的。

　　《論衡》的許多篇章剖析孔子生平行義，重要的有〈書虛〉、〈感虛〉、〈福虛〉、〈禍虛〉、〈龍虛〉、〈雷虛〉、〈語增〉、〈儒增〉、〈藝增〉、〈問孔〉諸篇，其中〈問孔篇〉論及孔子三事：

　　關於孔子欲應叛臣召，〈問孔篇〉云：

> 佛肸召，子欲往。子路不說，曰：「昔者，由也聞諸夫子曰：『親於其身
> 爲不善者，君子不入也。』佛肸以中牟畔，子之往也，如之何？」子曰：
> 「有是也。不曰『堅乎，磨而不磷』？不曰『白乎，涅而不淄（緇）』？吾
> 豈匏瓜也哉，焉能繫而不食也？」子路引孔子往時所言，以非孔子也。往

前孔子出此言，欲令弟子法而行之。子路引之以諫。孔子曉之，不曰前言戲，若非而不可行，而曰有是言者，審有當行之也。「不曰『堅乎，磨而不磷』？不曰『白乎，涅而不淄（緇）』？孔子言此言者，能解子路難乎？「親於其身爲不善者，君不入也。」解之，宜佛肸未爲不善，尚猶可入；而曰堅磨而不磷、白涅而不淄（緇），如孔子之言，有堅白之行者，可以入之。君子之行，軟而易汙邪？何以獨不入也？孔子不飲盜泉之水，曾子不入勝母之閭，避惡去汙，不以義恥辱名也。盜泉、勝母有空名，而孔、曾恥之；佛肸有惡實，而子欲往。不飲盜泉，是；則欲對佛肸，非矣！不義而富且貴，於我如浮雲；枉道食篡畔之祿，所謂浮雲者，非也。或權時欲行道也。即權時行道，子路難之，當云「行道不言食，有權時以行道，無權時以求食。」「吾豈匏瓜也哉，焉能繫而不食？」自比以匏瓜者，言「人當仕而食祿，我非匏瓜繫而不食」，非子路也。孔子之言，不解子路之難。子路難孔子，豈孔子不當仕也哉？當擇善國而入之也。孔子自比匏瓜，孔子欲安仕也。且孔子之言，何其鄙也，何彼仕爲食哉？君子不宜言也，匏瓜繫而不食，亦繫而不仕等也。距子路可云「吾豈匏瓜也哉？繫而不仕也，今吾繫而不食。」孔子之仕，不爲行道，徒求食也。人之仕也，主貪祿也；禮義之言，爲行道也。猶人之娶也，主爲欲也；禮義之言，爲供親也。仕而直言食，娶可直言欲乎？孔子之言，解情而無依違之意，不假義理之名，是則俗人，非君子也。儒者說孔子周流，應聘不濟，閔道不行，失孔子情矣。

公山弗擾以費畔，召。子欲往。子路曰：「末之也己，何必公山氏之之也？」子曰：「夫召我者，而豈徒哉。如用我，吾其爲東周乎。」爲東周，欲行道也。公山、佛肸俱畔者，行道於公山，求食於佛肸，孔子之言，無定趨也。言無定趨，則行無常務矣。周流不用，豈獨有以乎？陽貨欲見之，不見；呼之仕，不仕，何其清也！公山、佛肸召之，欲往，何其濁也！公山弗擾與陽虎俱畔，執季桓子，二人同惡，呼召禮等，獨對公山，不見陽虎，豈公山尚可，陽虎不可乎？子路難公山之召，孔子宜解以尚及佛肸，未甚惡之狀也。

此處所引與《論語・陽貨》原文稍有差異，如「淄」原作「緇」，「如用我」原作「如有用我者」，等等，然於解讀孔子本事無甚大礙。王充剖析了孔子對佛肸、公山弗擾兩次徵召的態度和欲意歸往的動機，指出，孔子一次說是求食，另一次說是行道，言無定趨，其真實用意是出仕求食；只因話言出自君子之口，不便直說，而假借義理之名，文說之曰行道。王充進而還指出，漢儒光從閔道的角度來解說，而掩蓋孔子出仕求食的動機，乖違了孔子的真情，忽視了孔子也是性情中人的基本事實。

關於孔子見南子，〈問孔篇〉云：

> 孔子見南子，子路不悅。子曰：「予所鄙者，天厭之！天厭之！」南子，衛靈公夫人也，聘孔子，子路不說，謂孔子淫亂也。孔子解之曰：「我所爲鄙陋者，天厭殺我。」至誠自誓，不負子路也。問曰：孔子自解，安能解乎？使世人有鄙陋之行，天曾厭殺之，可引以誓；子路聞之，可信以解。今未曾有爲天所厭者也，曰「天厭之」，子路肯信之乎？行事，雷擊殺人，水火燒溺人，壇（墻）屋壓填人，如曰「雷擊殺我，水火燒溺我，墻屋壓填我」，子路頗信之。今引未曾有之禍，以自誓于子路，子路安肯曉解而信之？行事適有臥厭不悟者，謂此爲天所厭邪？案諸臥厭不寤，未皆爲鄙陋也。子路入道雖淺，猶知事之實。事非實，孔子以譬，子路必不解矣。孔子稱曰：「死生有命，富貴在天。」若此者，人之死生，自有長短，不在操行善惡也。成事，顏淵蚤死，孔子謂之短命，由此知短命夭死之人，必有邪行也。子路入道雖淺，聞孔子之言，知生死之實，孔子誓以「予所鄙者，天厭之」，獨不爲子路言「夫子惟命未當死，天安得厭殺之乎？」若此誓，子路以天厭之終不見信。不見信，則孔子自解，終不解也。……孔子爲子路行所疑，不引行事效己不鄙，而云「天厭之」，是與俗人解嫌，引天祝詛，何以異乎？

王充似乎認爲，孔子見南子爲實有之事，而對事件本身未作過多的評述；卻反覆辨析孔子自誓「天厭之」爲虛妄之辭，指出孔子的自解自誓與俗人相類，並無聖明之

處。這就褪去了孔子神聖的靈光，還之以人的本色。

關於孔子拒顏路請車以爲顏淵椁，〈問孔篇〉云：

> 孔子之衛，遇舊館人之喪，入而哭之，出，使子貢脫驂而賻之。子貢曰：「于門人之喪，未有所脫驂；脫驂于舊館，毋乃已重乎？」孔子曰：「予鄉（向）者，入而哭之，遇于一哀而出涕。予惡夫涕之無從也。小子行之。」孔子脫驂以賻舊館者，惡情不副禮也。副情而行禮，情起而恩動，禮情相應，君子行之。顏淵死，子哭之慟。門人曰：「子慟矣！」「吾非斯人之慟而誰爲？」夫慟，哀之至也。哭顏淵慟者，殊之眾徒，哀痛之甚也。死，有棺無椁，顏路請車以爲之椁。孔子不予，爲大夫不可以徒行也。吊舊館，脫驂以賻，惡涕無從；哭顏淵慟，請車不予，使慟無副。豈涕與慟殊，馬與車異邪？于彼則體（禮）情相副，于此則恩義不稱。夫曉孔子爲禮之意，孔子曰：「鯉也死，有棺無椁，吾不徒行以爲之椁。」鯉之恩深于顏淵，鯉死無鍋，大夫之儀，不可徒行也。鯉，子也；顏淵，他姓也。子死且不禮，況其禮他姓之人乎？曰：是蓋孔子實恩之效也。副情于舊館，不稱恩于子，豈以前爲士，後爲大夫哉？如前爲士，士乘二馬；如爲大夫，大夫乘三馬。大夫不可去車徒行，何不截賣兩馬以爲椁，乘其一乎？爲士時乘二馬，截一以賻舊館；今亦何不截其二以副恩，乘一以解不徒行乎？不脫馬以賻舊館，未必亂制；葬子有棺無椁，廢禮傷法。孔子重賻舊人之恩，輕廢葬子之禮，此禮得于他人，制失親子也。然則孔子不駑車以爲鯉椁，何以解于貪官好仕，恐無車而自云？君子殺身以成仁，何難退位以成禮。

孔子脫驂賻舊館人，其事見載於《禮記・檀弓上》。孔子輾轉於衛國，賻舊館人，當在六十八歲回歸魯國之前，而顏淵死於孔子七十一歲時。子貢所云「于門人之喪，未有所脫驂」，要麼不是指顏淵之喪，而指其他弟子之喪；要麼就是後人虛托的臆見。故賻舊館人不可與拒顏路請車以爲顏淵椁相提並論。孔鯉死在顏淵前一年，孔鯉之死，有棺無椁，恐不是因爲孔子的財力不允許，而是禮當如此；孔子拒

顏路請車以爲顏淵椁，主要是不願讓師生之誼超越父子親情，並非貪官好仕。而王充強將諸事牽扯起來，指責孔子不能情禮相副，不能一以貫之，其用意就是要破除漢儒所構擬的孔子聖明的神話。

總之，王充心目中的孔子不同於漢儒所創造的聖人。王充力圖證明，孔子也是一個性情中人，有常人出仕求食的動機，有俗人的言語方式，也會前後行事不一，甚至貪官好仕，情不副禮。一言以蔽之，孔子是本色的人，而絕非天生聖明。參合《論衡》其他篇目的述意，這樣解說孔子，與他「疾虛妄」的著述思想是一致的。王充在一定的程度上，把孔子放回到春秋末期的歷史背景上，指出孔子是諸子之中最卓越者，《論語》是諸子之書，這就將漢儒造作的聖人和經典還原其本來面目。所以，他建言：「夫聖，猶賢也。人之殊者謂之聖，則聖賢差小大之稱，非絕殊之名也。」「聖賢之實同而名號殊，未必才相懸絕，智相兼倍也。」「聖賢之號，仁智共之。」「宰予曰：『以予觀夫子，賢于堯舜遠矣！』孔子聖，宜言聖于堯舜：而言賢者，聖賢相出入，故其名稱相貿易也。」❻

四、賢聖之間

除孔安國和王充之外，兩漢及魏晉時期的儒學家對《論語》本文和孔子作聖遞有傳注。由於多種原因，其傳注文或散佚，或流失。對散佚的《論語》傳注文，清儒頗下了一番工夫，予以輯錄，今有多種輯本行世，可資參考。但輯佚的文本叢殘雜碎，難以求全責備。幸何晏《論語集解》集錄了漢魏諸儒七家的注解文，擇善而從，偶下己意，差叵標志這個時期《論語》傳注之集成。❼只可惜，本文所要討論的孔子生平三事，在《論語集解》中恰好未有何晏的案斷；故何晏《論語集解》

---

❻　參見〈本性〉、〈儒增〉、〈知實〉諸篇。

❼　《論語集解序》云：「安昌侯張禹，本受魯《論》，兼講齊《說》，善者從之，號曰張侯《論》，爲世所貴，包氏、周氏《章句》出焉。古《論》唯博士孔安國爲之訓解，而世不傳，至順帝時，南群太守馬融亦爲之訓說。漢末大司農鄭玄就魯《論》篇章考之齊、古，爲之注。近故司空陳群、太常王肅、博士周烈生皆爲《義》、《說》。前世傳授，師說雖有異同，不爲訓解；中間爲之訓解，至于今，多矣。所見不同，互有得失。今集諸家之善，記其姓名，有不安者，頗爲改易，名曰《論語集解》。」

不適合作爲研討的標本。好在〔梁〕皇侃《論語義疏》的撰述義例彌補了何晏書的缺憾，其《自序》云：「先通何《集》，若江《集》中諸人有可探者，亦附而錄之。其又別有通儒釋，于何《集》無好者，亦引取爲說，以示廣聞也。」❽所以，這裡擇取皇侃《義疏》作爲研討的標本。

　　關於孔子欲應叛臣召，皇侃《義疏》云：

公山不擾者，姓公山，名不擾也。費，季氏采邑也。畔，背叛也。不擾當時爲季氏邑宰，而作亂，與陽虎共執季氏，是背叛于季氏也。既背叛，使人召孔子。孔子欲往應召也。子路見孔子欲往，故己不欣悦也。末，無也。之，適也。己，止也。中之，語助也。下之，亦適也。子路曰：「雖時不我用，若無所適往，則乃當止耳，何必公山氏之適也。」云子曰云云者，孔子答子路所以欲往之意也。徒，空也。言夫欲召我者，豈容無事空然而召我乎？必有以也。云如有云云者，若必不空然而用我時，則我當爲興周道也。魯在東，周在西。云東周者，欲于魯而興周道，故云「吾其爲東周也。」一云，周室東遷洛邑，故曰「東周」。王弼曰：「言如能用我者，不擇地而興周室道也。」

佛肸召者，佛肸使人召于孔子。云子欲往者，孔子欲應召使而往。云子路曰云云者，子路見孔子欲應佛肸之召，故據昔聞孔子之言而諫止之也。……云曰不云云者，孔子既然之，而更廣述我從來所言非一。或云君子不入不善之國，亦云君子入不善之國；故君子入不善之國而不爲害。經爲之設二譬。譬天下至堅之物，磨之不薄；至白之物，染之不黑。……然孔子所以有此二說不同者，或其「不入」，是爲賢人，賢人以下易染，故不許入也。若許入者，是聖人，聖人不爲世俗染累，如至堅至白之物也。子路不欲往，孔子欲往，故具告也。云吾豈云云者，孔子亦爲說：我所以

---

❽　「何《集》」，指何晏的《論語集解》。「江《集》」，指江熙的《論語集解》。據皇侃《論語義疏·自序》，江熙的《論語集解》集錄了晉儒十三家的傳注文，包括衛瓘、繆播、樂肇、郭象、蔡謨、袁宏、江淳、蔡系、李充、孫綽、周壞、范寧、王珉。

一應召之意也，言人非匏，邾瓜繫滯一處，不須飲食而自然生長，乃得不用，何通乎？而我是須食之人，自應東西求見，豈得如匏瓜繫而不食耶？一通云：匏瓜，星名也。言人有才智，宜佐時理務，爲人所用，豈得如匏瓜繫天而不可食耶？

前一則義疏，皇侃肯定孔子欲應公山氏之召有興周道於東方的動機；後一則，皇侃亦承認孔子應佛肸之召有求食的動機。但皇侃又指出，孔子是聖人，處染不染，去往叛臣之邑，無傷於孔子的聖明，所以孔子欲應召；子路是賢人，處染易染，不可往叛臣之邑，故子路阻止孔子應召。皇侃於此還引述江熙的注解以資說明：「夫子豈實之公山、佛肸乎？故欲往之意耶，泛示無繫，以觀門人之情。如欲居九夷、乘桴浮于海耳。子路見形而不及道，故聞乘桴而喜，聞之公山而不悅，升堂而未入室，安測聖人之趣哉！」皇侃之意，聖人見道遺形，應道無方，居不擇地，行無掛礙。這樣的訓解，顯然受到魏晉玄學的啓發，暗合玄學應變神化、無心適性的思想。所以他引述玄學家王弼的注解，作出更深遠的闡發：「孔子機發後應，事形乃視，擇地以處身，資教以全度者也，故不入亂人之邦。聖人通遠慮微，應變神化，濁亂不能污其潔，凶惡不能害其性，所以避難不藏身，絕物不以形也。有是言者，言各有所施也。苟不得繫而不食，捨此適彼，相去何若也。」在玄學思想的化解下，孔子師徒之間的答問就轉釋成了聖人與賢者的對話，並在賢聖對話中闡釋聖人之道。

關於孔子見南子，皇侃《義疏》云：

云子見南子者，南子，衛靈公夫人也，淫亂，而孔子入衛欲與之相見也。所以欲相見者，靈公惟婦言是用，孔子欲因南子說靈公，使行正道也。故繆播曰：「應物而不擇者，道也；兼濟而不辭者，聖也。」靈公無道蒸庶，困窮鐘救于夫子。物困不可以不救，理鐘不可以不應。應救之道，必明有路。路由南子，故尼父見之。涅而不緇，則處污不辱；無可無不可，故兼濟而不辭。以道觀之，未有可猜也。云子路不悅者，子路于時隨夫子在衛，見夫子與淫亂婦人相見，故不悅也。繆播曰：「賢者守節，怪之，

宜也。或以亦發孔子之答，以曉眾也。」王弼曰：「案本傳，孔子不得已而見南子，猶文王之拘羑里，蓋天命之窮會也。子路以君子宜防患辱，是以不悦也。」云夫子云云者，矢，誓也。予，我也。否，不也。厭，塞也。子路既不悦，而孔子與之咒誓也。言我見南子，若有不善之事，則天當厭塞我道也。繆播曰：「否，不也。言體聖而不爲聖者之事，天其厭塞此道耶。」王弼曰：「否泰有命，我之所屈不用于世者，乃天命厭之。言非人事所免也。重言之者，所以誓其言也。」蔡謨曰：「矢，陳也。《尚書敍》曰『皋陶矢厥謀也』、《春秋經》曰『公矢魚于某者』是也。夫子爲子路矢陳天命，非誓也。」李充曰：「男女之別，國之大節。聖明義教，正內外者也。而乃廢常違禮，見淫亂之婦人者，必以權道有由而然。子路不悦，同其宜也。夫道消運否，則聖人亦否。故曰『予所否者，天厭之！天厭之！』厭亦否也。明聖人與天地同其否泰耳，豈區區自明于子路而已。」

皇侃綜述繆播、王弼、李充諸家的訓解，也是將孔子與子路區別而言，說孔子是聖人，處污不辱，兼濟而不辭，見淫亂的南子並非無行，而是權道，爲了使衛靈公行正道。子路是賢人，守節患辱，故對孔子見南子頗感不悦。皇侃還引述蔡謨的訓解，改換前儒將「矢」訓爲「誓」的義例，而以「陳」訓之，這樣就轉換了孔子與子路所處的語境，不再是師徒之間的責難與辯解，而成了聖人對賢者陳天命與闡道。

關於孔子拒顏路請車以爲顏淵椁，皇侃《義疏》云：

云顏淵死云云者，顏路，顏淵父也。淵家貧，死無椁。故其父就孔子請車，賣以營椁也。繆協曰：「顏路之家貧，無以備禮。而顏淵之德是稱于聖師，喪予之感痛之愈深，二三子之徒將厚其禮。路卒情而行，恐有未允，而未審制義之輕重；故托請車以求聖教也。」云子云云者，孔子將不以車與之，故先説此以拒之。才，謂顏淵也；不才，謂鯉也。言才與不才，誠當有異，若各本天屬于其父，則同是其子也。云鯉也云云者，既天

屬各深，昔我子死，我自有車，尚不賣之營椁，今汝子死，寧欲請我之車耶？繆協曰：「子雖才，不可貪求備；雖不才，而豐儉亦各有禮，制之由父。故鯉死也，而無椁也。」云吾不云云者，又解所以不爲鯉作椁之由也。徒猶步也，言我不賣車而步行爲子作椁也。云以吾云云者，又解不步行之意休。言大夫位爵已尊，不可步行故也。然實爲大夫，而云從大夫後者，孔子謙也。猶今人爲府國官而云在府末、國末也。江熙曰：「不可徒行，距之辭也。可，則與，故仍脱左驂賻舊館人；不可，則距，故不許路請也。鯉也無椁，將以出之，且塞厚葬也。」

拒絕顏路請車以爲顏淵營椁，本來是孔子遇到的兩難之事。而皇侃將之訓解爲聖師對弟子顏路施行教化，引述繆協的注解，說：顏路未審制義之輕重，故托請車以求聖教；孔子因以曉明，父子親情天屬，父爲子喪葬，豐儉有禮，不可因爲兒子賢才而貪求厚葬。這樣訓解，完全轉換了原來的語境，而成了聖明的孔子與貪昧的顏路之間的一次心靈交流。

　　總的來看，皇侃《義疏》的要義表現爲兩點：一，將孔子從具體的歷史背景和生活情景中抽象出來，強化孔子作爲聖人的符號意義，而淡化了孔子作爲性情中人的生趣、哀痛與困頓；二，改換子路、顏路等門人作爲弟子侍師的角色，而凸顯其賢人的符號意義，因而將孔子生平晦澀的記錄轉換成聖人與賢者的道德心靈交流。這樣的訓解，當然不是皇侃一人發明構建的，它廣泛吸納了漢儒和魏晉儒的傳注，並接受了魏晉玄學思想的激發，而作了某些抽象與提升，因而有集大成的性質和形而上的意味。

五、反本歸正

　　從皇侃《義疏》到邢昺《注疏》之間，隋唐時期還產生了少數幾種《論語》訓解書目，其中賈公彥的《論語疏》較有影響。此書到宋以後湮沒無著。之所以如此，其自身無甚長義，固然是一重原因；更有一重原因是，宋初咸平二年（999）眞宗趙恒詔邢昺改定舊疏，頒列學官，這就是阮元《十三經注疏》所收的通行本《論語注疏》。邢昺《注疏》一旦行世，賈公彥《疏》的影響就式微了。

關於邢昺《注疏》的著述精神，前人有一些議論，於茲需要辨析。晁公武《郡齋讀書志》稱，邢昺《注疏》因皇侃《義疏》所採諸儒之說，刊定而成。這是指形昺《注疏》的學術史地位，說它超越賈公彥《疏》，而直承皇侃《義疏》，意見是對的，而猶有未盡者。四庫館臣提要又稱：「今觀其書，大抵剪皇氏之枝蔓，而稍傅以義理，漢學、宋學茲其轉關。是《疏》出而皇《疏》微。」這裡指出邢昺《注疏》對皇侃《義疏》有所改編，是對的；但說邢昺《注疏》傅以義理，成爲漢學與宋學的轉關，則含混不清。考邢昺《注疏》，大凡每一條疏均分兩段：一般前段梳理漢魏古注，依循漢儒的傳注來解說《論語》本文，偶亦引述論析晉以後諸儒的注解，然對晉以後諸儒的意見多持保留態度，或竟至排斥，其旨意是要超絕魏晉玄學和隋唐佛學的影響，修復漢魏古注的理義。這就使《論語》的訓解發生轉向，不是隨玄學之波，逐佛學之流，而是截斷眾流，回復儒學本位，義歸於正；後一段則廣泛引據經籍史志，考實名物制度和孔子本事，即所謂反本。其結果是，不僅澄清了孔子事跡的諸多混亂矛盾之處，而且清除了諸多關於孔子的讖緯、附會與傳聞。反本歸正，這四字差可涵蓋邢昺《注疏》的主要精神。這種品格，可貴的不在於它有多麼深微的義理，而在於它的考實持正的學術態度；所以《中興館閣書目》說：「其書于章句訓詁、名物制度之際，詳矣。」四庫館臣提要補充說：「蓋微言其未造精微也。」由此可知，邢昺《注疏》所傅加的義理，並不是宋儒道學家的義理，而是修復持正的漢儒之傳注義；所謂學術史上的「轉關」地位，也不是指進到了宋儒心性學的深度，而是一種學術思路和方法的轉向，超絕晉唐玄學與佛學的空疏淫邪，藉助漢魏古注，直探孔子本事。

這種反本歸正的學術精神，也體現在邢昺關於孔子三事的注疏中。關於孔子欲應叛臣召，邢昺《注疏》云：

> 此章論孔子欲不避亂而興周道也。子路以爲，君子當去亂就治，今孔子乃欲就亂，故不喜説。……子曰「夫召我者，而豈徒哉？如有用我者，吾其爲東周乎」者，孔子答其欲往之意也。徒，空也。言夫人召我者，豈空然哉？必將用我道也。如有用我道者，我則興周道于東方，其使魯爲周乎。吾是以不擇地而欲往也。

此章亦言孔子欲不擇地而治也。……子路曰「昔者，由也聞諸夫子曰：
『親于其身爲不善者，君子不入也』」者，言君子不入不善之國也。……
子曰「然，有是言也」者，孔子答云，雖有此不入不善之言也。「不曰
『堅乎，磨而不磷』？不曰『白乎，涅而不緇』」者，孔子之意，雖言不
入不善，緣君子見機而作，亦有可入之理，故謂 (爲) 之作譬。……以喻君
子雖居濁亂，濁亂不能污也。「吾豈匏瓜也哉，焉能繫而不食」者，孔子
又爲言其欲往之意也。……吾自食物，當東西南北，不得，如不食之物，
繫滯一處。江熙云：「夫子豈實之公山、佛肸乎？故欲往之意，以示無
繫，以觀門人之意。如欲居九夷、乘桴浮于海耳。子路見形而不及道，故
聞乘桴而喜，聞之公山而不說，升堂而未入室，安得聖人之趣？」

這裡，邢昺依循漢魏古注，並折中晉儒江熙的解說，持正孔子欲往叛臣邑的動機，
突出孔子行道的意義。之後，他又考實本事云：

案：定五年《左傳》曰：「六月，季平子行東野，還，未至，丙甲，卒于
房。陽虎將以璵璠斂。仲梁懷弗與，曰改步改玉。陽虎欲逐之，告公山不
狃。不狃曰：『彼爲君也，子何怨焉。』既葬，桓子行東野，及費。子洩
爲費宰，逆勞于郊，桓子敬之；勞仲梁懷，仲梁懷弗敬。子洩怒，謂陽
虎：『子行之乎？』九月乙亥，陽虎囚季桓子。」是其事也。至八年，又
與陽虎謀殺桓子，陽虎敗而出。至十二年，季氏將墮費，公山不狃、叔孫
輒率費人以襲魯國人，敗諸姑蔑，二子奔齊。

這一番史實的考述，只是提供了一些寬泛的背景資料，而沒有進一步討論孔子應叛
臣召之事；因而顯得前後兩段不相連屬。雖然失之粗率，未造精微，卻也甚爲平
實。

關於孔子見南子，邢昺《注疏》云：

此章孔子屈已求行治道也。子見南子者，南子，衛靈公夫人，淫亂而靈公

惑之。孔子至衛，見此南子，意欲因以說靈公使行治道故也。子路不說
者，子路性剛直，未達孔子之意，以爲君子當義之與比，而孔子乃見淫亂
婦人，故不說樂。夫子矢之者，……言我見南子，所不爲求行治道者，願
天厭棄我。

這一番疏解，基本上是敷衍古注，強調孔子行道之義。接著，邢昺又考述史實，並
折中晉儒的注解，進而解說被孔安國懷疑的「孔子咒誓」之義：

安國以爲，先儒舊說不近人情，故疑其義也。《史記‧孔子世家》：「孔
子至衛，靈公夫人有南子者，使人謂孔子曰：『四方之君子，不辱欲與寡
君爲兄弟者，必見寡小君。寡小君願見。』孔子辭謝，不得已而見之。夫
人在絺帷中。孔子入門，北面稽首。夫人自帷中再拜，環佩玉聲璆然。孔
子曰：『吾鄉（向）爲弗見見之禮答焉。』子路不說。孔子矢之曰：『天厭
之！天厭之！』」是子見南子之事也。樂肇曰：「見南子者，時不獲已。
獲文王之拘羑里也。天厭之者，言我之否屈乃天命所厭也。」蔡謨云：
「矢，陳也。夫子爲子路陳天命。」

這就據實辨明了，孔子見南子是屈於見諸侯小君之禮，不得已而行之，非敢背棄天
命。

關於孔子拒顏路請車以爲顏淵椁，邢昺《注疏》云：

此并三章，記顏回死時孔子之語也。……子曰「才不才，亦各言其子也。
鯉也死，有棺而無椁。吾不徒行以爲之椁」者，此舉親喻疏也。……「以
吾從大夫之後，不可徒行也」者，此言不可賣車作椁之由。……孔子時爲
大夫，言從大夫之後者，謙辭也。

這個解說也是敷衍孔安國的傳注，而並未依循晉唐諸儒的新義。接著，邢昺考辨孔
子本事之情實：

案：《孔子世家》：定公十四年，孔子年五十六，由大司寇攝行相事。魯
受齊女樂，不聽政三日。孔子遂適衛。歷至宋、鄭、陳、蔡、晉、楚，去
魯凡十四歲而反乎魯。然魯終不能用孔子，（孔子）亦不求仕，以哀公十六
年卒，年七十三。今案，顏回少孔子三十歲，三十二而卒，則顏回卒時，
孔子年六十一，方在陳、蔡矣。伯魚年五十，先孔子死，則鯉也死時，孔
子蓋年七十左右，皆非在大夫位時。而此注云「時爲大夫」，未佑有何所
據也？杜預曰：「嘗爲大夫而去，故言後也。」據其年，則顏回先伯魚
卒，而此云……又似伯魚先死者。王肅《家語注》云：「此書久遠，年數
錯誤，未可詳也。或以爲假設之辭也。」

這番考辨，將孔子拒顏路請車以爲顏淵椁的史實否定了，而演繹成未可知者，或假
設之辭。前已考實，顏回享年四十一歲，而非三十二歲。伯魚先顏回死，而非邢昺
所考之相反。因而，邢昺的上述考辨並不準確。但邢昺考據求實的思路和方法是值
得重視的，不可因考述的失實而否認其反本歸正的學術思想之意義。

　　上所述表明，從學術成效上說，邢昺考實孔子本事、上循漢魏古注雖未臻於
渾融精微；而其反本歸正的學術策略，卻在一定程度上修復了孔子的歷史面貌。更
重要的是，他移易了後儒解說聖人孔子的意趣，因而轉移了宋儒注解《論語》的方
向。

六、聖心難測

　　邢昺《疏》在《論語》解釋史上的轉折意義已如上述；而其影響卻更爲深
遠。宋儒就是在邢昺《疏》劃定的反本歸正的方向上，超越兩晉南北朝及隋唐的諸
家注解，而上循漢魏古注。當然，他們並非一味地嗜古，而是企圖在古注的引導
下，尋繹《論語》經文的本義。但是，其所體味的經本義，又與邢昺《疏》有所不
同，不在於典章名物方面，而在於聖人之用心，亦即在道心與人心、理與氣的關係
範疇中，來解說孔子的心機。北宋時期，依循這個思路來解說《論語》的代表學者

有程頤、程顥、邵雍、胡寅、張栻、曾幾、黃祖舜、晁以道、李光祖等。❾他們的成果後來被朱熹採入《論語集注》中。《論語集注》是朱熹《四書集注》之一種。朱熹用平生精力從事《論語集注》等書的編撰，大概經歷了如下的步驟：第一步是收集關於《論語》等書的各種注解，尤重二程及其門徒的解說，反覆篩汰精選，編成《精義》《要義》或《集義》；第二步是從《集義》中選出對闡說理學思想有用的條目，加入《論語集注》中，並因以發揮自己的見解；第三步是作《論語或問》，闡述他著述的義例，回答別人提出的各種問題。故知，朱熹《論語集注》集中表述了宋代理學家解釋《論語》的要義與精髓，四庫館臣提要所云「迨伊洛之說出，而是疏（即邢昺《注疏》）又微」，說的就是這一層意思。因而，選擇朱熹《論語集注》作爲研討的標本。

朱熹《論語集注》的主要精神直觀反映在其著述義例上。講明這些義例，對理解朱子關於孔子三事的注解極爲關鍵。綜述《朱子語類・論語》諸篇所述，《論語集注》的義例大致有四條：

一，從古注，如卷三十三〈雍也篇〉「子見南子章」：「諸先生皆以『矢』爲『陳』，『否』爲否塞之『否』，如此亦有甚意思！且當從古注說：『矢，誓也』」；再如卷四十七〈陽貨篇〉「公山弗擾章」：問：「諸家皆言不爲東周。《集注》卻言『興周道于東方』，何如？」曰：「這是古注如此說」；又如同卷「佛肸召章」：「『焉能繫而不食』，古注是」。

二，增損改易前輩注解之本文，如卷十九〈語孟綱領〉載：問：「《集注》引前輩之說，而增損改易本文，其意如何？」曰：「其說有病，不欲更就下面安注腳。」其例《集注》中比比皆是。

三，理會本心，如〈語孟綱領〉又載：問：「《論語》一書未嘗說一『心』字。至《孟子》，只管拈『人心』字說來說去，曰『推是心』，曰『求放心』，曰『盡心』，曰『赤子之心』，曰『存心』。莫是孔門學者自知理會個心，故不待聖人苦口；到門子時，世變既遠，人才漸漸不如古，故孟子極力與言，要他從個本原

---

❾ 參見《論語集注》的引述文。又參見〔宋〕黎靖德編：〈語孟綱領〉，《朱子語類》（北京：中華書局，1994 年 3 月第一版），卷 19。

處理會否？」曰：「孔門雖不曾說心，然答弟子問仁處，非理會心而何？仁即心也，但當時不說個『心』字耳。此處當自思之，亦未是大疑處。」這是《集注》要義所繫。

四，不可曉處闕疑，其例詳見下文。

此四條義例，也貫穿在《集注》對孔子三事的訓解中。關於孔子欲應叛臣召，朱熹《集注》依循古注立說，疏解文義：

> 弗擾，季氏宰，與陽貨共執桓子。據邑以叛。說，音悅。末，無也。言道既不行，無所往矣，何必公山氏之往乎？豈徒哉，言必用我也。爲東周，言興周道于東方。
>
> 佛肸，晉大夫，趙氏之中牟宰也。子路恐佛肸之浼夫子，故問此以止夫子之行。親，猶自也。不入，不入其黨也。磷，薄也。涅，染皂物。言人之不善，不能浼己。匏，瓠也。匏瓜繫於一處，而不能飲食，人則不如是也。

這番疏解甚是平實，大抵不出漢魏古注。在此基礎上，朱熹《集注》引述程頤、張栻語，提供了理學家的闡釋：

> 程子曰：「聖人以天下無不可有爲之人，亦無不可改過之人，故欲往。然而終不往者，知其必不能改故也。」
>
> 張敬夫曰：「子路昔者之所聞，君子守身之常法；夫子今日之所言，聖人體道之大權也。然夫子因公山、佛肸之召，皆欲往者，以天下無不可變之人，無不可爲之事也。其卒不往者，知其人之終不可變，而事之終不可爲耳。一則生物之仁，一則知人之智也。」

程頤與張栻的述意相類似，然均不甚明瞭，且似乎自相矛盾：既然聖人認定天下無不可變改有爲之人事，孔子爲什麼又認爲公山、佛肸終不可變改呢？不甚明瞭一項，《朱子語類》卷四十七〈陽貨篇〉「佛肸召章」有兩段話，作了進一步解說，

可補其憾。茲摘錄其一：

> （朱熹）曰：「然。但聖人欲往之時，是當他召聖人之時，有這些好意來接聖人。聖人當時亦接他這些好意思，所以欲往。然他這個人終不是好底人，聖人待得重理會過一番，他許多不好又只在，所以終於不可去。如陰雨蔽翳，重結不解。忽然有一處略略開霽，雲收霧斂，這處自是好。」

朱熹於此只是就事論事，意思雖更明瞭些，卻並未彌縫程、張二子解語的自相矛盾處。其實這個矛盾是無法彌縫的，在朱熹看來，癥結就在於聖心不可知曉，不可理會。《朱子語類》同卷「公山弗擾章」就此有充分的說明：

> 聖人胸中自有處置，非可執定本以議之也。
>
> 問：「亦如何能興得周道？」（朱熹）曰：「便是理會不得。」良久，（朱熹）卻曰：「聖人自不可測。」
>
> （朱熹）曰：「聖人做時，須驚動天地。然卒于不往者，亦料其做不得爾。夫子為魯司寇，齊人來婦女樂，夫子便行。以人情論之，夫子何不略說令分曉？卻只默默而去，此亦不可曉處。」
>
> 伯峰問：「夫子欲從公山之召，而曰：『如有用我者，吾其為東周乎！』如何？」（朱熹）曰：「理會不得，便是不可測度處。」
>
> 問：「女樂既歸，三日不朝，夫子自可明言于君相之前，討個分曉然後去，亦未晚。何必忽遽如此？」（朱熹）曰：「此亦難曉。」
>
> （朱熹）又云：「衛靈公最無道，夫子何故戀戀其國，有欲扶持之意？更不可曉。」

如此多的不可曉、不可理會，使人自然聯想起十六字訣中的「道心惟微，人心惟危」。這是宋代理學家體道闡道所特別看重的：惟微惟危正是他們對孔子聖人之心的體悟與描摹。

關於孔子見南子，朱熹《集注》云：

南子，衛靈公之夫人，有淫行。孔子至衛，南子請見，孔子辭謝，不得已而見之。蓋古者，仕于其國，有見其小君之禮，而子路以夫子見此淫亂之人爲辱，故不說。矢，誓也。所，誓辭也。如云所不與崔慶者之類。否，謂不合于禮，不由其道也。厭，棄絕也。聖人道大德全，無可不可，其見惡人，固謂在我有可見之禮，則彼之不善，我何與焉？然此豈子路所能測哉！故重言以誓之，欲其姑信此，而深思以得之也。

訓「矢」爲「誓」援自孔安國古注，其義例已述如上。又，《朱子語類》卷三十三「子見南子章」末尾，朱熹綜述宋儒七家說，指出「諸公避咒誓之稱，故以「矢」訓「陳」耳。若猶未安，且闕以俟他日。」則亦體現了《集注》不可曉處闕疑的義例。云「豈子路所能測哉」、「深思以得之」，則提示了，應當於此體會聖人之用心。至於聖人之心如何，見於《朱子語類》「子見南子章」所述：

> 或問此章。（朱熹）曰：「且依《集注》說。蓋子路性直，見子去見南子，心中以爲不當見，便不說。夫子似乎發咒模樣。夫子大故激得來躁，然夫子卻不當如此。古書如此等曉不得處甚多。」
>
> （朱熹）曰：「大抵後來人講經，只爲要道聖人必不如此，須要委曲遷就，做一個出路，卻不必如此。」
>
> 問：「夫子欲見南子，而子路不說，何發于言辭之間如此之驟？」（朱熹）曰：「這般所在難說。……只怕當時如這般去就，自是時宜。聖人既以爲可見，恐是道理必有合如此。」
>
> 子善云：「此處當看聖人心。聖人之見南子，非爲利祿計，特以禮不可不見。聖人本無私意。」（朱熹）曰：「如此看，也好。」

這也是說，聖人之心不可曉、不可理會。

關於孔子拒顏路請車以爲顏淵椁，朱熹《集注》依循古注所作的疏解，此不煩摘錄。而其引述胡寅的解說，則值得注意：

胡氏曰：孔子遇舊館人之喪，嘗脫驂以賻之矣。今乃不許顏路之請，何耶？葬可以無椁，驂可以脫而復求，大夫不可以徒行，命車不可以與人而鬻諸市也。且爲所識窮乏者得我，而勉強以副其意，豈誠心與直道哉？或者以爲，君子行禮，視吾之有無而已。夫君子之用財，視義之可否，豈獨視有無而已哉？

胡寅指出，聖人孔子施財，重在義之可否，誠心直道，而不勉強副意。對此，朱熹似乎沒有更多的剩義需要解說。只要《朱子語類》卷三十九「顏路請子之車章」記錄了朱熹與門徒的一段譴談，甚有意趣：

鄭問：「顏淵死，孔子既不與之車，若有錢，還亦與之否？」（朱熹）曰：「有錢亦須與之，無害。」

言下之意，施財若不違礙禮義，則但行無妨：這也是爲聖人用心作一注腳。

　　從上可知，朱熹注解《論語》表現出特異的體格，超絕晉唐新注，上循漢魏古注，又多聞闕疑，熔鑄理學，透過孔子遭遇的諸多事件，直探聖人之用心；雖然聖心難測，不可知曉，但聖人之心畢竟洞開了。這不能不說是《論語》解釋史上的一次質變與飛躍。

　　從漢至宋諸階段中，選取有代表意義的五個標本，梳理關於欲應叛臣公山弗擾、佛肸召，見衛靈公夫人南子，拒顏路請車以爲顏淵椁等三事的訓解，發現，後儒的訓解多不得孔子生平本事，亦未探明孔子眞情實感與隱微心機。這樣的狀況，從《論語》本文注解的角度來看，雖不能說沒有參考價值，但乖違本事，畢竟難愜人意；然而，從《論語》解釋史、孔學研究史乃至中國思想文化史的角度來看，乖違本事恰是一種值得關注的現象，它是極好的研究資料，諸如附會、辯白、深諱、剖判、曲解、誤讀乃至譽美之類，無不烙上了各個時代社會思潮、思想文化和心理狀態變遷的印記。孔子生平本事的歷時變形，正是這類繁複深邃而又魅力無窮的學術命題之崢嶸一角。

經 學 研 究 論 叢
第 十 輯 頁183～202
臺灣學生書局 2002 年 3 月

王鳴盛之生平傳略及著述概說

張惠貞*

一、前言

　　王鳴盛為清代漢學吳派之代表人物，其史學著作《十七史商榷》與錢大昕
《二十二史考異》、趙翼《二十二史箚記》，並為乾嘉歷史考據學中重要著作。先
生（以下王鳴盛簡稱先生）研治經學，謹守漢儒治經訓詁考證，闡揚鄭玄精義，考
釋《尚書》，私承吳派惠棟講經義，服膺《尚書》，故撰《尚書後案》專宗鄭玄。
鄭注亡佚者，采馬融、王肅補之，孔傳雖偽，其訓詁猶有傳授，非盡嚮壁虛造，間
亦取焉，故經營二十餘年，自謂存古之功，與惠棟《周易述》相埒。《尚書後案》
成，搜羅旁通經、史、子、集達一百三十餘部之多，蓋治經學於此賅備證佐，實事
求是，俾鄭玄大義炳然昭著。王鳴盛於史學，所撰《十七史商榷》，其博采廣引疏
通考釋，既精且詳，備乾嘉史學一格，於校勘史文，補正訛脫，審事跡之虛實，辨
紀傳之異同，於輿地、職官、典章、名物，每致詳焉。嘗言不喜褒貶人物，議論史
實，以為空言無益，然於《十七史商榷》中，每犯好議論得失，針砭人物，糾舉史
家疏失蹈於武斷之譏，予後人可議之處，即便如此，仍有可采，如珍珠美玉，不免
瑕疵。先生嘗言讀書欲求會通，故自束髮至垂白，未嘗一日輟書。即使晚年目瞽，
得吳興醫鍼之而癒，仍著書如常，其《蛾術編》正是先生晚年困知勉行，積學力行
之代表雜著。其生平傳略如下：

---

* 　張惠貞，臺南師範學院語文教育系副教授。

二、生平傳略

王鳴盛，字鳳喈，一字禮堂，號西莊，晚號西沚❶，清江蘇嘉定（今上海市嘉定縣）人。生於康熙六十一年（1722），卒於嘉慶二年（1797），享年七十六。先生自幼敏慧，四歲隨王父卓人公讀書，日識數百字，縣令馮詠以神童目之。十二歲，習《四書》，才氣浩翰，已有名家風度。十六歲應童子試，縣令黃建中見先生方垂髫，大加賞愛。十七歲，先生補嘉定縣學生（秀才），學使歲科試，屢占第一。二十三歲，鄉試中副榜，才名籍甚，江蘇巡撫陳文肅大受招入紫陽書院肄業，院長歸安吳大綬，常熟王峻皆賞其才。乾隆十二年（西元 1747），先生二十六歲，偕錢竹汀應江寧鄉試，先生以五經中式。乾隆十九年（西元 1754），先生三十三歲，舉進士第二名及第（榜眼），授翰林院編修，公卿爭以禮致之，刑部尚書秦蕙田延先生修《五禮通考》，掌院學士蔣溥亦重其學，邀先生為上客。乾隆二十三年（西元 1758），先生三十七歲，被提升為侍講學士，擔任日講起居注官。次年，奉命充福建鄉試正考官，隨又調任內閣學士兼禮部侍郎。未幾，因先生任福建鄉試主考官時，於途中置妾，被御史揭發，遂降二級，左遷為光祿寺卿。乾隆二十七年（西元 1762），先生四十一歲，平定回部覃恩，誥封三代，賜貂皮、大緞等物。乾隆二十八年（西元 1763），先生四十二歲，因母喪辭官回鄉。除喪後以虛亭先生年高❷，自身又多病，不再做官，遂不赴補。先生自三十三歲為翰林院編修，至四十二歲去職返鄉，為官十年。又自四十二歲起，定居蘇州，不再進出官場，只是治學著述。❸蓋先生里居蘇州三十餘年，日以經史詩文自娛，撰述自期。在此期間，先生完成了經、史、子、詩文集等四部大作，可謂自束髮至垂白，未嘗

---

❶ 錢大昕：〈西沚先生墓誌銘〉，《潛研堂文集》卷 48（上海：上海古籍出版社，1989 年），頁 839 論先生「嘗取杜少陵詩句，以西莊自號，學者稱西莊先生，西莊之名滿海內。頃歲，忽更號西沚，予愕焉，諷使易之，不肯。私謂兒輩曰：『沚者，止也。汝舅其不久乎！』」

❷ 同上註頁 773，王爾達字通侯，號虛亭。虛亭先生有子鳴盛、鳴韶二人。

❸ 先生去職回里後，其生活如同錢竹汀先生在〈西沚先生墓誌銘〉中頁 839 描述云：「性愉素，無玩好之儲，無聲色之奉，宴坐一室，左右圖書，唔哰如寒士。卜居蘇州閶門外，不與當事通謁，亦不與朝貴通音問，唯好汲引後進，一篇一句之工，獎賞不去口，或評選其佳者，刊而行之。」

一日輟書。❹至先生六十八歲，兩目失明，唯右目僅辨三光，閱兩載，得吳興醫鍼之而目疾始瘳，方能再著書如常。❺

　　先生一生大致可分爲兩個時期，以四十二歲休官爲分界點，此爲前期。乾隆二十九年，先生移家蘇州，專治學問，這是後期，重要著作亦完成於此期。在先生的前期生涯裏，無非是舉業與仕宦二個階段。由先生童年入塾開始，至乾隆十九年中進士，爲先生舉業期。至於舉業之不易，先生有「人間榮利非吾事，只合垂名野錄中」之感慨（《西莊始存稿》卷 4，先生之三十初度詩），及招錢舍人大昕詩云：「北燕南楚久離居，今夕西窗話雨初，趙壹徒誇文滿腹，馮諼恒苦出無車，吾求進士未能進，君豈中書不中書，屈指槐黃成左計，澤農相約返犁鋤」（《西沚居士集》卷 16〈癸酉再至京貽錢舍人大昕〉詩）其言外之意，似爲不慕功名，而願爲自然之田翁。

　　先生在三十三歲未仕宦前，常爲生計、功名旅居在外，王門生活皆賴其母朱太淑人辛勤操持，而先生之父親虛亭先生因不善治產，往往盎無斗儲，故先生之家事，唯淑人是賴（見錢大昕：〈虛亭先生墓誌銘〉，《潛研堂文集》，卷 43）。如先生十一歲應童子試，家貧無複襦，朱太淑人一夕手成之，手皆龜裂皸瘃，血濡縷縷，然且晨起提甖汲，不言憊（見〈朱太淑人行述〉，《西莊始存稿》，卷 30）。先生之《西莊始存稿》卷四〈懷鄉〉詩云：

　　　　客舍千山隔，江鄉八口貧，麻鞋長道路，據實度艱辛，

　　　　去雁書難達，東風草又新，何人共饑渴，顧影獨露巾。

又《西莊始存稿》卷四，歲暮赴鄂，〈十二月二十六日辭家〉詩云：

---

❹ 黃文相所編撰之《清王西莊先生鳴盛年譜》（臺北：臺灣商務印書館，1986 年）頁 46 中云：「先生徙家蘇州，寓幽蘭巷，……後又遷洞涇橋，道光蘇州府志四六云，王光祿宅，在洞涇橋，中有頤志堂，鳴盛晚年著書於此。」

❺ 先生之《蛾術編》卷 79，有六十自壽詩論及目疾及《西沚居士集》卷 19 己酉雙瞖辛亥醫針治其右得瘳四首，皆述目瞖得治事。

歲暮遊子歸，我返離庭闈，上堂別二親，肅拜還整衣，弱妻抱稚女，相送臨門扉，無語語先咽，有淚淚暗揮，欲行心自傷，欲留腹苦饑，瘦馬怯上坂，倦鳥懦孤飛，寒天催短景，日淡無晶輝。出門屢回顧，漸覺樹影微，丈夫不得志，去任與願違，萬族各有托，我今將何依。

又《西莊始存稿》卷三十〈朱太淑人行述〉云：

辛酉迄癸酉，鳴盛常客吳門，中間客京師一年，客楚三年，侍親之日無幾也。

從以上的敘述，先生似爲謀生，而有不得已分離之情狀，其辭家詩有欲行心自傷，欲留腹苦饑之嘆。「三十明朝是，覊懷觸緒增，雪中孤客路，篷底隔年燈，攬鬢愁無那，當杯淚不勝，辛盤兒女會，爲話旅人曾。」（〈乾隆十五年除夕泊滸墅〉，《西莊始存稿》，卷4）即是懷鄉也好，或思親也罷，去留之間總在最無奈處，其家境之窘狀可知。而太淑人無兒女戀，恆趣遣先生出遊四方，俾能有所成（〈朱太淑人行述〉，《西莊始存稿》，卷30）。

先生一生最大創傷處，因痘疹而殤子女五人，時先生三十四歲，任翰林院編修之職，遂有哭子女百韻詩。

歷歷想前事，一一可具述，艱辛鞠五兒，十年顧復切，貧家自乳哺，茶苦眞備閱，奈何天不仁，一朝亡也忽，兒亡皆以痘，痘乎爾何物，或云是胎毒，或云是血熱，頗有眾良方，先事能解脫，又聞種痘者，此術盛吳越，嗟我困奔走，荊扉不能閉，無暇爲兒謀，致兒竟凶折，況乃北地居，風土最燥烈，南人不能耐，驟發勢難過，用藥又不慎，誤延醫下劣，守視又不周，誤用奴姦黠，多緣人事乖，豈自天作孽，輾轉屢尋思，錯鑄六州鐵，長男尤可念，岐嶷性聰哲，尚記北來時，去冬歲甲戌，寒天驅就塾，衣短腳無襪，試檢案上書，叢殘壓籤帙，分明口授初，孟氏首篇末（自注云九月十二日事），試看牆上字，模糊賸遺筆，親題嗣章名，擘窠勢豪闊（自注云，

兒自題名，今尚在虎坊寓居壁上）敗屨與破襦，零星互聯綴，不忍重簡點，簡點痛欲絕，噫嘻我早衰，顧影空皮骨，行年三十四，鏡裏見華髮，近復遘多病，婆娑類瘈瘲，驥子詩能誦，哀師秀無匹，庶幾慰窮愁，舊業足貽厥，鬼伯一何狠，徑就懷中奪，彳亍空舍中，懟恨如有失，返魂香不靈，元衣告無術，眼枯淚不乾，泣盡繼以血，兒生極尪弱，囊空缺葆茯，霜嚴未著綿，暑酷或無葛，見客羞蓬頭，垢膩聚蟻蝨，有時炊煙停，淒涼飼鼈鱓，彼哉庸福人，滿眼蘭玉茁，腐儒寒至此，有兒乃長訣，天道本茫茫，茲理誰能詰，多謝故人意（自注云，琴德來殷），遠道寄來札，仙果生美遲，佇待補其闕，我非憂無兒，有兒詎終恝，五雛刅並喪，瞬息忍飄瞥，宦情蟬意薄，嬾縛腰下韍，及此更何歡，行當就耕垡，春蠶絲不盡，蠟淚灰未滅，擲筆黯無言，觀空漫逃佛。（《西莊始存稿》卷 9，〈風疾小愈子女相繼痘殤，悲慘之餘詩以代哭一百韻〉）

詩文讀來，無限心酸悲愴，先生子女五人相繼痘殤，其悲之狀如詩句，「春蠶絲不盡，蠟淚灰未滅」，自此唯恐黯無言，「眼枯淚不乾，泣盡繼以血」，即使先生日後復得子女九人❻，雖可稍慰心懷，但憶亡兒，仍倍覺傷情。因此先生在試院雜述詩中所注，其文字切切，悲情表露無遺。「予癸酉多入京，客況牢落之甚，甲戌家口北來，歲除婦臥病，呻吟相對，乙亥冬，殤子五人，三度除夕，皆情緒甚惡，今歲丙子正月，復得一女，至是除夕，初能啼笑，憶亡兒輩，倍覺傷懷，不禁淚涔涔下也。」（見《西莊始存稿》卷 9）卷十有題名爲〈丁丑除夕〉的憶兒詩云「蠟燈影裏髮鬖鬖，四十明朝只欠三，歲暮日斜時已迫，氣麤言大句猶慚，掌中一顆珠重睹（自注云，今夏六月復得一男），衣上五年塵舊譜（自注云，癸酉至今五度除夕），多事比鄰喧疊鼓，依然節物似江南。」（同上，卷 10）另外先生尚有追念

---

❻ 錢大昕《潛研堂文集》卷 48〈西沚先生墓誌銘〉頁 839 中，述先生夫人「寶山李氏，子三人，嗣構，候選州同，嗣穋、嗣疇，皆學生。女六人，婿姚箖、嚴曜霄、黃恩長、顧亦案、宋豫芳、吳振錡。」黃文相所編纂之先生年譜頁 35，述及先生子女生者九，死者六，共十五人矣。《西沚居士集》卷 19 有哭嗣塈詩，則嗣塈亦早殤。

長男嗣章之詩句，充分表現出只痛巢傾失我巢，殘夢猶覺耳邊喚阿爺之斷腸聲，徒恨庸醫誤診，悔不該遽遷居相傳大凶之虎昉橋屋，兒果卒於此之怨。❼

　　先生後期生涯從奔母喪起，至嘉慶二年，是爲先生之歸田期，也是先生一生中成就最大的時期。除了卜居蘇州，嘗主講震澤書院❽，并以詩文著述自娛，因此重要著作皆完成於此期。而在人生的歷程上，較能過著恬淡閑適的生活「故山翠色眞堪愛，一臥文園十九年。」（〈六十寫懷詩〉，《西沚居士集》，卷 9）另外，先生在〈七十寫懷詩〉中，也道盡晚年淡然之心情，「餘生誓墓情逾迫，萬卷紬書計始成。視國惟求香稻足，浮家臕有釣船輕。」（見《西沚居士集》，卷 19）

　　先生後期生活裏，在《十七史商榷》刊成後兩年（以下簡稱《商榷》），先生六十八，因患目疾，兩眼失明。在《蛾術編》卷七十九〈自壽詩自賀詩〉條云：「己酉六十八，兩目皆失明，惟右目僅辨三光，辛亥三月有醫鍼治，始復見物」文。《西沚居士集》卷十九，亦有敘述延醫診治詩四首：

　　　　無端銀海有浮雲，一片朦朧盡暗氛，獨眼杜欽聊爾爾，良方張湛漫云云，
　　　　隔垣洞矚誰開予，束炬回昏始遇君，倚賴皇天憐老物，金鎞刮膜策奇勳。

　　　　視之不見強召希，老氏元風或庶幾，三載觀空澄內鏡，一朝破障撤重圍，
　　　　何妨知白黑仍守，終願和光塵不遠，笑向妻孥喜相對，宛從萬里遠游歸。

　　　　考史研經素所營，頻年輟業苦無成，霧霾三里俄都掃，心日雙清兩不盲，
　　　　左氏何曾能再朗，西河未必獲重明，今朝搦管攤書坐，大幸居然在小生。

　　　　選勝探奇興未孤，餘年樂趣仗清矑，電光巖下能還照，屐齒風前詎要扶，
　　　　展卷已誇如月眼，討春儵意數花鬚，畫來捫籥非吾事，愛看青山面面殊。

---

❼　《西莊始存稿》卷 9，頁 6–8，先生追念長男嗣章痛不能已，復成絕句十六首，其中之自注文字更能表現悲愴之嘆。

❽　見《蛾術編》卷 79〈第四橋〉條（揚州：江蘇廣陵古籍刻印社，1992 年）頁 819 云，有晚歲嘗至震澤書院講席十五年，家人或從故云。

先生目瞽，遍訪名醫，閱二載得吳興閔雨峰鍼之而癒，故先生在〈七十寫懷詩〉中，自云：「休嗤一目強名羅，能視差同那律陀，祝我爭稱開瞽樂，看人翻笑兩眸多」之句。

先生之性情，頗為自負，以《商榷》未托人作序，可看出端倪。及先生《商榷》成，在致竹汀書信中提及「海內能讀此書者不過十餘人」（見《昭代名人尺牘》，卷 22）。先生曾在〈自題禮堂寫書圖〉中言及：「十齡操管鬥雄豪」（《西莊始存稿》，卷 6）顯示出先生自幼即有雄志，也說明十齡垂髫已能詩。又如先生〈題慶孝廉璞齋詩卷即送之金陵〉六首之三注云：

> 予昔遊武昌，楚中名士畢集，一客問詩當學唐耶？學宋耶？予曰，皆不足學。客大駭曰，究當誰學。予曰，學我而已！（《西莊始存稿》，卷9）

「學我而已」足見先生頗自負其才。從做學問的次序上言，先生年輕時，已有詩名，一方面從沈德潛學詞章，後又從惠棟問經義，奠定後來經學的根基。先生擅長詩文，于詩：

> 少宗漢魏、盛唐，在都下見錢籜石、蔣心餘輩喜宋詩，往往效之，後悔復操前說。於明季崆峒何大復、李于鱗、王元美、陳臥子及國朝王貽上、朱錫鬯之詩服膺無間，大抵以才輔學，粹然正始之音也。（李元度：〈王西莊先生事略〉，《國朝先正事略》，卷 34）

于文則用歐陽修、曾鞏之法，闡許慎、鄭玄之義。他曾自負地說，仿效王弇州有經、史、子、集四部，這段話可概括先生一生的學術成就，文義雖有自傲，但無疑地，先生的確是乾嘉學術，可做為代表的人物之一。❾

---

❾ 先生之生平傳略參見黃文相所編之《清王西莊先生鳴盛年譜》、錢竹汀《潛研堂文集》卷 48 〈西沚先生墓誌銘〉、《清史列傳‧儒林傳下》卷 68、《清史稿‧儒林二》卷 481、《清儒學案‧小傳》卷 8，及江潘《漢學師承記》記之三，李元度《國朝先正事略‧王西莊先生事略》卷 34。

三、著述概說

先生曾謙言才不及竹汀遠甚❿，然仍自比況明朝王世貞有四部著述。

> 我于經有《尚書後案》，于史有《十七史商榷》，于子有《蛾術編》，于集有詩文，以敵弇州四部，其庶幾乎！（《蛾術編》沈懋德序）

先生雖自謙才學不及竹汀，仍獲得諸方讚賞及肯定，如錢大昕論云：

> 經明史通，詩癖文雄。一編纔出，紙貴吳中。
> 弇山元美，畏壘熙甫，兼而有之，華實相輔。（〈西沚先生墓誌銘〉，《潛研堂文集》，卷48）

又：

> 經傳馬鄭專門古，文溯歐曾客氣馴。（〈西沚光祿輓詩〉，《潛研堂文集詩續集》，卷8）

王昶云：

> 古文案定千秋業，雜著編成百卷垂。（〈聞鳳喈訃〉，《春融堂集》，卷22）

趙翼云：

> 歲在龍蛇識可驚，儒林頓失鄭康成。（〈王西莊光祿輓詩〉，《甌北集》，卷39）

---

❿　參見黃文相所編西莊《年譜》頁 60，乾隆五十三年冬王鳴盛撰〈潛研堂金石文跋尾序〉云：「予曩與竹汀同在燕邸，兩人每得一碑，輒互出以相品騭。及先後歸田，予肆力於史，作《十七史商榷》，於金石未暇別成一書，而竹汀獨兼之，予才固不及竹汀遠甚，竹汀顧欲得予言弁其端者，豈非以其才雖不逮，而意趣則相同也。」

長洲李果客山爲先生《曲臺叢稿》撰序云：

> 嘉定王孝廉鳳喈，以絕異之姿，志在著述，十餘齡，即遍誦五經，泛覽史鑑，逾弱冠，纂次已數百卷，疾梅賾古文之僞，作《尚書從朔》攻之，又取崑山徐氏《讀禮通考》，節舉其要，補成吉軍賓嘉四禮，窺其意，殆不欲以文士自命者。觀其所爲詩，風調高華，詞首迢遠，渢渢乎大雅之遺音，文亦理明詞達，一唯宋元作者爲歸，信能摭其華，含其實，有兼人之材者也。鳳喈居瀕海，雅負高氣，世鮮知者，一旦扁舟過吳門，好古之士，咸奇其才，思出其所藏讀之，鳳喈不肯多出也。（黃文相：西莊《年譜》）

另外沈德潛亦爲先生撰《曲臺叢稿・序》云：

> 己巳夏，予乞身歸里，卿大夫士即有詩寵其行，而嘉定王孝廉鳳喈，贈五言百韻一章，排比錯張，才情繁富，而一歸於有典有則，予心爲重之。既讀其《竹素園詩》，及《日下集》若干卷，知其平日，學可以貫穿經史，識可以論斷古今，才可以包孕餘子，意不在詩，而發而爲詩，宜其無意求工，而不得不工也。

從以上諸論，先生之才學是可肯定的。先生不以文士自命，然無論是治經、考史、詩賦，皆有兼人之長。故經學可比康成，其文情才富亦不亞於元美、熙甫，遂學能貫穿經史，識可以論斷古今。而沈德潛在紫陽書院，編選先生等七人詩，亦足見先生之文才爲詩有大雅之遺音。❶先生自二十四歲起即潛心用功著述，至七十六歲

---

❶ 引自黃文相所編之西莊《年譜》頁23－24沈德潛編選吳中七子詩選，其序文云：「前明弘治時，李獻吉，何仲默結詩社，稱前七子。嘉靖時，王元美、李于鱗，復結詩社亦共得七人，（中有缺字）稱後七子。詩品雖異，指趣略同，豈偶然七子耶，抑慕南皮七子之風，而興起者耶。今吳地詩人，復得七子，曰王鳳喈、吳子企晉、王子琴德、黃子芳亭，趙子升之，錢子曉徵，曹子來殷之七子者，其數相符，而才又足與古人敵，殆踵前後七子之風而興起者

時，終於有了《尚書後案》、《十七史商榷》、《蛾術編》、《西莊始存稿》及
《西沚居士集》等大著，尤以《尚書後案》、《十七史商榷》、《蛾術編》等三部
著作，表現了先生史學思想、學術理念及治學方法。

1.《十七史商榷》一百卷

　　《十七史商榷》是先生在史學方面成就最大的代表作，其撰寫過程，是先生
自四十二歲歸田後，歷經二紀有餘方成之大作。⑫這當中「獨處一室，覃思史
事」，亦「購借善本，再三讎勘」，又參酌大量的材料，取以供佐證，如《商榷》
序文所言：

> 搜羅遍霸雜史，稗官野乘，山經地志，譜牒簿錄，以暨諸子百家，小說筆
> 記，詩文別集，釋老異教，旁及於鐘鼎尊彝之款識，山林冢墓祠廟伽藍碑
> 碣斷闕之文，盡取以供佐證。

先生著作《十七史商榷》除了採用廣泛的材料，參以佐證，還運用了參伍錯綜，比
物連類，互相檢照的方法，以考其典制事蹟之實。因此，《清儒學案》上論先生此
書之特色在於：

也，爰而抄而刻之，爲七子詩選。予年二十餘，從事於詩，時方相尚流易淺熟，粗梗枯竭之
習，類同社諸君子，中立不回，相與廓清摧陷，閱五十餘年，而遠近作者，皆知復古。今諸
君子，漸次零落，而七子繼起，獨能矯尾擴角，騁駕李何王李諸賢，而予以老耄之年，得睹
代興有人，藉以扶大雅之輪也，斯予所報簡而深慶也夫。乾隆十八年癸酉，秋七月望日，長
州沈德潛題於靈岩山居。案七子詩選十四卷，人各二卷，詩都八百首。」頁 32 述菴先生年譜
云，沈德潛所選刊之七子詩選，流傳日本，其大學頭默眞迦，見而嗜之，附書番舶，以上沈
氏，又每人各寄相憶詩一首，一時傳爲藝林佳話。

⑫　《十七史商榷》卷 100〈史通〉條，先生敍述自四十二歲歸田以後，有歷二紀有餘，詩文皆
報不爲，惟以考史爲務。又《商榷序》先生亦言著史，歷二紀以來之文字，並敍述著述之辛
苦：「暗砌蛩吟，曉窗雞唱，細書歐格，夾注跳行。每當目輪火爆，肩山石壓，猶且吮殘墨
而凝神，搦禿毫而忘倦。時復默坐而覬之，緩步而繹之，仰眠床上，而尋其曲折，忽然有
得，躍起書之。鳥入雲，魚縱淵，不足喻其疾也。顧視案上有藜羹一盂，糲飯一盂，于是乎
引飯進羹，登春臺，饗太牢，不足喻其適也。」

校勘本文，補正僞脱，審事蹟之虛實，辨紀傳之異同，於輿地職官典章名物，每致詳焉。（〈王西莊學案〉，《清儒學案》，卷 77）

《十七史商榷》共一百卷，計《史記》六卷，《漢書》二十二卷，《後漢書》十卷，《三國志》四卷，《晉書》十卷，《南史》合宋、齊、梁、陳書十二卷，《北史》合魏、齊、周、隋書共四卷，新、舊《唐書》二十四卷，新、舊《五代史》六卷，外加綴言二卷，所謂十七史，實際上爲十九史。先生把新、舊《唐書》，新、舊《五代史》，分別統言爲唐和五代二史，所以書名稱之爲十七史。至於書名商榷，蓋取《史通》自序，商榷史篇遂盈筐篋之義，又謂商度其麤略也。（《商榷》卷 100，〈史通〉條）後先生知搉字當从手不从木，而思以彌補其失言，故辨之於《蛾術編》三十說字門，「商榷乃史家語，顏師古漢書敍例粗陳指例式存揚権，揚権即商榷意，予《十七史商榷》竊取其義，但諸書皆从木，予前誤引木部，権水上橫木所以渡者，謂初學觀之，不啻涉水得渡，震澤姚元粲云，當以手極是，搉有敲擊意，作権者非其書已行，不及追改，故記于此。」全書體例，按諸史先後順序排列，並分條考述，每條皆有標題，總計爲二千零三條。至於該書主要內容，可分爲三類：一爲史籍文字校勘，二爲史實典制輿地之考證，三爲對史事、人物及史書之評論。

先生擅長于小學、通《說文》，又留意於目錄、金石之學，在史學上完成《十七史商榷》此鉅作，最後把零星考證分爲十類，歸入《蛾術編》中。先生治史是以治經之法考史，多屬校勘，如先生所云：「十七史海虞毛晉汲古閣所刻，問世已久，而從未有全校之一周者」（《商榷·序》），因此先生用了二十餘年的光陰，專心在考史上，凡所考者，皆在簡眉牘尾，字如黑蟻，久之皆滿，無可復容，乃謄於別帙，而寫成淨本，都爲一編。先生在史學上之成就，梁啓超論《十七史商榷》「對於頭緒紛繁之事蹟及制度，爲吾儕絕好的顧問」[13]，李慈銘稱此書爲「史

---

[13] 梁啓超《中國近三百年學術史》十五（臺北：臺灣中華書局，1978 年）頁 292 論清儒通釋諸史最著名者三書，《二十二史考異》一百卷附《三史拾遺》五卷，《十七史商榷》一百卷，《廿二史劄記》三十六卷。王書亦間校釋文句，然所重在典章故實。

事之薈萃，所論兼及《舊唐書》、《舊五代史》仍曰十七史者，併新舊合言之也。援引之博，覈訂之精，議論之名通，皆卓絕千古，尤詳於新、舊《唐書》。」⑭《清儒學案小傳》稱其「考史以事實、制度、名物、地理、官制爲重，而於治亂所關、賢奸之辨及學術遞變多心得焉。」⑮以上諸論完全肯定此書之價值，但此書仍存在著一些問題，如先生在文字校勘之疏失，有待重新討論。對史事、人物上之評論，有些失之偏頗，或是考證不確。雖然此書有瑕疵，但先生著力於史實、典制、輿地上作了精詳之考證，這也是本書極有成就的部份，況且先生善於綜合歸納比較分析，明其原委，因此，《十七史商榷》必然有其價值及啓示作用。

2.《尚書後案》三十卷

　　《尚書後案》是先生奠定經學家地位的早期著作，草創於乾隆十年（1745）先生二十四歲，中經三十餘年，至乾隆四十四年（1779），先生五十八歲，《尚書後案》始成。⑯脫稿以後，先生就正於惠棟的親傳弟子江聲，而後成書。⑰《尚書後案》一書與惠棟的《古文尚書考》，主要論點是一致的，皆爲了證實鄭注《尚書》各篇實爲孔壁眞古文，及發揮鄭氏一家之學。如先生就《尚書後案》序中所言：「《尚書後案》，何爲作也，所以發揮鄭氏康成一家之學也。……自安國遞傳至衛宏、賈逵、馬融及鄭氏皆爲之注，王肅亦注之，惟鄭師祖孔學獨得其眞。……予遍觀群書搜羅鄭注，惜已殘闕，聊取馬、王傳疏益之，又作案，以釋鄭義。馬、王傳疏與鄭異者條晰其非，折中於鄭氏。名曰後案者，言最後所存之案也。」錢大昕爲先生所作之墓誌銘中，亦言及先生與惠徵君松崖講經義，知詁訓必以漢儒爲宗。⑱

---

⑭　李慈銘《越縵堂讀書記》三「歷史」（臺北：世界書局，1975 年），頁 418。

⑮　《清儒學案小傳》卷 8 清代傳記叢刊，周駿富輯（臺北：明文書局，1986 年）。

⑯　《尚書後案》三十卷附《尚書後辨》三卷，現收入《通古堂文集》重編本、《皇清經解》第四冊。另外王鳴盛亦有《故尚書辨》二卷，今收存於《青照堂叢書》第三十八、三十九冊。

⑰　《尚書後案》先生自序云：「草創於乙丑，予甫二十有四，成於己亥，五十有八，寢食其中將三紀矣，又就正於有道江聲，乃克成此篇。」

⑱　錢大昕《潛研堂文集》卷 48〈西沚先生墓誌銘〉（上海：上海古籍出版社，1989 年）頁 840云：先生「與惠徵君松崖講經義，知詁訓必以漢儒爲宗。服膺尚書，探索久之，乃信東晉之古文固僞，而馬鄭所注實孔壁之古文也。東晉所獻之太誓固僞，而唐儒所斥爲僞，太誓者實非僞也，古文之眞僞辨，而尚書二十九篇粲然具在，知所從事矣。」

《尚書後案》是先生輯鄭玄注，並酌取馬融、王肅的傳疏，再加上個人意見及引書，凡經、史、子、集四部一百三十一種⓳，可謂援據廣博，對所引之注疏釋文在文字上，加以考辨，正是擇精良之審密態度。因此是書成，足以與閻若璩之《古文疏證》、惠棟之《古文尚書考》三者並列同等地位，故後世談《尚書》，「不宗鄭則已，宗鄭氏，則先生闡古文之僞，闡康成之微，援據博，而別擇精，遠出孔穎達《正義》之上，千載而下，非先生是歸而誰歸與。」⓴

後案者，言最後所存之案，此語誠見先生對此書實爲得意及自負之狀，如趙翼在輓詩中所稱：「儒林果失鄭康成」、「搜遍漢末遺文碎」（注云，公最精鄭學，見《甌北詩鈔》七言律五，王西莊光祿輓詩），言下之意，直以先生爲康成第二。亦如王昶言，「古文案定千秋業」（〈聞鳳喈訃〉，《春融堂集》，卷 22）即是肯定先生發揚鄭學所作之努力。而《尚書後案》之價值，是在搜輯之功，如同錢大昕所言「鄭注亡逸者采馬、王補之，《孔傳》雖僞，其訓詁猶有傳授，非盡向壁虛造，間亦取焉。經營二十餘年，自謂存古之功，與惠氏《周易述》相埒。」（〈西沚先生墓誌銘〉，《潛研堂文集》，卷 48）而先生亦自言及作《尚書後案》之情況：「古學已亡，後人從群書中所引采集成編，此法始于〔宋〕王應麟、《周易》鄭康成注及《詩考》，昔吾友惠徵士棟仿而行之，采鄭氏《尚書》注，嫁名于王以爲重，予爲補綴，幷補馬融、王肅二家入之後案，幷取一切雜書益之。然逐條下，但采其最在前之書名注于下，以明所出，如此已足。」（〈采集群書引用古學〉，《蛾術編》，卷 2）所謂補綴、補正是先生在《尚書後案》最大之成就，其輯佚之功正是乾嘉漢學之一大特色。

3. 《周禮軍賦說》四卷

乾隆十九年（1754），先生三十三歲，中進士，授翰林院編修。刑部尚書秦蕙田方修《五禮通考》，屬先生分修軍禮，後先生自編爲《周禮軍賦說》四卷，現收入《皇清經解》卷四百三十五至四百三十八。

⓳　參見《皇清經解》卷 404，王光祿尚書後案目錄有尚書後辨附，引西莊先生抄撮群書經史子集共一百三十一部。

⓴　引錄自黃文相所編之西莊《年譜》頁 55，引《溉亭述古錄二》。

此書內容大抵爲考周王畿鄉遂之分，溝洫井田之制，卒伍徒設之法，次及邦國並春秋時魯齊晉之軍制。對於不悉遵周制者，引漢以來至近儒之說詳加考訂，折衷於鄭康成。若與鄭氏有異同者，必辨而正之，以符合鄭氏之旨。先生表彰鄭學可謂不遺餘力，在《尚書後案》序文中，即以表達說經以發揮康成一家之學，在《周禮軍賦說》四卷中，亦是此精神之發揮。先生論「康成所注諸經，尤其精者」。（〈康成注經〉，《商榷》，卷 35）故先生在《商榷》中，善於制度之考察，凡對於周王畿鄉遂之分，溝洫井田之制及卒伍徒設等之考究，每以《周禮軍賦說》互爲參看。

4.《蛾術編》九十五卷

《蛾術編》爲先生晚年之作，大致成於嘉慶二年（1797），先生自謂積三十年之功始完成（《蛾術編》陶澍序言）。迨先生臨終，尚未有定稿，如先生《問字堂集序》言：

> 予作《尚書後案》以明漢儒家法，又爲《十七史商榷》，亦謬爲四方君子所許可。獨《蛾術》一篇，久而未就，繼以雙瞽，自分已成廢疾，幸七十後瞽目復開，方且賈餘勇，以竟殘課。㉑

錢大昕之《潛研堂詩續集》卷八輓先生云：「誰知蛾術編抄畢，不得深寧手自刪」皆說明此書至先生臨終時，尚未定稿。先生之外孫姚承緒《蛾術編》跋云：

> 《蛾術編》九十五卷，外大父西莊先生遺稿也，此書成於晚歲，取平時著述彙爲一編，分說制、說地、說字、說錄、說刻、說人、說集、說物、說通、說系十門。其書囊括經史，牢籠百家，爲先生生平得意之作。

又〈西莊學案〉論云；

㉑　參見黃文相所編西莊《年譜》，頁 68。

　　王氏《蛾術編》蓋仿王深寧、顧亭林之意，而援引尤博贍。（《清儒學案》，
　　卷 77）

江藩稱道：「其書博辨詳明與洪容齋、王深寧不相上下。」（「㈠王鳴盛」，《漢
學師承記》，卷 3）因此《蛾術編》堪同《日知錄》、《困學記聞》及《容齋隨
筆》相提並論。《蛾術編》、《尚書後案》、《十七史商榷》是先生三部重要學術
著作，尤其是《蛾術編》為先生晚年取平時著述彙為一編，自稱「是編之成，一生
心力實耗於此，當有知我于異世之後者。」（《蛾術編》姚承緒跋語）亦如陶澍所
稱：「網羅繁富，六藝百氏，旁推交通，靡非洞暢。」（《蛾術編》陶澍原序）由
以上諸語，可知先生經營用力之深。

　　《蛾術編》原有百卷，姚承緒抄本九十五卷，而沈翠嶺僅刻其八十二卷。刊
刻凡例云，〈說刻〉十卷，詳載歷代金石，已見王蘭泉之《金石萃編》，〈說系〉
三卷，備列先世舊聞，已入王氏家譜，所以今之傳本經迬鶴壽勘校，是為八十二
卷。❷此書先生用力之深，可補《商榷》中言之不確或訛誤處，或不及盡改者。
（〈西莊致竹汀書〉，《昭代名人尺牘》，卷 22）如先生在《商榷》卷二十二
〈三蒼以下諸家〉條中言：

　　予別有《蛾術編》分十門，第一門〈說錄〉，全以藝文志為根本，就中
　　《尚書古文》是予專門之業，而小學則尤其切要者，今先摘論之，餘在蛾
　　術，此不具。

此段文字雖然不多，但透露了三個訊息，即是先生治學一以目錄學為基礎，二以經

---

❷ 黃文相所編之西莊《年譜》頁 70 中云，今北平圖書館善本乙庫，藏《蛾術編》抄本九十五
　卷，殆即姚氏抄本。來新夏〈王鳴盛學術述評〉，《南開史學》（1982 年 2 月）頁 50—55
　云，《蛾術編》為先生生平得意之作，但一直待訂未刊。道光元年，王鳴盛的外孫姚承緒從
　王鳴盛的孫子耐軒兄弟傳抄一遍，即九十五卷本，並請兩江總督陶澍審計，希望陶澍運用政
　治影響，飭令本縣能鳩工鐫版，但未獲結果，只由陶澍于道光九年為全書寫序一篇。道光十
　九年春沈懋德始見姚鈔本，即今之傳本。

學爲專攻，三以文字訓詁爲門徑，此說明了先生學術撰著之思想所在。

《蛾術編》內容爲：

　　說錄門：卷一至卷十四，共十四卷。

　　說字門：卷十五至卷三十六，共二十二卷。

　　說地門：卷三十七至卷五十，共十四卷。

　　說人門：卷五十一至卷六十，共十卷。

　　說物門：卷六十一至卷六十二，共二卷。

　　說制門：卷六十三至卷七十四，共十二卷。

　　說集門：卷七十五至卷八十，共六卷。

　　說通門：卷八十一至卷八十二，共二卷。

這其中以〈說錄〉、〈說字〉、〈說地〉、〈說制〉等四門，幾占全書三分之二強，又以〈說字門〉二十二卷，卷數最多，這與先生以經學爲專攻，以文字訓詁爲門徑諸法，息息相關。

　　《蛾術編》就其內容，有以下諸項特色，可提供於後人參考：

　　一、對古籍內容有所評述：在〈說錄門〉中，占有極大比重，對某書之說，或校勘，或內容之探析，先生提出若干看法，對研究古代文籍者，必然助益甚大。

　　二、對地方志書之評論：如卷十二，〈元和郡縣圖志〉、〈江南浙江通志〉、〈八府一州志書〉、〈謂地志不可用古名太迂西域記〉等論，亦發揮先生在歷史地理學上之卓越論見，及重視歷史地理之沿革發展辨析。

　　三、對叢書源流發展之評析：如卷十四〈合刻叢書〉條，說明先生重視叢書之源流發展。

　　四、對歷史人物及史事提出論析：如〈說人門〉、〈說集門〉，表達了先生對人物及史實之識見。

　　五、對文字之考證：如〈說字門〉，共有二十二卷，在全書十門中，卷數最多者，說明先生對文字之重視。

　　《蛾術編》是先生晚年之作，歷經瞽目而復明，仍修訂不輟。趙翼稱先生

《蛾術編》：「重翻插架書，快比故舊逢，生平未定稿，戢戢束萬筒（自注云，時
方排纂《蛾術編》），蠅頭積細碎，牛毛散氄髟，挑燈自排纂，縷縷八紀緵，訂訛
矇奏叟，指迷瞽導童，遂使天下目，障翳盡掃空，……」㉓此詩說明先生在視力困
難下，仍用力甚勤。然此書仍呈現一些缺失，如趙彥修之《蛾術編》序文，雖自稱
「略抒所見，順其篇章，條列于左，或可爲讀光祿書者搜討之助。」此序文可做爲
對《蛾術編》之評論。

　　《蛾術編》是先生對自己生平著述補苴、訂誤之作，即是內容間有失慮處，
如十門中所論互有詳略，尤以〈說錄〉、〈說地〉、〈說字〉、〈說制〉爲詳，而
〈說物〉、〈說通〉，則顯簡略。且〈說人門〉，於漢惟詳於鄭康成，餘不一及，
魏晉南北朝及元朝竟無一人，唐人有六人，宋明各止有一人，恐又是一弊。但作爲
一部雜考性著述，仍具有相當高的學術價值。另外，《商榷》止於宋史，而《蛾術
編》則于卷十一論遼金元史數條，可補《商榷》止于五代史之不足。同時《蛾術
編》還力推鄭學，闡述自己的學術宗旨，並在〈說錄門〉中多次發揚鄭學，肯定康
成爲大儒，「鄭《毛詩箋》既參用《魯詩》，則於他經亦皆會通眾家，不拘一
師。」（〈鄭康成說經會通眾家不拘一師〉，《蛾術篇》，卷 5），「余說經以先
師漢鄭氏爲宗，將考其行蹟作爲年譜，隨所見輒鈔錄，積之既多，乃改分十二目，
各以類次之。」（《蛾術編》卷 58，〈說人門‧鄭康成〉）在〈說人門〉中五
八、五九兩卷專門談論鄭學，考鄭玄之世系、出處、年譜、著述、師友、傳學、軼
事、冢墓、碑碣、後裔、古蹟、品藻等，皆作了專條論述，表彰鄭學可謂不遺餘
力。

5.《西莊始存稿》三十卷
　《西沚居士集》四十卷
　　先生之詩文集，以《西莊始存稿》三十卷及《西沚居士集》四十卷二部爲

㉓　《甌北詩鈔》（臺北：臺灣商務印書館，1968 年）頁 48，甌北云：「春間晤西莊於吳門，因
　　其兩目皆盲，歸作反瞳目篇，祝其再明，詩成尚未寄，秋初接來書，知其疾竟已霍然，能觀
　　書作字，鄙人不禁沾沾自喜，竊攘爲拙詩頌禱之功，再作詩以貽之，西莊當更開笑眼也。」

主。《西莊始存稿》爲先生四十二歲以前所寫詩文。❷前十四卷爲古今詩，共有九百二十七首，後十六卷，爲文有二百十八首，虀爲三十卷，此集刻於乾隆三十年（西元 1765），先生年四十四。此文集包涵了：《耕養集》、《非刪集》、《藏山集》、《涉江集》、《登樓集》、《還山集》、《出山集》、《簪花集》、《望思集》、《知時集》、《閩嶠集》、《虛舟集》、《塞北集》、《書局集》，以上各一卷，爲古今詩。自卷十六始，屬文部分，有序三卷，記二卷，書、論、考合爲一卷，辯一卷，題跋三卷，傳一卷，疏、箚子、表合爲一卷，策問、策合爲一卷，頌、賦爲一卷，墓誌銘一卷，塔銘、行述、像贊、哀辭、祭文合爲一卷，卷末附長短句四十一首，總數爲三十卷。

　　《西沚居士集》爲先生身後所編定，收錄了五、七言古詩、律詩、絕句共一千二百九十七首及賦七篇、樂府三十七首，共二十四卷❷，刊刻於道光三年（西元1823）癸未，刊行距先生卒年已達二十五年。從先生之二部詩文集內容看來，大致可分爲詠史、記遊、寫景、家事、述懷、記事、送行、題畫、朋友唱酬及恭和御製等。其中所收雖有些重複處，但從詩文中，可瞭解先生之生平交友往來及思想概況。

四、結語

　　王鳴盛是一位好學不倦，勤於筆耕，精研經史的學者。早年治經，《尚書後案》爲其經學代表著作，歸田之後轉向考史，以補前代學術未校十七史之空白，爲後人治史開闢一條道路，經過二十多年的勤奮努力，終於寫成一部一百卷的考史巨著《十七史商榷》。甚至在晚年還整理編訂了論證經義、史地、小學、人物、制度、名物等內容爲主的學術筆記《蛾術編》九十五卷。

　　先生爲詩，早年溯源漢魏六朝，宗仰盛唐，中年時風格稍異，乃出入香山、

---

❷　《西莊始存稿》先生自記，「予四十有二，奉母譚南歸，自服闋後所作，別爲晚拙稿。會坊人堅請始存稿刻諸木，勉徇其意付之。」

❷　黃文相所編西莊《年譜》頁 48，《西沚居士集》四十卷，有詩二十四卷，文十六卷，詩有嘉定李氏刻本。

東坡。至晚年風格又一變，爲詩獨愛李義山，謂少陵以後一人。又先生爲古文，紆徐醇厚，用歐陽修、曾鞏之法，闡論許愼、鄭玄之學。（〈西沚先生墓誌銘〉，錢大昕《潛研堂文集》，卷 48）。先生之文才，沈德潛曾言及先生「意不在詩而發爲詩，宜其無意求工而不能不工也」，是對先生之詩文作了極高的評價。❷❻

附王鳴盛著作簡表：

《十七史商榷》	乾隆二十八年（1763）	西莊四十二歲，先生歸田後，始作《十七史商榷》。
	乾隆五十二年（1787）	西莊六十六歲，《十七史商榷》刻成百卷。序及卷一百之綴言史通條，是了解《十七史商榷》之最基本資料。
《尙書後案》	乾隆十年（1745）	西莊二十四歲，始撰《尙書後案》。
	乾隆四十四年（1779）	《尙書後案》三十卷始成，延江聲至家，商訂疑義，始以行世。
	乾隆四十七年（1782）	西莊六十一歲，是年新刻《尙書後案》數十部，寄揚州安定書院。
《周禮軍賦說》	乾隆三十年（1765）	《周禮軍賦說》四卷。
《蛾術編》	乾隆三十二年（1767）	西莊四十六歲，據陶澍序所言，先生自謂積三十年之功始克就《蛾術編》，故而推算大約在此年，先生始作《蛾術編》。
	嘉慶二年（1797）	西莊七十六歲，《蛾術編》成於晚歲，取平時著述彙爲一編，迨先生臨終，尚未有定稿。
	道光二十三年（1843）	距先生仙逝已四十六年，方由迮鶴壽勘校《蛾術編》釐爲八十二卷，始刊刻傳世。
《西莊始存稿》	乾隆十四年（1749）	西莊二十八歲，作《曲臺叢稿》（內有竹素園詩三卷，日下集一卷）後收入《西莊始存稿》三十卷內，是集皆屬四十歲以前之作。

---

❷❻ 乾隆十四年（西元 1749），沈德潛曾爲先生的《曲臺叢稿》撰序，今收入《西沚居士集》，序中：「晚讀其竹素園詩及日下集若干卷，知其平日學可以貫穿經史，識可以論斷古今，才可以包孕餘子，意不在詩而發爲詩，宜其無意求工而不能不工也。」是沈氏對先生詩才的極高評價。

	乾隆三十年 （1765）	西莊四十四歲，刻《西莊始存稿》三十卷，詩九百二十七首，文二百一十八首。
	乾隆四十四年 （1779）	西莊五十八歲，刻《西莊始存稿》三十卷，詩九百二十七首，文二百一十八首。
《西沚居士集》	道光三年 （1823）	《西沚居士集》詩二十四卷，文十六卷，詩有嘉定李氏刻本，爲先生身後所編定，刊行距先生卒年已達二十五年。

參考書目

王鳴盛著　《尙書後案》　皇清經解尙書類彙編　臺北　藝文印書館　1986年

　　　　　《十七史商榷》　景印乾隆丁未洞涇草堂刻本　臺北　廣文書局　1980年

　　　　　《西莊始存稿》　乾隆三十一年精刻本

　　　　　《西沚居士集》　嘉定刻本

　　　　　《蛾術編》　江蘇廣陵古籍刻印社據世楷堂藏本　1992年

錢大昕著　《潛研堂文集》　上海古籍出版社　1989年

黃文相著　《清王西莊先生鳴盛年譜》　臺北　臺灣商務印書館　1986年

梁啓超著　《中國近三百年學術史》　臺北　臺灣中華書局　1978年

李慈銘著　《越縵堂讀書記》　臺北　世界書局　1975年

周駿富輯　《清儒學案小傳》　臺北　明文書局　1986年

趙　翼著　《甌北詩鈔》　臺北　臺灣商務印書館　1968年

來新夏著　〈王鳴盛學術述評〉　《南開史學》第二期　1982年2月　頁39－61

經 學 研 究 論 叢
第 十 輯　頁203～222
臺灣學生書局　2002 年 3 月

九州二儒岡田武彥先生與
荒木見悟先生於宋明理學的詮釋

連清吉*

前言：九州爲日本當代宋明理學的重鎭

　　東京大學雖然有江戶幕府官學以朱子學爲正統的學問傳統，但是明治以迄戰前，以東京大學爲中心的東京學界幾乎成爲政治的附庸。京都大學的中國學是以經學、特別是清朝考證學爲中心。❶東北大學的中國學開啓了近代日本於先秦諸子研究的先聲❷；九州大學的中國學則爲宋明理學的重鎭。

　　九州大學文學院中國哲學史講座（即中國哲學史研究所）於一九二六年五月成立，首任教授是楠本正繼先生。楠本先生爲針尾（今長崎縣）儒者楠本端山、碩水的後人，於東京帝國大學畢業後，留學德國。返國後，應聘九州帝國大學法文學部教授，以德國哲學講授中國思想。其後，繼承以山崎闇齋學派之朱子學爲主的家

---

* 　連清吉，日本長崎大學環境科學部文化環境講座副教授。

❶　坂出祥伸：〈中國哲學研究の回顧と展望——通史を中心として〉，《東西シノロジー事
　　情》（東京：東方書店，1994 年 4 月），頁 17～55。

❷　武內義雄爲狩野直喜、內藤湖南的弟子，雖屬京都大學中國學派，至東北大學提倡先秦諸子
　　的研究，金谷治、町田三郎先生繼承其學，樹立東北大學的秦漢諸子研究於日本中國學界的
　　地位。有關東北大學中國學的情形，參連清吉：〈優遊於中國古代思想史與日本漢學二領域
　　的町田三郎先生〉，《中國文哲研究通訊》3 卷 4 期（1993 年 12 月）。

學，鑽研宋明理學，因而獲得美國洛克斐勒基金會的贊助，蒐羅宋明文集，於九州大學文學院成立宋明思想研究中心，建立九州研究宋明理學的基礎。楠本先生的高弟有岡田武彥、荒木見悟二人。岡田武彥先生（1908－）傳道於九州大學教養部；荒木見悟先生（1917－）則授業於九州大學文學院。岡田武彥先生亦治宋明，於陽明學尤有洞見，而於近年提倡「身體說」。荒木見悟先生博覽宋明文集與佛家經典，故能融通宋明與佛學。岡田武彥先生宏識博通而荒木見悟先生綿密精微，有九州二程子的美稱，並且樹立九州大學的宋明理學研究於戰後日本中國學的地位。

一、岡田武彥先生：
體驗宋明理學而以成就哲學家爲究極

岡田武彥先生於明治四十一年（1908），在兵庫縣白浜村（今姬路市白浜町）出生。昭和六年入學九州帝國大學，九年（1934）自法文學部支那哲學科畢業。二十四年（1949）於其師楠本正繼博士的推薦下，任教九州大學教養部，三十三年（1958）昇任教授，三十五年（1960）獲文學博士，四十年（1966）客座美國哥倫比亞大學，四十七年（1972）退休，獲頒名譽教授。同年也獲頒臺灣中華學術院名譽哲士。岡田武彥先生自九州大學退休後，歷任福岡西南學院大學、長崎活水女子大學教授。又於昭和六十一年（1986）至平成八年（1996）之間，五次探訪王陽明的遺跡，修建王陽明墓地及記念碑。著作有《王陽明と明末の儒學》、《王陽明文集》、《劉念臺文集》、《王陽明（上）》、《王陽明（下）》、《現代の陽明學》、《儒教精神と現代》、《王陽明小傳》、《王陽明紀行——王陽明の遺跡を訪ねて》、《警世の明文　王陽明拔本塞源論——王陽明の萬物一體思想》、《東洋の道》、《續東洋の道》、《楠本端山》、《山崎闇齋》、《貝原益軒》、《林良齋》（以上東京：明德出版社）、《宋明哲學序說》、《宋明藝術序說》（以上東京：文言社）、《江戶期の儒學》、《中國思想における理想と現實》、《宋明哲學の特質》（以上東京：木耳社）、《坐禪と靜坐》（大學教育社）、《東洋のアイデンティティ——中國古代の思想家に學ぶ》（批評社）、《わが半生・儒學者への道》（福岡：思遠會）、《岡田武彥先生語錄》（森山文彥編）等書。編著《陽明學入門》、《幕末維新陽明學者書簡集》、《日本の陽明學

（下）》、《幕末維新朱子學者書簡集》、《朱子の先驅》、《朱子語類》、《陽
明學》、《陽明學大系》、《叢書日本の思想家》（以上東京：明德出版社）、
《和刻影印近世漢籍叢刊》、《和刻朱子語類》、《朝鮮寫本徽州刊本朱子語
類》、《劉子全書及遺編》（以上京都：中文出版社）《楠本端山・碩水全集》
（福岡：葦書房）等。❸

㈠生平不忘師承

　　岡田武彥先生獲頒中華學術院名譽哲士而致辭時，說：「今日最有資格獲得
這個榮譽的不是我；而是我的恩師楠本正繼博士。」錢穆先生在場聞言感嘆楠本正
繼與岡田武彥先生的師弟情深。❹岡田武彥先生之所以如此感念楠本正繼先生，蓋
以楠本正繼先生既爲經師亦爲人師的緣故。當岡田武彥先生徘徊於西洋哲學的思辨
之學的研究或日本自然主義文學的陶冶性情時，選修楠本正繼先生「傳習錄講讀」
的課後，終於豁然開朗，直覺地感受楠本先生的道德學養是其終身之師，而陽明學
之以直觀把握事物本質的傾向，正與自己的性格極爲相合。楠本正繼先生留學德
國，嘗以西洋哲學的思辨方法解析中國思想，其後潛心於崎門朱子學系統的家學而
轉向以「靜坐澄心、知藏復仁」的「體認」探究宋明理學的眞髓。岡田武彥先生早
歲醉心於西洋的論理，進入九州大學以後，由於感悟宋明儒者的學行與自身的境

---

❸　岡田武彥先生的簡歷與著述，參《朋》第二號（福岡：東洋の心を學ぶ會、1999 年 11
　　月）。至於有關岡田武彥先生學問生平的論著則有王孝廉：〈一個儒學家的人生歷程——岡
　　田武彥先生的治學與生平〉，《花落碧巖》（臺北：時報文化出版公司，1986 年 4 月，頁
　　187－207）、岡田武彥：《わが半生・儒學者への道》（東京：文言社，1990 年 11 月）、
　　岡田武彥著・連清吉譯：〈我的生涯與儒教——追求體認之學的歷程〉（臺北：中國文哲研
　　究通信 5 卷 2 期，1996 年 6 月，頁 85－102）、難波征男編：《岡田武彥・張岱年對談　簡
　　素と和合》（福岡：中國書店，1999 年 5 月）、錢明：〈岡田武彥先生的思想與實踐——以
　　王陽明遺跡考察爲中心——〉（《岡田武彥・張岱年對談　簡素と和合》，福岡：中國書
　　店，1999 年 5 月，頁 205－218）、李迺揚：《書海經籌記——半生致力儒學者自述》（臺
　　北：文津出版社）、卞崇道編：《當代日本哲學家》（北京：社會科學文獻出版社）、塘
　　珉：〈學貴體認——岡田武彥先生〉（《原學》第五輯，北京：廣播電硯出版社）等。
❹　岡田武彥：《わが半生・儒學者への道》（東京：文言社，1990 年 11 月），頁 328－329。

遇，領會探究古人的體驗，進而體驗其哲學思想的人生哲學。❺師弟二人學問性格的相得，遂使岡田武彥先生終身感銘楠本正繼先生傳授之恩。

㈡以儒學為己任——體認宋明儒者的學行

　　楠本正繼先生繼承家學，又以西洋哲學的學問方法論、「體認」的思想架構自身的學問方法，《宋明時代儒學思想の研究》即此獨特學問方法的體現。岡田武彥先生繼承楠本先生家學的「體認」之學，領悟「道統在我」之成就儒者的眞義。所謂「道統意識」即是儒學的具體實踐與活用，乃是儒學現代化的課題，也是當代新儒家的存在使命。岡田武彥先生即以儒學傳承的使命為己任。❻岡田武彥先生以為宋明理學是中國思想的結晶，特別是明末動亂之際，儒者體驗時代的感受而產生的思想，則是中國思想開展的究極。要理解宋明的精髓，不但要直探其義理，更非要體認宋明儒者的人生體驗不可，否則只能理解其外在的問題而不能體會其內在的神髓。岡田武彥先生稱此體認儒學的歷程為「內在研究」，進而留意正門歸寂派羅念庵、王塘南和東林派顧憲成、高忠憲、劉念臺的學行。尤其於高忠憲、劉念臺的學問更有會心。岡田武彥先生以為高忠憲、劉念合所主張的「靜坐」是體驗之學的一貫之理，其思想的形成並非在案前思索而成；而是遭逢國家瀕於傾覆之際，心有感受，以其切實經驗而體得的。至於岡田武彥先生所謂「靜坐（心學）－兀坐（身學）－自然」之體認的歷程，即是「內在研究」的體現，也是其學問的究極。❼再者岡田武彥先生於書齋的稱號，由「高眠齋」而「唯是庵」而「斯人舍」而「自然

---

❺ 參岡田武彥：《わが半生・儒學者への道》（東京：文言社，1990 年 11 月）、岡田武彥著・連清吉譯：〈我的生涯與儒教——追求體認之學的歷程〉，《中國文哲研究通訊》5 卷 2 期（1996 年 6 月），頁 85－102。岡田武彥先生說：「夫爲學師易，爲人師難。世多學師而人師少。何者，非學德兼備之人，難爲人師。恩師楠本正繼先生者，人師也。」（森山文彥編：《岡田武彥先生話錄・忘憂記一》，2000 年 5 月）。

❻ 難波征男編：〈岡田武彥と張岱年の人と學問〉，《岡田武彥・張岱年對談　簡素と和合》（福岡：中國書店，1999 年 5 月），頁 14－15。

❼ 岡田武彥著・連清吉譯：〈我的生涯與儒教——追求體認之學的歷程〉，《中國文哲研究通訊》5 卷 2 期（1996 年 6 月），頁 93、98－101。「陽明之拔本塞源論者，知識人之頂門一針也」（森山文彥編：《岡田武彥先生語錄・忘憂記一》，2000 年 5 月）的敘述，亦可窺知岡田先生以宋明思想爲儒家思想之最切要者的旨趣。

齋」的更移，亦可透露其中的機微。首先推崇邵雍所說的「雖貧苦而無礙高眠」，而有超越主義的宗尚。年逾耳順而體悟「一切唯是如此」的眞諦，以爲人生宇宙的根本即在於「唯是」。七十歲以後，以《論語・微子》「吾非斯人之徒與而誰與」的「與斯人之徒」乃是儒家精神的精髓所在。蓋岡田武彥先生以爲宋儒至陽明所流傳之「萬物一體之仁」之萬物一體的思想，乃儒家思想之究極，而孔子所說的「吾非斯人之徒與而誰與」，正是此思想精神之最圓熟的表現。年至九十，大抵順其自然而從心所欲，庶幾到達「我自然」的境界。**❽**

㈢簡素精神——東洋哲學的特質

　　岡田武彥先生之所以由「靜坐」而「兀坐」，是因爲工夫非簡易可行不可，岡田先生以爲「兀坐」比「靜坐」要簡易可行。因此其學問即由「心學」而轉向「身學」。再者東洋學問的開展和西洋不同，東洋是由複雜而歸於素樸簡易，此又是岡田先生主張「兀坐」的原因之一。岡田先生說西洋的學問是往細密複雜而發展；東洋的學問是復歸於素樸簡易。即西洋思想傾向於理性，而作抽象的理論性發展；東洋則傾向於情意，以體驗實踐爲極致。就其究極而言，孔子的思想非由長於思辨的子貢來開展，而由導德性的子思來繼承。佛教哲學雖有法華教學的展開，而歸趨於佛心頓悟的禪宗。朱子學之由窮理居敬而轉趨以居敬爲本，到了明代，主知的朱子學爲主行的陽明學所取代，此皆是中國思想以簡素爲依歸的印證。**❾**

　　所謂「簡素」，一言以蔽之，是簡易素樸，其相反則是繁複華麗。就文化的表現而言，簡素是質樸的文化，就其內在涵義而言，簡素則是洗盡鉛華的本來素樸。因此，所謂「簡素精神」即是以簡易的表現而達到內在精神的昇華充實。即其表現方式愈抑制含蓄，則其內在精神就愈高揚而圓滿充實。就此意義而言，此所謂

---

❽　難波征男編：〈岡田武彥と張岱年の人と學問〉，《岡田武彥・張岱年對談　簡素と和合》（福岡：中國書店，1999 年 5 月），頁 12。又《朋》第二號（福岡：東洋の心を學ぶ會，1999 年 11 月）也有解釋岡田武彥先生書齋命名因由的記載。宋明萬物一體之思想，乃儒家思想之究極，而孔子所謂「吾非斯人之徒與而誰與」爲最圓熟的記述，見森山文彥編：《岡田武彥先生語錄・忘憂記一》，2000 年 5 月。

❾　岡田武彥著・連清吉譯：〈我的生涯與儒教——追求體認之學的歷程〉，《中國文哲研究通訊》5 卷 2 期（1996 年 6 月），頁 101。

的「簡素」，在表現上雖類似原始的簡，就其旨趣而言，則是復歸的簡素。

就中國文學思想而言，重視簡素精神的自覺，是始於宋代。宋代古文家之提倡古文運動，即具有主張簡素精神的意義。至於在文學的表現上，如歐陽修撰述〈醉翁亭記〉，終究去除繁複而以「環滁皆山也」五字描寫滁州的地理形勢，此即是重視簡素的表現。蘇東坡所謂「大凡爲文，當使氣象崢嶸，五色絢爛，漸老漸熟，乃造平澹」（〈書黃子思詩集後〉，《東坡後集》，卷 9），即以簡古淡泊而寓至味。周濂溪作〈拙賦〉，指出處世之拙不僅是以安身，亦有功於教化。換句話說周濂溪旨在排斥以功利爲主而翻弄智巧之功利主義，而推崇儒家遵守道德之理想主義。此守拙斥巧的主張，亦是宋人重視簡素精神的表現。至於陶藝之「無文」和水墨之「留白」則是洗盡華美修飾，以潛藏光彩爲究極的無，表現含藏無限空間的內在精神尤重於物像之具體描繪的藝術精神。此藝術表現即含有簡素精神。

再就中國近世思想史而言，重視居敬存養的朱子學，即有崇尙簡素精神的旨趣，此一思想通過陸象山的心學，而有以知行合一、致良知爲宗，提倡簡易之學的王陽明專擅於明代。此簡易之學的產生，固然是時代風潮之所致，但是也像佛教由華嚴、法華而禪宗的開展一樣，由認知到情意，由複雜到簡素的思想流變，乃是中國思想發展的必然趨勢。❿

（四）以哲學家的成就為究極——由思想體系的思辨之學轉為靈性慧根的體驗領悟

岡田武彥先生說：「余自少時讀書，讀語錄時之感慨深於古人論說，此或本於余之性格。」⓫蓋岡田先生的生命學問在於「追體驗」，即體認實踐儒者的體驗。其以爲思辨窮理之學問的體系性詮釋固然不可偏廢，但是靈動的文化慧命的化成與領悟，則是人之所以爲人的第一緊要工夫。東洋學問，特別是宋明儒學的究極，不在細密分析的哲學史的體系架構，而在追求體認之哲學家的責成。岡田武彥先生說：「第一緊要者，在自得物之本質，故有物心與我心融通之必要。理論者，使人知之之手段而已，故理論如何深遠奧妙，若無自得則了無意義。西洋以理論爲

---

❿ 關於簡素精神的論述，參岡田武彥著・連清吉譯：〈簡素的精神〉，《中國文哲研究通訊》3 卷 1 期（1993 年 3 月），頁 11–21。

⓫ 森山文彥編：《岡田武彥先生語錄・忘憂記一》，（福岡：作者印本，2000 年 5 月）。

先，東洋以自得（實踐）是尚，後者是第一義，前者爲第二義。……吾少時以理論是尚，隨年歲之增長，深感理論之空虛不實。……以西洋人何以不簡明直截表現而百思不解。西洋哲學家康德、海德格等常逞其艱深晦澀之論理，使余有愚鈍之感。若 Blaise Pascal、Michel Eyquem Montaigne 隨筆式之表現方式，則極其直截了當而有使我有親近之感。」⓬岡田先生在五十之前，固不乏思想體系性的學術論著，其後則以體認之學的著述爲主，而七十之後，更以簡素精神爲根底，主張以「語錄」寄寓其人生哲學。昭和五十九年（1984）一月至五月七十六歲，作〈忘憂記一〉，同年五月至昭和六十年（1985）十一月作〈忘憂記二〉，昭和六十三年（1985）一月，八十歲，至平成元年（1989）八月作〈退翁漫草一〉，平成二年（1990）五月至平成五年（1993）十月，八十五歲，作〈退翁漫草二〉，同年六月至平成七年（1995）四月，作〈と共に（與共）哲學〉，同年四月至平成八年（1996）作〈兀坐漫草〉，同年三月至平成十年（1998）十一月，九十歲，作〈夢譚一〉，同年十一月至平成十一年（1999）十一月作〈夢譚二〉同年十一月至平成十二年（2000）一月作〈臥思記〉（以上收錄《岡田武彥先生語錄》），同年一月至今的語錄，則以〈續夢譚〉爲題，陸續編輯刊行，探索岡田武彥先生的語錄，其生命的靈動，思想的圓熟與體悟人生機微的洞見固躍然紙上，而其追求體認儒學的進程，亦歷歷可考。東洋與西洋的分殊別相意識，是岡田武彥先生感受時代，以融通東西思想文化的圓熟智慧，力挽西洋文明是尚之狂瀾，而體現其傳承儒學文化慧命之儒者的眞執。⓭至於體認哲學的追求則是岡田武彥先生人生全幅精神的寫照。岡田武彥先生

⓬　同上註。

⓭　茲列舉其東西思想文化差異的厄言數條於下：

　東洋以無言爲至言，西洋以無言爲無智。

　西洋以理論爲先，東洋以自得（實踐）爲要。

　西洋哲學者説明記述之哲學，東洋哲學者自證心得之哲學。說明記述與自證心得有天壤之差。後者爲第一義。

　西洋哲學躍動，東洋哲學靜寂。西洋哲學之境地少（壯），東洋哲學之境地老（成）。（以上《岡田武彥先生語錄・忘憂記一》）

　分析之學者西洋之長，渾一之學者東洋之長。……西洋之學爲枝葉，東洋之學爲根本。（《同上・忘憂記二》）

說：「萬物皆備于我之境地在靜心之中，……靜心始有人生」，即以天地與我並生，萬物與我同在之道，唯在靜然澄心而與物融合而已。岡田先生又說：「靜坐而丹田呼吸，始者用意行之，從而去之，終而身心如枯木死灰，此兀坐也。……靜坐與兀坐之差，如理事無礙法界觀與事事無礙法界觀之差。前者以理內在於事物，未到超越個個事物之背後尙有形上實在之存在，故止於圓融相即之說。然事事無礙法界觀有個個事物之絕對性與獨立性，且自個個事物相互圓融相即而至個個事物背後之形上實在完全於個個事物內自然消去。靜坐者，心身圓融相即而未能超越背後形上世界之存在。兀坐者，身體存在絕對性與獨立性，形上世界完全於身體中消去。」故「靜坐不若兀坐，蓋有此身而後有心。物之本者人也，人之本者心也，心之本者身也。夫身者萬化之根本而太極也。其身者萬物之根幹而萬化之樞紐也。人人知有此心而不知有此身。孔子曰博文約禮，余謂博文約身。人人有此身，萬古一日。」❹而其究極則在「兀坐亦放下」❺之我自然。由此可以考知岡田武彥先生由靜坐而兀坐，由心學而身學而自然天成之體認哲學的進程。若以圖示，則爲：

靜坐——澄心——理事無礙法界觀 ┐
　　　　　　　　　　　　　　　　├——自然
兀坐——培身——事事無礙法界觀 ┘

即「身者心之根源而生命之命也，故謂之身命，須兀坐以培養身命也。」❻又「余修陽明易簡培根之學至今，終有所感悟。蓋心學之根源在身學，培身之學者，構築

陽明哲學者理情一致，與以理爲唯一之西洋哲學相比，此最具東洋之哲理。西洋哲學者理先情後，朱子學者理情並進，陽明學理情一致。（《同上·退翁漫草一》）

西洋哲學者頭之哲學，東洋哲學者腹之哲學。前者馳騖於外界諸物，後者內藏萬物。

辯證法與復歸，此表示西洋與東洋哲學方法論特色之最明瞭的概念。（《同上·退翁漫草二》）

世界文化圈可大別二，即西洋之以華麗精神爲根本者，以簡素精神爲根本之東洋者也。

西洋哲學者科學，日本哲學者藝術。西洋哲學以認識爲主，日本哲學以感得爲主。

❹　森山文彥編：《岡田武彥先生語錄·忘憂記一》。

❺　《岡田武彥先生語錄·臥思記》。

❻　《同上·と共に（與共）哲學》。

創造新思想之不可缺也」❶的論述，則可彰顯其「靜坐以澄心，兀坐以培身」之人
生哲學的境界，至於其究極則在「兀坐打破，兀坐而超越兀坐，而到無礙自得之
境」❸，即隨萬化流行而「自我創造，自我發展」之「本來性與自然性」❾皆備於
我之超越體得的自在。

至於吾人生存之方式，生命三進程，人我關係三對待，體物三觀，「生」之
三義的启言，即「與物共生之人我共存、反物而生之役物、超物而生之人我共忘」
❿的三種生存方式；生命有「培根、立根、成根」三進程，人我關係則有「以絕對
而制人，泯除人我對立之爲現實主義，超越人我異同而成一體之超越主義，貫徹共
生共存之理想主義」㉑三立場，體物有「大觀、小觀、深觀」之三觀，「大觀則宇
宙在手，小觀則物各付物，深觀則神明內腴」。㉒至於「生」亦有「自生、生他、
生物」三義，「於三義一體處，則是人之本性」。㉓此皆岡田武彦先生洞察人生機
微之生命哲學的精彩所在。

二、荒木見悟先生：
探究儒佛的流變與會通而以哲學史家爲究極

荒木見悟先生於大正六年（1917），在廣島縣佐伯郡廿日市町出生。昭和十
四年（1939）入學龍谷大學，翌年，考入九州大學法文學部，師事楠本正繼，專攻
中國哲學史。昭和十九年（1944）赴任長崎師範學校副教授，二十六年（1951），
應聘福岡學藝大學副教授。三十四年（1959），以《朱子哲學》的論文㉔，獲九州

---

❶　《同上·夢譚一》。

❸　《同上·忘憂記二》。

❾　《同上·臥思記》。

❿　《同上·退翁漫草二》。

㉑　同前註。

㉒　同前註。

㉓　《同上·臥思記》。

㉔　有關荒木見悟先生的著述生平，參《荒木教授退休記念中國哲學史研究論集》（福岡：葦書
　　房，1981 年 12 月）的〈年譜略〉。唯關於荒木先生提出的博士論文，於荒木先生自述的
　　《釋迦堂への道》（福岡：葦書房，1983 年 9 月），頁 172 作「於楠本正繼先生的推薦，以
　　處女作《佛教と儒教》申請學位」，則略有出入。

大學文學博士。三十七年（1962）轉任九州大學文學部副教授，四十三年（1968）昇任教授。五十六年（1981）退休，獲頒名譽教授。著作有《佛教と儒教──中國思想を形成するもの》（東京：平樂寺書店）、《大慧書》（東京：筑摩書房）、《明代思想研究》、《明末宗教思想研究──管東溟の生涯とその思想》（以上東京：創文社出版）、《中國思想史の諸相》、《中國心學の鼓動と佛教》（以上福岡：中國書店）、《陽明學の開展と佛教》、《明清思想論考》、《陽明學の位相》、《新版佛教と儒教》、《憂國烈火禪──禪僧覺浪道盛のたたかい》（以上東京：研文出版）、《佛教と陽明學》（東京：第三文明社）、《朱子‧王陽明》（東京：中央公論社）、《貝原益軒‧室鳩巢》（東京：岩波書店）、《龜井南冥‧昭陽》（東京：明德出版社）、《島田藍泉傳》（東京：ぺりかん社）等。又編修《龜井南冥‧昭陽全集》（福岡：葦書房）、《楠本端山‧碩水全集》等書。[25]

㈠從朱子學到陽明學的展開說明代是心學大放異彩的時代

　　中國近世思想的三大主流是禪學、朱子學、陽明學，而三者的思想則有異同。朱子學與陽明學同以人倫規範爲吾人存在的基本原則；但是禪學主張超越規範，以徹悟爲究極。至於相對於朱子學之以天命爲實理的主張；陽明學與禪學則重視心的自主性。再者，王學右派的學者傾向於朱子學；王學左派則接近於禪學，故三者的思想旨趣雖有差異，亦有會通的所在。唯南宋以來，朱子學的理學思想體系既已圓熟具足，故不易有新的發展，又依附於政治權勢，定於一尊而爲學問的正統，以致朱子學產生墨守僵化的流弊。三百年後，王陽明出而突破中國思想停滯不前的狀況。

　　朱子說理一分殊，理是天理，其主體在實踐道德，以之而爲當下之理的判準，主體即能與理相應。但是陽明以爲心與理不一，心是主體，理是客觀的法則。己心雖不僞，然依據本心而行，卻未必與當下之理相應，故主張捨棄當下之理，以探索本心良知之理，而提出「心即理」的主張。荒木見悟先生說：陽明之所以能超

---

[25] 荒木見悟先生的著作目錄，參荒木見悟先生著‧張文朝譯：〈我的學問觀〉，《中國文哲研究通訊》3 卷 1 期（1993 年 3 月），頁 42－46 的附錄。

越朱子學的理學體系，從吾人存在的原理，重新省察「心體與性體」的問題，主要是以禪學爲其旺盛生命力的源泉。在陽明的時代，禪學雖然逐漸式微，但是超越一定規範而存自由自在的境界中，探求吾人主體根源的禪學傳統，依然存在於思想的底流中。禪宗所謂的「一心生萬法」，乃意味著物與心同時具現，心的主體經常是對應世間的萬般事象而周行。唯禪有理障之說，心不可爲理或規範所形役驅使。至於陽明學的根底則在人倫的關係結構中，發揮其良知的機能。此乃是同爲尊重心之主體的陽明學與禪學的相異之處。

由於陽明開啓的心學興盛一時，促使衰微沈寂的禪宗心學的再興，而陽明心學與禪宗心學的融合亦應運而生，終於造成如戰國諸子百家爭鳴般的，思想家輩出而思想流派也更迭擅場的局面。又三教合一之異質而博綜的理論，也在此際會中產生了，中國學術界乃出現蓬勃活躍的現象。因此，如果說宋代是理學興盛的時代，明代則是心學大放異彩的時代。❷⑥

㈡《佛教與儒教》考竟唐代以迄明代之思想史的內在變遷

歷來中國近世思想的研究，大抵傾向於以朱子學、陽明學爲中心，而忽視儒學以外的佛教和道教。然而在中華民族的歷史發展的過程中，三教是有融合會通的影響關係的。因此，要客觀正確地辨明宋明思想的面貌，非捨棄以儒學爲獨尊的本位主義，而會通三教的思想內涵不可。特別是留意具有高度理論性、深層心理分析探究的佛教與重視人倫道德的儒學二者間對應與交融，是研究宋明思想的重要觀點所在。❷⑦這是荒木見悟先生竭盡平生精力的所在。而《佛教と儒教》則是其代表作。

《佛教と儒教》是由序論、第一章華嚴經的哲學、第二章圓覺經的哲學、第三章朱子的哲學、第四章王陽明的哲學、結語等構成的。序論旨在究明中華民族孕育佛教與儒學思想的根源所在，就「人－世界」存在的本來基底而言，二者並無差

---

❷⑥ 荒木見悟著・連清吉譯：〈宋明思想史概觀〉，《國文天地》8卷5期（1992年12月），頁15—17。

❷⑦ 荒木見悟先生的著作目錄，參荒木見悟先生著・張文朝譯：〈我的學問觀〉（臺北：中央研究院中國文哲研究所《中國文哲研究通訊》3卷1期，1993年3月），頁37。

異，朱子學之所以排斥佛教，主要是爲了護衛自身的思想體系而不得不採取的手段。然而要正確地理解中華思想，非打破學說教條而深入幽微以掌握其全體綜合性民族思想發展進程不可。此思想根源基底的設定，就是「本來性」的探求。

佛教諸宗派中，最直截了當地強調「本來性」的是禪宗。如《永嘉證道歌》所記載的「一超直入如來地，但得本來莫愁末」，禪宗是以本來性之究極爲第一義的。首先與日常性密接結合而發揮「活禪」的是大慧宗杲。大慧禪之所以能普及於士大夫階層的原因是大慧宗杲洞察知識萬能主義的薄弱，而以禪的本來性，主張於「日用隨緣處」，自在地體驗禪悟。荒木見悟先生說大慧禪有「從根源性解決人的意識與社會、文化的困頓；主體性結構的變革優先於具體性制度結構的改善；相應於歷史的現實，保持禪心的靈動；超越常道而責成立地決斷的轉化；雖徹底否定世俗性，又企圖復甦周衍能動的人間世界」等五個特色。雖然朱子批評大慧禪是「寸鐵殺人」（《朱子語類》卷 115），但是面臨南宋社會的危機，根植於本來性的架構和與日常性密接結合，則是大慧禪能吸引時人的所在。換句話說大慧禪並非獨善於人倫之外的冥然兀坐，對於現實社會也不是漠然無視；而是於歷史現實中，根治社會疾毒根源的「活禪」。雖然如此，大慧禪只是因認「總該萬有之一心」，而不具備判斷事物之妥當性的客觀基準。因此宋代新儒家乃指摘禪所謂無分別、無思量世界返照於自然之個個分別思量的價值判斷是曖昧不明的，進而批評大慧禪「現實性－本來性」的思想架構亦有所偏頗。

朱子學的「理」包含著架構本來基底之「所以然之理」和表達個別具象之「所當然之理」的兩層義理。「所以然之理」以其根源的性質而稱之爲「太極」，「太極」又以其無的性質而稱之爲「無極」。「所當然之理」以現實的限定而生，故其行爲基準得以設定，而具有「所以然」所無的安定性。由於相應於「所當然」而規定「理」，故又可稱之爲「定理」。因此「定理」的「定」，既有理的不動性意義，又有規定主體實踐內容的意義。朱子以爲理既周偏實存於萬事萬物，又相應於個別事物之多樣性而顯現，故名之爲「理一分殊」。又以「理一分殊」爲根據，提倡格事物而窮其理的「格物致知論」。格致工夫的成熱，即能開展豁然貫通的境地。然而爲避免格物致知的陳義太高而產生理障的現象，則其主體必須隨時保持「活敬」的工夫，這是規定「理」爲無方所、無定體的原因所在。雖然如此，理的

作用無非是在具體行事的場所，判定正邪善惡，引導實踐主體超越私意而通向共通的理路。換句話說「理」既爲吾人本來存在的依據，又是自然使然地促成實踐，故稱之爲「天理」。

人是通過共通的「理」與客觀對象的結合而訂定實踐的道路，但是在窮理的過程中，由於客觀界事物的多樣性而不免產生背離主體本質的傾向。即由於理「墮在」氣質之中，而產生迷惑。朱子以爲人的心是總合理與氣的主宰，理（性）是純粹的核心，有絕對的權威，其自身無惡化的可能。惡之所以發生，是心對理（性）的背離，即性（理）與情的分離。所謂理氣二元論，就心而言，是性與情的兩層存在；就性而言，則區分爲純粹核心的心與制約於氣質的情。前者可以定義爲「心統性情」；後者則區分爲「本然之性」與「氣質之性」。再就心與性的離合而區別爲「人心」和「道心」，又由於性具有特殊的性格，故有「性即理」之論。

朱子的心性論、善惡論是以區分性情、理氣爲起點，以「理先氣後」樹立理的權威。但是理氣、道器之所以區分，是在「人心道心二者雜於方寸之間，而不知所以治之，則危者愈危，微者愈微，而天理之公卒無以勝乎人之欲之私矣」（《中庸章句‧序》）的危機意識下形成的。如果佛教的危機意識是形成於對所有定準的抗拒；則朱子學的危機意識是探求定準而不得的不安。爲使主體能靈動活絡，則必須有「敬」的工夫，以變化氣質。故荒木見悟先生說：朱子所說的「不知以敬主而欲存心，則不免將一箇之心，把一箇之心」（〈答張敬夫〉，《朱熹集》卷31），雖然是針對佛教打破「敬」字之論而提出的辨駁，其實也是朱子緊密結合「敬」與「天理」的「存在力學」，更是解開朱子實踐論的關鍵鎖鑰。但是敬畏天理的理念，雖是相應於規矩的保證，卻也是朱子理學陷入困境的所在。畢竟其「理一分殊」有著以一理網羅萬物的絕對唯一意義，不但不能以他理取代，也不容許探索體系外之理，就此意義而言，朱子所設定的理，自始即是自成體系的理論架構，並未預攝理之外所可能發生的事態，因此拙於符應歷史的變化與人情的更易。一味固守「性即理」的陳義，徒然僵化理的體系，加劇與歷史現實的乖離而已。突破此以性（理）爲核心之心性論的困境，而提倡新的心性論的是王陽明。

王陽明以爲朱子學的「定理」論停滯不前的根本要因是理與心（生命）的分離。理與心的遊離何以發生，蓋朱子學以「性＝理」爲主體，致使心始終被理所抑

制而失去靈動不居的主宰功能。即使預攝「心統性情」，其實只是以性＝理爲基準，情感順理發用而已。陽明以爲朱子學所謂定理具存於心中之性理論爲不合於事理的虛構，因而主張確實規定理之權限的良知。致良知的首要工夫在於良知的自我充實是否圓足地實行，良知一念是否完全體現其眞誠。就朱子學的立場而言，良知擔負一切道德責任，是對理的反逆；然而以定理抑制心（生命），則定理即是死理。爲避免理的僵化，由理而心的根源性的轉換，是有其歷史現實的必然性的。

　　陽明以良知說爲本而提出的知行合一之說頗受後世學者的非難。如顧憲成以陽明有既說知行合一，卻又隨處分說知與行的矛盾。本來一而二，二而一的知與行，即便「合言、分言、專言、互言」的自在流動，亦無窒礙；但是固執於「合一」而說「彌縫策」，就有破綻了。（《顧端文公遺書·還經錄》第八條）張楊園則批評知行合一之說爲「邪說害人」，強調知行各有獨自的機能，相應於諸般情事而有先後、並進、離合、隱顯的適切順應，而保有其條理、血脈、全體與妙用。（《楊園全集·門人所記》第六條）陽明的知行合一說果眞是採取唯一無二的絕對立場，而無視知行各有獨自機能的荒誕之論？荒木見悟先生以爲不然，畢竟陽明之提出知行合一說，是有其眞意的。荒木先生說：陽明的良知說首先否定設立我物、內外、主客觀對立的前提，反對將實踐主體規定在「求理的境位」，預攝「求者」與「被求者」之間的界線，以把握「人－世界」的詮釋系統。朱子主張「性即理」，以爲相對於純善之性的情，有雜入非本來性存在的可能，因而區別之爲「本然之性」與「氣質之性」。但是陽明以爲「未發之中即良知，無前後內外，而渾然一體也。」（〈答陸原靜書〉，《傳習錄》卷中）即強調良知的當下圓滿性。在此意義上，相對於「性即理」而提出的「心即理」，其意義則在於由性情調和主義轉換成性情未分主義，以加深其主體的性格。至於知行關係的問題，朱子學以理（性）墮在氣質之中的可能，乃將人定位於本來性與現實性乖離的中間位置。當乖離的狀態到達極限時，就有可能產生「只有知而無行」或「只有行而無知」的兩極狀態。但是以「本來性－現實性」一體融合的立場，考察知行關係時，就不像朱子學所預攝的知行分量交錯，區別知行的個別機能；而是知行爲渾然一體的定立。因此，所謂知行合一，不是先有知，又別有行，而後知行合一；是知行剛健不息的創生本體。「知而不行」之知，其知即是無用，「行而不知」之行，其行亦是無用。

又介於其中的種種知行的分量結合，亦是毫無意義的。「一節之知，即全體之知；全體之知，即一節之知；總是一箇本體。」（《傳習錄》卷下）此所謂的「本體」即是「良知」，乃是知行成立的根源。因此陽明說：「知行本體原是如此，今若得宗旨時，即說兩箇亦不妨，亦只是一箇。」（《傳習錄》卷下）以之探究陽明所說「知之眞切篤實處即是行，行之明覺精察處即是知」（〈答人論學書〉，《傳習錄》卷中）的眞意，即不在於以知行爲對象的精實觀察；知的眞切篤實處即是「本來人」（本來性即現實性者）的居處，在「本來人」中，知的限定即是行的限定；行之明覺精察處亦呈「本來人」安身立命的所在，在「本來人」中，行的限定亦是知的限定。這就是陽明的眞意所在。

陽明學被朱子學批評爲脫離事理的空論，其實這是忽視良知說已經深入到社會性存在之人的具體生活一事。陽明學也彼指摘爲與禪學類似，其實翻轉禪之空理爲實理的提出，是中國思想史上獨創性的哲學。由於陽明學拓展思想開放之道，才導致明末思想家輩出，形成百家鳴放，與前賢爭善的局面。❷⑧

㈢辨彰「本來性－現實性」之思想關鍵辭彙而架構中國思想的詮釋系統

朱子學與禪學都說復歸本來性，而且都以本來性爲其論理的基點；而二者的爭辯也在本來性的共通基點上。朱子與陽明都說「去人欲，存天理」；但是二人的論述主旨卻有不同。「心學」是禪學與陽明學的特質所在；然而禪學的心學與陽明學的心學畢竟是有差異的。辨彰禪學與宋明理學之思想關鍵辭彙而架構其詮釋系統，闡發中國近世思想的精髓，是荒木見悟先生的用心所在，而其學問的精彩亦在於此。關於朱子學與神學所述本來性的異同，荒木先生說：一般以爲朱子二分人的本性爲本然之性與氣質之性，其實朱子明白指出支配吾人氣質之性的是人本來純善的本性，朱子所說的「元初本心」就是本然之性。如此說來，朱子學是以「本來性」爲根底的。至於禪宗典籍亦隨處可見「本來」一語，特別是顯示禪之眞義的「本來無一物」一詞更受廣泛使用，因此禪也是以本來性爲基底而展開其宗教的體驗。但是朱子學與禪學雖然都以「本來性」爲根底，其所指卻有不同。朱子學性善

---

❷⑧ 此節的敘述參荒木見悟著・連清吉譯：〈《新版佛教與儒教》的撰述意圖〉（此文爲荒木見悟先生應北京翻譯出版《新版佛教與儒教》一書之託，而撰述的）。

說的根據是《孟子》的四端說和《易經・繫辭傳》的「一陰一陽之謂道，繼之者善
也，成之者性也」。所謂「生生之謂易，是天之所以爲道也，天只是以生爲道，繼
此生理者即是善也」（《二程全書》卷 3），即天地的生成是有一定的秩序，人即
在此秩序中生成的。因此，人的本心即定著於天地生成的天理。天理又有不動的安
定性，所以也稱之爲「定理」。換句話說朱子以爲「理」是天賦於人的心中，是人
存在的保證。因此朱子說：「無是理，則雖有是物，若無是物。蓋物之終始，皆實
理之所爲也。」（《朱子語類》卷 64）即無「理」的話，萬物的存在雖有若無，
此爲不變的常理。由此可知，朱子學的本來性就是天理，就是良善的本性。唯人是
「中間性」的存在，兼有明暗兩面，良善本性的天理是與物體性、身體性的氣質同
時並存的。故朱子常說「理墮在氣質之中」，甚且「氣強理弱」，理的靈動受到氣
質的制約。因此，以窮究事物之理的格物致知爲宗旨的實踐論就產生了。朱子之所
以強調居敬、涵養等實踐的方法，無非是彌補「氣強理弱」之本來性與現實性有裂
縫的手段。再者朱子之所以主張性善說和判別事物是非善惡，其趣旨即在顯現本性
良善的天理或爲氣質所遮覆；其原本是存在的。

　　佛教稱本來性爲菩提，稱現實性爲眾生，是有因果的法則存在。澄觀說：
「眾生智慧，是佛性因，菩提涅槃，是佛性果，然則佛性非因非果。」（《華嚴經
疏》）此所謂的「佛性」即本來性，乃是超越因果的存在。若將佛性界定爲眾生，
則佛性就是眾生；若界定爲菩提，則佛性就是菩提。因此，佛性是超越眾生與菩提
的對立而實存的。換句話說佛性總該眾生與菩提，而有本來性與現實性對比和超越
對比的二重意義存在。亦即就總該萬有的一心＝佛性而言，眾生（煩惱）是與菩提
一體化的，煩惱即菩提，菩提即煩惱，眞妄是一體的。如此，本來之性與氣質之
性，天理與人欲的對立意識就不存在了。朱子學雖說「理墮在氣質之中」；卻象徵
著理的超越性權威性的存在。至於禪的總該萬有的佛性，則意味本來性有二重意
義，超越且絕對的本來性是人先驗性的具有，在此之上，既沒有權威性天理的存
在，也沒有追求天理的必要。朱子學基於「理一分殊」的原則，執著於個個事物之
理的漸進追求，以達到豁然貫通的境界爲究極。但是以渾然一心爲迷悟成否根據的
禪，則以爲細微的分析意識，自始即是挫傷佛性的根本所在而完全否定。就此意義
而言，朱子學的生命是理，禪學的生命是心；朱子學是理學，禪學是心學。

其次關於朱子與陽明於「去人欲，存天理」之論旨的不同，荒木見悟先生說：朱子學的天理是由天命所賦與的先驗性的理；陽明學的天理則是由心的良知認定而產生的理。又朱子學所說的人欲，是背離天理；陽明學則是指致使良知判斷弛緩的行為。由於此一論旨的差異，二者對性的主張即有不同。朱子學主張性善說；陽明學則既說性善，也主張無善無惡。何以陽明兼說性善與無善無惡，此與陽明學的良知說有極大的關連。陽明學的良知有以事物為對象的良知和作為認識依據的良知的兩個意義。即良知對於既成的理或善惡的區別，不是毫無思索的接受，而是以良知的作用，重新作善惡的判斷。就作善惡判斷的層面而言，良知說即是性善說。但是良知亦可不受既成判斷的左右，即解脫傳統與因襲，而自由判斷。就良知保有自由解放的機能而言，良知又可以說無善無惡。陽明之所以兼說性善與無善無惡，或有其時代的感受。蓋當時假借性善之名而偽善橫行，形式禮節的官僚社會惡習滋生，革除此惡習而回歸於真善禮誠的社會，或為陽明熱切渴望的所在。陽明以為若不深入探究人的本心所在，則頹廢社會的更生之道就無從而生。無善無惡即是可能產生達到極善的動力。

至於禪學的心學與陽明學的心學的差異。荒木見悟先生說：一般以為「禪即心」，究極禪的心的根本意義，則是《華嚴經》所說的：「心佛眾生，是三無差別。」此所謂的「心」，澄觀稱之為「總該萬有之一心。」即不是與物相對的心，也不是相對於客觀的主觀，而是主客兼容、內外並包的絕對主體。《大乘起信論》說眾生之心所保有本來的覺悟，叫「本覺」，本覺為煩惱所遮蔽，叫「不覺」。不覺由於本覺的牽動而逐漸覺醒，叫「始覺」，始覺之後，漸積修行，終復歸於本覺。此「本覺－不覺－始覺－本」循環的樞紐，即是絕對主體的佛心。禪宗即強調心的作用昇華，只要能確立本來具有的自覺，就有成佛的可能。

陽明說：「聖人之學即心學」，學問的目的不在於窮理而在盡心。唯陽明並不主張像禪宗所說的理障，而是強調理在心中的絕對性存在，陽明稱此心為良知。良知異於禪的心，而能大分別、大思量，故能不拘束於傳統的「定理」，而創出滿足於己心的理，人即根據此理而行動。客觀界的事物雖有萬般諸相的存在，但是人可以根據良知的感受，衡量事物存在的實態，以自身的價值觀和人際關係，做存在價值的判斷與行論的準據。此「心即理」的主張在佛家的眼下，依然不免有世俗性

的痕跡，但是良知說體現人存在於社會的價值，乃是儒家傳統的歸結。就此意義而言，神學所謂「本來性－現實性」的思想架構是空理，陽明的「本來性－現實性」則是實理。㉙

結語：以體驗身學闡揚儒學傳承的岡田武彥先生和執著於學問思辨與會通的荒木見悟先生

楠本正繼先生於九州開啓日本近代研究宋明理學的先聲，其門下弟子岡田武彥先生和荒木見悟先生各以其生命才情繼承師說，鑽研中國近世的學術思想，樹立九州爲日本當代中國學界研究宋明哲學重鎮的地位，岡田武彥先生和荒木見悟先生的學問有所異同，二人都肯定明末的儒學，岡田武彥先生以爲宋明儒學是中國思想的結晶，特別是明末儒者的體驗哲學是宋明思想的精彩所在。荒木見悟先生以爲明末是中國思想大放異彩而是與先秦諸子相提並論的時代。岡田武彥先生以體認明末儒哲的體驗哲學，提倡身學體驗之說，進而以儒學傳承的闡揚爲其安身立命的所在。早歲雖以西洋哲學的思辨方法爲學問的基底，研究宋明理學，耳順之後，以明末靜坐體驗爲生命學問的根本，進而以坐禪、兀坐的身學說的歷程，由即物窮理轉向體認知行，終以「我自然」爲依歸。歸結岡田武彥先生的生命學問，或許可以說是「性善」而「無善無惡」，以師承淵源與儒學傳承的發揚爲學問的究極，是「性善」；以因是兩行的自然超越而即之也溫的高明，少者懷之的融合親近爲生命的哲學，是「無善無惡」。至於荒木見悟先生則以佛學與儒學的窮究爲職志，既析理中國近世思想史的流變，又辨明佛教與儒教，特別是唐代以來禪學、朱子學、陽明學三者的異同和會通。荒木見悟先生於學問思辨與會通的詮釋，可謂是析理分明而壁壘森嚴。荒木見悟先生的學問性格，或許可以說是唯一絕對之眞善的執著，人生的目的唯著述立說之外無他，數十年如一日的沈潛窮究，乃是荒木見悟先生的寫照。若以朱、王之辨來說，荒木見悟先生的學問是近於朱子學格物窮理的「理學」；岡

㉙　此節的敘述參荒木見悟著・連清吉譯：〈朱子學與大慧宗杲〉，《國際朱子學會議論文集》（臺北：中央研究院中國文哲研究所，1993 年 5 月），頁 795－816；荒木見悟著・連清吉譯：〈陽明學的心學特質〉，《中國文哲研究通訊》2 卷 4 期（1992 年 12 月），頁 1－8。

田武彥先生的生命則是近於陽明學知行體認實踐的「心學」。伊藤仁齋說：「程明道、范仲淹好仁，程伊川、朱子惡不仁」（仁齋日札），意在分別二程子於思想趣旨的不同。程明道根據孟子的「良知良能」說，主張「仁」不是根據經書的載記而作的理性分析的知；而是直接共感天地萬物生生之意的體認。故明道的「識仁」並非開啓朱子學而是陽明學的萌芽。至於伊川則以仁爲「公而以人體之」，以仁爲未發之性，愛爲已發之情，朱子即據此而發展爲心統性情，性爲未發之體，情則是已發之用的論理性體系。又明道說：「器即道，道即器」，伊川則以之爲兩層的存有，朱子即發展伊川之說，主張道有「當然」和「所以然」的兩階意義，而提出其體用論。故明道的學問思想態度是渾一的、直覺的，即伊川則是具有分析性的論理思辨。❸就此思想性格而言，荒木見悟先生的學問是取徑於伊川、朱子的路數；岡田武彥先生的身體說可以說是祖述陽明而遠紹明道的。

---

❸　明道與伊川的思想論述，參島田虔次〈朱子學と陽明學〉（東京：岩波新書，1972 年 2 月），頁 44－60。

經 學 研 究 論 叢
第 十 輯　頁223～310
臺灣學生書局　2002 年 3 月

三代年代學之關鍵：
「今本」《竹書紀年》

倪德衛著＊、邵東方譯＊＊

中譯文序言

　　除了對英文原稿作了少量的修訂外，我在中譯文的 4.3.2 中補加了確定公元前 1040 年（以下簡稱前 XX 年）爲克商年的另一個證據。我在正文的 3.2 和 8.5 部分所提出的理論，對於一般讀者來說可能不易理解。這些理論認爲戰國人對西周自穆王至幽王年表的改動直接導致了「今本」《竹書紀年》的不確年表。爲此，我分別在 3.2，8.3 和 8.5 部分插入了三個圖解，以使我的理論易於理解。我還在附錄四增加了我在 1992 年所撰、但未發表的一段對《國語‧周語》(3.7) 的分析；此段討論試圖說明《國語》中關於周武王伐紂開始時的天象記載乃是前五世紀人的重構。在附錄六，我（按照夏含夷的觀點）將「休盤」從英文稿所定宣王世的前 806 年移到懿王世的前 878 年。此盤的造型、紋飾與共王世器相似，因而它不大可能是遲至宣王世器。如果此器屬於懿王世，就表明厲王（我定其在位期爲前 859/857 － 828 年）在奔彘之前不可能已在位三十七年；然而許多學者迄今還相信厲王奔彘前三十

＊　倪德衛（David Shepherd Nivison），美國史丹福大學東方哲學、宗教與倫理學榮譽退休講座
　　教授。

＊＊　邵東方，美國史丹福大學宗教研究系研究員。

七年說。因此這裡需要採用我所提出的「兩元年」的重要假說，才可以將記有第三十七年的善夫山鼎定為前789年，因為這是唯一可適用的年份。本文的所有分析討論都是建立在這個「兩元年」假說上的。假如這一假說不誤的話，王國維關於月相專名的分析也一定不誤；那麼，除了前1045年和1040年這兩個年份外，其他所有克商年份均為不可靠的了。

倪德衛 2000 年 3 月 22 日

識於美國加利福尼亞州

論點摘要

1. 夏含夷發現，在《竹書紀年》中，一支原來屬於周成王紀譜的竹簡，誤置於周武王紀譜的最後部分。這一發現表明，《竹書紀年》的年表至少早在前四世紀既已存在，它要早於其他任何所知的年表。因此，在試圖重建確切的三代年代時，任何人都必須以此書為起點。

2. 《竹書紀年》所記前1059年的五星聚會之年在前1071年，上推了十二年；其書所記文王在位年為前1113－1062年；而正確的年代應為前1101－1050年。其他年表衹記文王在位五十年。銅器銘文顯示，周王通常在其守喪的第三年行使「登基」（accession），所以文王的年代應為前1101/1099－1050年。這已為文王三十五年（＝前1065年）正月丙子（13）日的月蝕現象所證實，即如《逸周書》第二十三〈小開解〉所載。

3. 守喪期滿間接地表明，周朝始年在前1056年（因為前1058年是五星聚會後的受命之年）。如果穆王元年適逢周建國之百年，則此年應為前956年。此已為銘文的年代所證實（用陰曆的術語來標記近似的月相）。

4. 在假定的《竹書紀年》各王在位年中，周朝第二至第四個王的年代應該是：成王，前 1037/35－1006（2+30）；康王，前 1005/03－978（2+26）；昭王，前 977/75－957（2+19），已為小盂鼎銘文（前 979 年）證實。武王在克商後二年去世，而克商之役發生在前 1040 年清明日，這已為《詩經‧大命篇》的末行詩

所證實。

5. 周公攝政期誤定於成王三十年親政期之前的七年，這就使得克商之年成爲前 1045 年（仍見於現存《竹書紀年》中的其他年份）。從前 1045 年上推二十五年，殷曆的克商之年則是前 1070 年；而如果殷曆中的商朝始年前 1579 年下推二十五年的話，那麼正確的商朝始年便是班大爲所推定的前 1554 年。

6. 班大爲推定舜十四年爲五星會聚發生的前 1953 年，彭瓞鈞推定仲康五年爲日蝕出現的前 1876 年，加上在各王之間的兩年間隔期，這些產生出夏朝倒數第二個王發的完整年代——前 1561－1555 年；因此末代之王桀乃是後人編造出來的。這一年代似乎可爲孔甲在位首日所證實，即前 1577 年 2 月 17 日，＝甲子（01）。所以，王以天干爲名，顯然是由其即位首日爲何天干日所定的。

7. 這項天干的假設已因成功地適用於所有以天干爲名的商王年代而得到證實。對所有商王準確年代的確定包括：(1)對兩個傳統的錯誤進行解釋，即(a)太戊不可能在位長達七十五年；(b)錯將雍己的年代誤排到太戊之前，而不是排到其後。(2)商代甲骨文顯示，武乙的確是死於其在位第三十五年在河渭的一次狩獵中，此年的正確年代爲前 1109 年。

8. 通過對周朝中晚期銅器銘文以及《竹書紀年》所記各王在位年的分析，可以推定自穆王至幽王的周朝各王的準確年代。

附錄摘要

1. 魯國諸公：獻公在位年數應爲二十三年，而非《史記》所記的三十二年；屬公即位之年即周共王「元年」，但這是共王登基之年（"accession year"）（前 915 年）而非其即位之年（"succession year"）（前 917 年）；另外，魯國第一位國君伯禽的在位年在《竹書紀年》中被錯誤地拉長了三年，這便是夏含夷所云那支挪動竹簡的間接後果。

2. 晚商的祀周：關於帝辛東征的七十版或更多版卜辭之年代應定爲前 1077－1076 年，征伐始於前 1077 年 9 月 29 日，時爲一年一度對上甲的翌祭。從這一起點開始，對自前 1120 到 1041 年的所有祀年的首日加以計算，以確定武乙、文武丁和

帝乙的年代。

3. 先周年表：解釋約前 427 至 300 年間對《竹書紀年》年代的不斷修訂，以表明此書從結尾向上推溯至黃帝的年代，都是有系統地與夏代及夏以後的年代相關聯的。（所以，原本《竹書紀年》當起自黃帝。）

4. 對除正確的年份——前 1040 年外的其他克商之年進行了解釋和駁斥：尤其是對劉歆和其他後代學者的「第十三年」說；有一個錯誤的、但卻爲廣泛接受的克商年份是前 1027 年，一般認爲這是根據裴駰所引《竹書紀年》的一段話而來的；可是裴駰並未親見《竹書紀年》原書。

5. 年表，從黃帝到西周：以表格形式概括。

6. 西周金文曆譜和陰曆的月相理論：通過使用「四分月相」說，已推算出五十六件銅器的絕對年代。這一銅器斷代系統將通過圖表加以說明，其中展示了前 1040 年上半年間對周人伐商日程的逐日分析。

7. 《竹書紀年》的竹簡文本：理雅各和其他後代學者爭辯道，《竹書紀年》的文本和年代在 280 年前後竹書發現之後，已遭重新改動，因而《竹書紀年》的年表對於重建古代年代毫無價值。本文擬對他們所持的理由予以分析和辯駁。

8. 魏人的修訂和「今本」：對《竹書紀年》魏國紀年部分（前 4 世紀）中訛誤和空缺處的檢驗表明，「今本」可能是從晉廷學者的一部尚未完成的稿本派生出來的；原書編撰者出於某種政治原因，將惠成王的在位年從前 334－319 年改作前 335－319 年。

現在有充分的理由確定（即便不爲他人接受），「今本」《竹書紀年》幾乎沒有經受實質上的改動，其大部分內容屬於在約前 299 年入墓、並於約 280 年出土的墓本。於是，本篇專論試驗性地將此書視爲前四世紀的一部眞書，並對其紀年系統進行分析，由此試圖重建早期中國的準確年表。這個年表並非《竹書紀年》所涵攝的全部兩千年代，它包含從所謂三代的開端之前，下逮經夏、商、西周等時期所有具有爭議的年代。研究的步驟是利用五星聚會、日月蝕等現象來確定關鍵的絕對年代。《竹書紀年》與這些絕對年代幾乎總是不相一致的。因此，必須解釋《竹書紀年》年代訛誤的由來，而這些解釋將表明，《竹書紀年》的年表乃是後世對原本連續的和系統的修訂之結果。一部眞正的年表是可以通過訂正年代的系統差得到復原的，從而體現出其正確性。

以上綜述了這篇專論擬討論的問題。如果我不是按此討論的話，某些不必要的誤解將難以避免。即使我的結論可以經受得起批評和檢驗，並包含著許多關係到歷史學家的問題，這些結論也不足以構成一部三代的歷史。這篇專論也不可能替代考古發掘的調查；考古工作應當繼續獨立地而生機勃勃地進行。此外，我不認爲我對早期的古文字學史或者政治史具有發言權。重建前 2000 年以來「王位」的準確年表、並將之與天文現象（從日月蝕到太陰月的朔日）相映證，從事這樣一項工作祇需要通過某種社會的實體，以某種方式將年代記存下來而已。這種方式可以僅是無須書寫工具輔助的記憶，而這些統一體也僅爲著名的家族世系（充其量爲鄉野村落的首領而已），祇是因爲他們不斷積累的記憶恰好保存下來。當然，我們應該假定還有更多的東西，但至於還應當假定多少東西，這就有待於更多同道的工作了。

這部專論的研究是建立在其他學者的學術成就之上的，特別是吉德煒、夏含夷、班大爲和彭啟鈞的研究成果。同時，我也極大地受益於島邦男和常玉芝的著作。我個人的貢獻在於，將以上各家的成果加以匯集綜合，並認眞思考其間的內含，再加上我自己的一項發現：君王在位期之始，年表出現二或三年的間斷，這樣的間隔期直接影響到如何確定夏、商以及西周的年代。我相信，對於出現這些間斷的最好解釋就是，即位之王在正式登基行使職能之前必須爲先王守喪。在夏朝，這種間隔期表現爲正式的無王期。到了西周晚期，這種間隔期仍爲計算年份來決定何爲「元年」的禮儀習慣，縱然必須假定還在實行守喪制度。

倪德衛，1999 年 1 月記於美國加利福尼亞州

謹將此文（以及因之而成的待刊專著《〈竹書紀年〉解謎》）獻給我的朋友和同事威爾伯・諾爾（Wilbur Knorr, 1945-1997），藉以悼念「史丹福大學科學史計畫」這位已故的古代經典與哲學教授。

一、基本的假設，吉德煒之原則，與夏含夷之發現

1. 「著史的基本原則就是，當面對彼此互異的不同材料時，除非有足夠的反證，否則較早的文本理當更爲可據。」此語引自吉德煒在 1974 年以〈商朝歷史時期的年代〉爲題發表的一篇演講。對吉氏此說，想必不會有人持有異議。但是假若果眞存在諸多的反證，又應當如何？若不採用最早的史料，就必須判斷其之所以誤。而要對這樣的判斷具有信心，就應能夠解釋其誤是如何產生的，以說明何謂眞實的史料。

1.1 古文獻中關於前 841 年以前的三代之確切年代，彼此記述多有異歧。最早的記載見於「今本」《竹書紀年》。❶此書通常斷爲晚出（宋代或明代）之僞作。但是夏含夷（Edward L. Shaughnessy）（見《哈佛亞洲研究雜誌》，1986 年）的研究表明，此書中有關周武王、成王紀譜的記載是可靠的，它與前 299 年葬入魏國王室墓中的本子一脈相承；不過對此書至少需作一處修正：其中的一條簡文（四十字）誤置於武王末年紀譜內，實際應將此簡歸入成王十五年至十七年的紀譜中。❷夏含夷所發現的那支錯簡正好表明了《竹書紀年》這一部分是眞實可信的；而由這一考證進而可以提出《竹書紀年》全書可信的假說，除非有理由駁倒對《竹書紀年》這一或其他部分可信性已作的論證。（而且，現存「今本」《竹書紀年》的干

---

❶ 關於《竹書紀年》通行本和英譯文，可見理雅各（James Legge）譯：《竹書紀年》（1865年）。

❷ 古代竹簡的長短規格不一。夏含夷依據晉朝欽命整理汲冢所出古書的學者荀勖所作《穆天子傳序》，以爲《穆天子傳》的書寫均爲「一簡四十字」。他進而推定這一書寫格式同樣適用於《竹書紀年》，而且在各王紀譜的每年之間留有空格。夏氏發現，此假說可以解釋他在《竹書紀年》中所碰到的所有問題。在這部專論中，我將不斷地使用這種「假說＋求證」的方法。

支紀年乃是晉朝整理者加上的（見附錄八），他們同時還改晉魏紀年爲周王室紀年。當然這些改動僅爲年代符號方面的變更。）

1.2 然而夏含夷以爲，《竹書紀年》於約 280 年由墓中出土後，當時的整理者對此書的內在年表作了改動。這樣就導致此書在推求準確紀年時不復合用，對於西周推算各王在位年代亦是如此（儘管夏含夷推算出的西周紀年大多正確），更不必說以此推求周諸先王的年代了。比如，他認爲配給穆王在位五十五年可能出自對未知的原有內容之改動（《西周史資料》，以下簡稱《史料》，頁 254）。同時他也確信，他所發現那支錯簡乃是整理出土竹簡學者之有意「改動」（夏含夷 1986 年文；《史料》，頁 241）。可是《竹書紀年》武王十四年記「王有疾」，夏含夷推測武王此疾實屬致命，而且《尙書・金縢》亦提及此事。然而，〈金縢〉則記武王病體卻終得康復，《竹書紀年》也因一條錯簡而使武王在世時間拉長。因此，除非認爲晉朝整理《竹書紀年》的學者爲涉及〈金縢〉而改寫了《紀年》本文，否則就必然會得出這樣的結論，即在《竹書紀年》入墓前，此簡便已誤置於此。支持這一結論的其他理由是：《左傳》內容（據王國維所輯，見《今本竹書紀年疏證》武王15、16 年條下）說明，被移動的簡文所載三年事，實則發生於武王在位時期，所以此簡早已移動，而且在《左傳》成書前這一改動的年代已被人們普遍接受。進而言之，若我們將武王的紀譜以竹簡形式抄錄下來，而且還使之起自晉朝學者所發現的開端處，那麼夏含夷的簡文就已非一支簡文了；因此可知此文顯然是在竹簡被挪動後，重加抄錄而入墓的。

1.3 所以在我看來，考慮到簡文的移置發生在前 299 年或更早的時候，《竹書紀年》的年代幾乎可以肯定是現存最早的編年紀。此外，夏含夷的發現是如此令人印象深刻，以致需要加以驗證。在以下的討論中，我將視「今本」《竹書紀年》全書（除了年代符號上無關緊要的改動外）作戰國時期的文本，其中的在位年和所載年代一如原書入墓前的舊貌。我將實證性地加以分析，盡力通過推定來重建一個假設的眞實上古年代，並盡可能向遠古推求。

1.3.1 正如「夏含夷所發現的錯簡」本身所表明的，《竹書紀年》的年代至少部分有誤。因此在使用時，必須時時保持懷疑（「可信」一詞並不意味著「眞實」）；如果發現某一年代或某一王年有誤，應該必須就此致誤的原因找出可能的

解釋。一般說來，這樣的解釋需要對所謂正確的記載進行相應的推求。對我本人來說，我以此種方式所作的發微索隱通常是有明顯涵義的。然而，更爲顯而易見的東西莫過於那些不存在任何內涵的客觀事物。因此（無論我是如何自信），作爲一系列的論證，我祇希望以下的討論能對他人有所裨益。

　　1.4 謹先提出初步的看法：人們有時假定，戰國編者推算古代紀年的唯一方法，是將歷代王公的在位年數依次相加。然而此說不確。至少從前五世紀中葉起，以十九年爲一「章」、七十六年爲一「蔀」的紀年法便已在使用（見倪德衛 1992 年文），並不時爲編撰《竹書紀年》的年表者所襲用（下文將對此加以說明）。這種章－蔀法也許祇是用來計算上古之年代。《竹書紀年》在各朝年紀後亦皆有總積年數；而且至少就西周部分而言，編者亦瞭解各王公的在位年數，故可以之修正周天子的在位年數。值得指出的是，《竹書紀年》提供了或者表示出完整的魯公世系年表。儘管其中存有訛誤，但經過認眞的分析是可以得到糾正的。這一年表較之《史記‧魯世家》中的年表更爲可信（見附錄一）。在計算西周各王的確切年數時，《竹書紀年》的編者不但掌握了西周滅亡的準確時間（即前 771 年），而且也確信已知周朝的起始之年。他們因而也面臨著如何理順西周各王年數之和與西周總積年不合的問題。

二、克商前之周年代；喪期問題

　　2. 我將先由《竹書紀年》商帝辛三十二年條所記「五星聚於房」考之。按照《竹書紀年》的年代系統，此年爲前 1071 年。五星聚會的天象十分罕見，大約五百年才能發生一次。這樣的天象自然極受重視；因此將此條視作對五星聚會的實錄是合乎情理的。此外，還曾有過一次接近此年份的五星聚會，但是發生於前 1059 年五月，即距此十二年之後，而且聚會亦不在房宿（其處在木星第 10 次，大火，近於天蝎 a），而是在「東井」（第 6 次，鶉首次，居巨蟹星座）。（李約瑟（Joseph Needham）最先將此次聚會與《竹書紀年》所記相聯繫起來（見其 1959 年書，頁 408，注 c），後來又得到班大爲的確認（見《古代中國》第 7 卷，頁 4）。）

　　2.1 何以出現上述的偏誤？部分原因或是緣於對《竹書紀年》將前 1050 年記作克商之年（說見 4.1），並接受了克商時木星居於鶉火次（第 7 次）的說法（參

見附錄四）。但對此次會聚的描述，很可能是魏國占星家利用古老的記載，以兆示其所宗的晉國之振興。木星乃為此次會聚的必要組成部分。木星在房，當前 771 年晉救周於其將亡時，其位於大火中宿。此年距前 1071 年恰為整三百年（25×12年），而在當時人卻（錯誤地）認為木星圍繞黃道每十二年運行一周；由於具有預兆周之興起與昭示晉日後霸業的雙重意義，故此次會聚便必須得聚於房宿，而且必須得發生在前 1071 年。此外，傳統說法以為（或許確有其事），晉的始封君受封之日，木星適在大火。《竹書紀年》也信此為真，並將其始封時間定在前 1035 年（即前 1071 年後的 3×12 年；我認為此絕非偶然，因為這恰為前 335 年魏國國君稱王七百年之前，參見附錄八）。

2.2 但我們可以利用這些誤差：《竹書紀年》將此次會聚推前了十二年。假如用它來作為天命從商轉移到周的徵兆，那末在商代晚期，也許《竹書紀年》中其他一些對周而言的重要事件發生的年份，也同樣存在十二年的周期。《竹書紀年》記滅商前，文王在位期乃前 1113 至前 1062 年，那麼就讓我們試將這五十二年的在位期後移十二年，使之成為前 1101 年至 1050 年。

2.3 文王在位五十二年說在《呂氏春秋》卷六〈季夏紀〉之四「制樂」中就有間接的證明。其文謂文王立國五十一年而終。但是五十一年而非五十二年的說法，實則出於作者對文中「歲六月」的誤解。作者理解其為「在此年的六月」，而非（正確的）「一年後的第六個月」。❸然而文王在位五十二年說與《史記・周本紀》和《尚書・無逸》所載不合，後兩者均記文王在位五十年。兩說其實均不誤。在周朝（也許不袛是周朝）禮制中，天子之正式紀年通常不始自其即位之年，而要從對其父王的受喪期滿之年起計算。我早在十八年前便注意到這一現象（見倪德衛

---

❸ 文王患病（及地震）之事當發生於文王九年；而「今本」《竹書紀年》所記此次地震則見於帝乙三年（六月），即前 1093 年（見 7.6.2，7.7，及附錄二）。《呂氏春秋》記：「周文王立國八年，歲六月，文王寢疾……。」作者此處必是從諸如「文王立國八年」（連同某些相關事件的敘述，以及）「歲六月，文王寢疾」等材料抄湊而成。（除非如此，否則這裡重複「文王」一詞頗不易解。）此段所云八年與文王在位的其餘四十三年相加，故得出在位五十一年的總數。但此「歲」實謂文王九年，而 9+43＝52 年。而且如果文王九年為前 1093 年的話，那麼文王即位之年必為前 1101 年。

1983 年文,頁 524－35),在幾年後又找到了更多的證據(見夏含夷,《史料》,頁 148－155)。自君王崩逝之時起,規定守喪二十五(或二十七)個月,直至「即位之次年」的某時告結。喪期後的第一年即夏含夷稱之爲新王年曆的「登基之年」。夏氏同時還注意到,在銘文中新王年曆並非立即使用,而是在其統治了一段時間後,才付諸實施。如周宣王雖早已在前 827 年即位,前 825 年登基,但其年曆卻直到前 809 年方才使用,這一年(前 809)正是他爲共和守喪期滿之年,共和在放逐宣王之父厲王期間曾居攝政之位。❹

2.3.1 進而言之,有時在無王室葬儀舉行的情況下,則需要一個表面上的年曆(見倪德衛 1983 年文,頁 530－31):如果某王爲行使新權力之需要而改正朔,即便其父王過世已久,他仍會下令推遲兩年實行這一年曆,俾其新臣民在正式稱服於新王之前,完成守喪義務。

2.3.2 對於周文王的在位年數,上述兩項原則均有可證之例。假如文王在位年數爲(2+50)年並終於前 1050 年的話,那麼他的即位與登基之年則分別應爲前 1101 年和 1099 年。設若前 1059 年的五星聚會果眞是天命轉移的標誌,則所謂受命元祀當在前 1058 年,而文王一直到受命後九年去世。按《竹書紀年》推算,當爲「九年」,《逸周書‧文傳解》亦如是說。然而,《史記》、《尚書大傳》均記文王受命稱王後七年而崩,這暗示文王元年在前 1056 年(倪德衛 1983 年文,頁 523－524)。我們可以接受這兩個元年,並假定文王衹可能在前 1056 年正式「改正朔」。他或許同時也正式授予其子發(武王)以太子的身份,因爲這種作法(如

---

❹ 《史記‧衛世家》云:衛釐侯卒,太子共伯餘立爲君,共伯餘後爲其弟和襲攻而自殺,和代立,是爲武侯。司馬貞《史記索隱》對此說懷疑;很難設想在厲王至宣王時期有同名爲共和的兩個人並世存在。更有可能的情形是,共和爲太子,但他於衛釐侯死後不久即去世,共和應爲衛釐侯之弟而非共餘之弟。總之,《史記》將共餘和共和搞混了:共和當死於前 813 或 812 年,共餘繼承王位,是爲衛武公(前 812－758 年)。

從文獻的證據看,某王在守喪未結束前,尚未正式布王號,此即《春秋公羊傳‧文公九年》所言:「即位矣而未稱王也。」此觀念似乎沒有影響到前 771 年以後的王室年曆。然而在此之前,某王的在位期自其居喪畢始。最明顯的文獻證據乃見於《竹書紀年》的〈夏紀〉,並爲天文學所修正和證實(參看以下 6 至 6.4.2)。而諸侯必須等到其民結束守喪義務才能變更制度,關於此觀念,可看《史記‧魯世家》(33.7b)所載伯禽封於魯國。

7.5.1 所揭示的）蓋爲晚商常見之習俗。所以前 1056 這一年份有時則被視作周朝建國之年，有時則稱武王元年。❺

　　2.4 迄今爲止，上述年份尚屬推測。但《逸周書・小開解》提及一次發生在三十五年一月丙子（13）日的月蝕，而其時當是文王在位期。我設想，當時施行的應是「夏曆」，即一年始於春分月之前的月份，並以黎明拂曉時分爲日界。在前 1065 年（閏年）三月十三日半夜後幾小時發生的一次月蝕，而符合三十五年者正應以前 1099 年爲紀年之始；而半夜與黎明之間，仍屬三月十二日，（夏曆）丙子日，即（夏曆）朔望月十五日（是月始於公曆 2 月 27 日，壬戌（59））。另一個可支持筆者「推測」的證據見於三世紀中葉皇甫謐《帝王世紀》的佚文：「文王即位四十二年，歲在鶉火，文王更爲受命之元年，始稱王矣。」❻倘若前 1065 年即文王三十五年，則其四十二年必爲前 1058 年，即五星聚會後一年。此說尤其予人印象尤深，蓋因皇甫謐並不知五星聚會發生於此前一年。同書另一條佚文（引自《開元占經》卷 19 注）則記聚於房，如同《竹書紀年》所記。然而文王四十二年歲在鶉火次說是正確的，因爲假設前 1059 年木星（會聚時）不在房宿（大火）而位於井宿（鶉首次），則衹能在接下來的鶉火次看到木星，時爲前 1058 年。

三、月相資料與穆王之年代

　　3. 欲求更多舉證並推算準確的年代，則首先需要解決在古文獻與周代金文中爭議頗大的所謂月相用語的含義問題。夏含夷謂銘文所見「初吉」、「既生霸」、「既望」、「既死霸」四詞指代四種月相的位置（或如古文獻所說之初日），我以爲其所論至爲有理（《史料》，頁 136－147）。對此還可以補充一下我個人的論證（見《古代中國》第 20 卷，頁 179 及頁 184－188）：《尚書》「召」「康」二誥序中所述同爲一事，合而觀之，「再生霸」當爲小月之第六日或大月之第七日；

---

❺　將前 1056 年定爲武王元年的另一個可能原因在於：在前五世紀前葉，某些編者猶知克商之年爲前 1040 年，並確信木星嚴格地依十二年一周期運行，他們或許推求出前 1041 年木星位在鶉火次（這可能是《國語・周語》(3.7)所記武王征伐開始時的天象資料之依據）。這樣一來，前 1065 年則爲受命之年，而文王由此而應崩於前 1057 年(見倪德衛 1992 年文的討論)。

❻　皇甫謐：《帝王世紀》，《史記・周本紀・正義》引。

因而「既生霸」必爲第七日或八日，或曰四分月相之始在此日。❼定爲宣王世的諸器銘文對「四分月相」的解說尤具說服力。

3.1 前 1056 年說當可確證。除了其他資料，《竹書紀年》記穆王元年距離武王即位之年爲整一百年之數，而在《竹書紀年》中，穆王元年在前 962 年，則武王元年依《竹書紀年》編年所記可推定爲前 1061 年，或依《竹書紀年》「周紀」末尾之總年數中（即周幽王紀譜後）定作前 1062 年。對此類誤說筆者自會予以適當說明（見 7.8.2）。事實上，所謂《竹書紀年》穆王即位於前 962 年說不確，其元年實則或可定爲前 958 年、或可定爲前 956 年，或定在前 949 年，與之對應的 100 年前之年份則分別爲 1058 年、1056 年及 1049 年（文王死後次年）。筆者將依據必爲穆王世的兩件銅器銘文，來驗證上舉三個年份的孰是孰非。

3.1.1 裘衛簋爲裘衛諸器之一。裘衛其他諸器中有年紀作「三年」、「五年」、「九年」者，因其與裘衛簋之年代頗難合譜，器文和形制所述或應視爲共王世。裘衛簋銘文曆日作「惟廿又七年三月既生霸戊戌」（35）。若穆王元年在前 958 年，則此年應爲前 932 年。如以含冬至之月爲一歲起首的話，此年三月應始於庚子（37），而三月並無戊戌日。但此年曆或許是以朔在冬至後一月爲歲首，如此則其三月初一便爲己巳日（06），而三十當爲戊戌日，它是不可能作爲第二分月相既生霸之日的。如穆王元年在前 956 年，則此年應爲前 930 年。依上法計算，是年三月初一爲己丑（26），戊戌則爲初十，合乎既生霸之月相。如穆王元年在前 949 年，則此年爲前 923 年。同樣依上述方法推算，是年三月初一爲戊寅（15），戊戌則爲二十一日，屬於第三分而非第二分月相，而次月亦無戊戌日。據此，穆王元年必爲前 956 年。

3.1.2 師遽簋及一件相關銅器因它們的形制而屬於昭王世或穆王世早期的銅器，因其爲「三年」器，故其最有可能爲穆王世器。其紀日作「惟王三祀四月既生霸辛酉」（58）。倘若穆王元年在前 958 年，是年則在前 956 年，以含冬至之月爲歲首的曆法推算，其四月初一日爲己未（56），辛酉爲初三，屬第一分（初吉）而非第二分（既生霸）月相；而且次月亦不含辛酉日。若穆王元年在前 956 年，是年

---

❼ 夏含夷以爲既生霸當晚一日或在更遲的時候（參看《史料》，頁 284–285）。

則爲前 954 年，同上法，四月初一日爲丁未（44），辛酉爲十五，屬大月中既生霸月相末之前一日，與銅器銘文相合。若穆王元年在前 949 年，則是年爲前 947 年，四月初一爲丁酉（34），辛酉爲二十五日，爲第四分（既死霸）而非第二分月相；次月亦無辛酉日。因此，這再次證明穆王元年應爲前 956 年。

3.2 師遽簋中還有一處值得注意的銘文：它述及王在「新宮」；而《竹書紀年》於前 954 年條下，適有「築春宮」的記載。師遽簋所記之準確日期，按陽曆折算爲 3 月 15 日，陰曆則爲 4 月 15 日。也就是說，此日在中國曆法中剛好處於春季第二個月的中間。但《竹書紀年》記之爲「九年」，與前 962 年爲穆王元年的假說相合。這就表明，《竹書紀年》的年代曾做過相應的改動，以將穆王元年定於前 962 年而非前 956 年，與此同時，爲了使其在位期各事件的絕對年代能與未改動前一樣保持不變，特於穆王紀譜開端補入足夠的年數；而事實上《竹書紀年》中穆王初期的絕大多數年份付諸闕如，即沒有第二、三、四、五和七年的紀譜。如將穆王七年推前六年，則爲穆王元年；而穆王八年則是穆王二年，穆王九年則成了穆王三年，並可依此類推。（見圖解一）如此一來，穆王六年則衹能作爲零年處置，也就是說，此年乃是昭王淹死及周師爲楚所敗之年。《竹書紀年》此年的唯一記載是：「徐子誕來朝，錫命爲伯」。徐偃王爲當時東方淮河一帶非華夏族中最強大的諸侯，實爲周之心腹大患；周室採取與之交納連盟的有效方式，目的在於換取備戰時間。人們可以料想，這一作法在形勢緊迫的情形下，不失爲周人的一種政治策略。（關於西周金文的年代問題的詳細討論，見附錄六。）

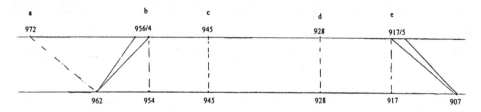

圖解一：（上橫線爲實際年份，下橫線爲《竹書紀年》之年份）穆王的年壽和在位期：在《竹書紀年》（以及後來的各種年表）裡，穆王在位期擴伸了，從（2+37）年（前 956/954－918 年）到五十五年（前 962－908 年），這是通過刪除在穆王之前和之後各王的喪期實現的。

a. 前 972 年＝昭王六年，此年可能爲穆王的生年，其從前 972 減爲前 962（穆
　王的崩年也從前 918 年退後到前 908 年，這樣一前一後各推了十年），因而
　與穆王的即位之年相符合，這一年是前 962 年，從前 956 年推前了六年。這
　樣一來，穆王的年壽便成了其在位期。（見本文 8.1）

b. 前 954 年＝穆王三年，此乃師遽簋銘文之年代，但在《竹書紀年》則成了穆
　王（3+6＝）九年。（見本文 3.2 和 8）

c. 前 945 年＝穆王十二年，當是假定周克商的一百年（見 5），而在《竹書紀
　年》變成穆王（12+6＝）十八年。

d. 前 928 年＝穆王 29 年在《竹書紀年》中變成穆王（29+6＝）三十五年，即
　班簋所記之事──毛班、毛遷率師出發南征。班簋銘文記：「八月，甲戌
　（11）。」前 928 年八月的朔日爲甲戌。

e. 《竹書紀年》記魯魏公卒於穆王四十五年，即前 918 年，於是便假定魯厲公
　在共王元年即位。然此說誤。魯厲公即位之年恰爲前 915 的共王登基之年。
　（見附錄一）

　　儘管以上 b-c-d-e 說明，穆王在位期的延長乃是通過在其在位期首尾兩處加入
年數，目的在於使其在位期原有的絕對年代保持不變。（見 3.2）

四、自穆王上推至周克商之年代

　　4. 穆王元年何以由前 956 年變作前 962 年？蓋因成王、康王、昭王即位之初
的兩年喪期抹掉，而其在位年仍保持不變之故，而且成王在位元年便應記作（如據
《竹書紀年》，則在周公攝政之後）前 1037 年。因之，昭王在位年應爲前 977/75
－957 年，（2+19）年；康王爲前 1005/03－978 年，（2+26）年；成王則是前
1037/1035－1006 年，（2+30）年。

　　4.1 然而成王在位年數在《竹書紀年》中爲三十七年，而其元年定在周公七年
攝政之始，即以前 1037 年爲始的成王三十年親政期之前。如據此推算，可否將武
王之死定在（2+37）年之前，即前 1045 年，距其父去世僅五年？這似乎沒有可
能：如果是這樣的話，則克商之年祇能在前 1047 年，然其月相日期不合於《漢
書》（卷 21 下，頁 60a－b）所引眞本《尚書・武成》中的記載。因而祇能認爲三

十七年說有誤：成王在位年應爲前 1037/1035－1006 年，即（2+30）年；而周公攝
政期當爲前 1037－1031 年。假如武王歿於克商後兩年（如《史記‧封禪書》所
記；未得到夏含夷修正錯簡的《竹書紀年》原本亦如是說），然則其崩年當在前
1038 年，而克商必於前 1040 年。在此，或可對《竹書紀年》致誤原因作一簡單的
解釋：前 1037 年作爲成王眞正即位之年雖被認可，但此年卻被誤認爲是其成人之
年，即其三十年親政期之元年；由此而將周公攝政期錯誤地前提到成王三十年親政
期之前；又因武王增壽三年之說（即因夏含夷所發現的那支錯簡）爲人們所認可，
故使克商之年成爲前 1050 年。（另見附錄四，注 ❶）

　　4.2 有關上述年代假說，又可引康王期的兩條材料作爲旁證。小盂鼎銘文稱成
王爲先王；而其年代爲二十五年「八月既望，辰在甲申」（21）。二十五年爲康王
晚期，因此不妨推想，若其登基之年由前 1003 年算起，則此年應爲前 979 年。此
年最初數月中當有一閏月；如設想其年曆以含立春之月爲歲首，則八月（嚴格地計
算，當爲十一月）始於己巳（06）；甲申（21）爲十六日，適爲大月中第三分月相
（既望）的朔日，合於銘文所言。另一證據見於《漢書》（卷 21 下，頁 63a）引
（眞本）《尚書‧畢命》所記曆日：「惟十有二年六月庚午朏。」如自前 1005 年
（即位之年）下推，此「十二年」當是前 994 年。前此一年應置閏月；如若不然，
則六月（從含冬至之月算起，則爲五月）始於戊辰（05），朏（大月之初三日）爲
庚午。（文見夏含夷《史料》頁 242－245 之分析）

　　4.3 種種可能的證明顯示，周公攝政七載之始年即爲成王（2+30）紀年的開
端，而伐商因此則爲前 1040 年。例如，在附錄二中，我引甲骨卜辭以說明商帝辛
元年在前 1086 年。但是《竹書紀年》卻將其元年提前十六年而定於前 1102 年。對
於產生這十六年誤差的最好解釋，我以爲是由於在《竹書紀年》年表的演進過程，
曾把帝辛終年的「實際」年份理解爲其「正統」的終年——前 1057 年，即周代商
建元的前一年。如若《竹書紀年》與帝辛實際崩年果眞存有十六年誤差，則克商前
一年必爲前 1041 年。

　　4.3.1 另一證據是：《國語‧晉語四》謂「晉之始封，歲在大火」。《竹書紀
年》對此實際上也有所說明，但依此書的年紀，此事發生於前 1035 年，即前 1071
年後木星繞行三周之歲，前 1071 年爲其（僞托）與周之符兆發生關聯之「五星

聚」的年份，並（錯誤地）以爲其時木星在「房」，位在大火中部。實際最接近
1035 年之正確的大火之年爲前 1031 年；故前 1031 年作爲其始封之年反倒頗有可
能；而假若周公攝政期確爲前 1037 至 1031 年，則《竹書紀年》所記周公攝政最後
一年的諸侯大批朝覲，即「始封」之場合，可能確有此事。再者，據《史記・晉世
家》（卷 39），成王年幼時（顯然尚未親政）曾與其弟叔虞戲，削桐葉爲珪以與
叔虞，戲言：「以此封若」。史佚因請成王擇日立叔虞。於是成王封叔虞於唐（後
爲晉國）。（此處或採前 1035 年之說——見附錄八——以表明魏國君主於前 335
年稱王的正統性。）

4.3.2 武王崩於其即位十二年，此年應爲前 1038 年：《逸周書・武儆解》
(45) 記錄了武王即位十二年的一個夢，預示他本人將不久於人世。然後他囑周公
指定王子頌爲繼承人，並授予他〈寶典〉。《逸周書》的〈寶典解〉很可能（就像
〈小開解〉一樣）是後來人編寫的，但是（同樣地）其中有一個日期卻是無可懷疑
的。這一日期是「王三年二月丙辰日（53）朔」。在前 1049 年以後的十五年中，
其年之二月朔日爲丙辰的唯一年份是前 1038 年。（〈寶典解〉所記的日期，張遂
（僧一行）引爲「元祀」，見《新唐書》卷 27 上；但是在這一段時期內不見有其
他年份的二月朔日爲丙辰，故可以斷定「元」字乃「三」字之筆誤。）如果前
1038 年是周武王三年的話，那麼，武王元年，即克商之年應爲前 1040 年。

4.3.3 再舉另一個證據（同類例子尚多）：商末周初時，一歲被分爲二十四節
氣，每一節氣定爲十五或十六天，看來一年之始是由秋分計算起的，這想必是通過
觀測所得（這樣的測定遠比以冬至點的測定容易的多）。其時設想四季大致等分，
並將秋分到冬至的間隔按常規定爲九十一天；但它實際上卻人爲地使「至日」的到
臨推遲了兩天。每節氣之首顯然屬於大吉大利之日，如有重大活動需要事先確定日
期的話，此日無疑當爲優先選擇的日子。依此秋分法而推求伐商日程，前 1040 年
牧野之戰便應爲（夏曆）二月末甲子日，而大功告成之日則在每年祭祖的清明之日
（是年四月十八日）。此說爲《詩・大雅・大明》末行的記載所證實。這首頌揚周
人先公先王成就的詩作一直寫到武王克商，其結尾云：「肆伐大商，會朝清明」。
（有關其他的證據，見倪德衛 1997 年文；關於此次征伐戰爭的具體日程表，參看
附錄六。）

五、錯誤的克商之年——公元前 1045 年；
殷曆所見商之始年

5. 儘管如此，前五至四世紀的周朝國都的編年者顯然假定當初的各王喪期仍存，並因此以前 1056 年爲周朝之始年，但他們同時也相信七年攝政期先於成王的三十年在位期（爲其成年期，而成王爲武王守喪乃於周公攝政期的第一、二年）。這就更突出了周公的形象，其重要性在前五世紀中晚期被人爲地誇大了。由此而將克商年定在前 1045 年；此說在《竹書紀年》中有數處線索可尋，儘管現存《竹書紀年》把克商之年提早了五年（見於魏國編年者的紀年）。例如，在穆王十八年，即前 945 年，《竹書紀年》曰：「諸侯來朝」。此條之所以置於此年，很可能是因爲編者考慮到此年標誌著克商之百年。（須知，穆王紀譜內諸事件之年份並未因穆王元年的謬記而致誤。）而在商朝武乙的紀年（前 1159－1125 年，但此年代不確，說見下文）中，其三年即 1157 年條云：「三年……命周公亶父，賜以岐邑」。（即岐山，此處早已爲古公亶父所占據。）在《竹書紀年》中，克商以前有關周的年代都推前了十二年；所以在《竹書紀年》原本裡，此年應爲前 1145 年，如果此本定克商年爲前 1045 年，便正好是克商之前的整一百年。另外還有證據有跡可尋，《竹書紀年》記堯元年爲前 2145 年，適在此整一千年之前：這對周人來說很重要，因爲據說周的始祖先后稷曾任堯的農官。由此不難設想，前 1145 和前 2145 的這兩個年份是編造的。

5.1 若將克商定於前 1045 年，並保留前 1056 年爲周的正式始年，即以之爲武王元年，這就意味著克商之年是在武王十二年，而其崩年則於武王十四年。此種紀年系統想必會被那些囿於舊說的人所採用：武王實際崩於前 1038 年，即是從前 1049 年算起的第十二年。而事實上他是於前 1040 年克商的，即是從前 1056 年算起的第十七年。由於人們不了解周王有兩個不同元年及其關聯，他們便假定「十二」和「17」兩者已經互換，並企圖尋求將兩者換回的方法。周人將克商定於前 1045 年和定武王崩年於前 1043 年的做法爲此提供了一個解決辦法：這其中必一支竹簡錯置，由此而造成武王崩於其在位第十七年的說法！正如夏含夷所揭示的，這支竹簡乃取自成王紀譜的十五－十六－十七年。所以此簡的移置並非漢以後人的訛

誤；它應該是戰國人所爲。後人已經忘卻了前 1045 年作爲克商年仍爲戰國時人普遍接受的這一事實。他們這種蓄意並精心計算的做法表明，事實上不僅武王的紀譜遭到更改（見於〈金縢〉），而且成王的紀譜也隨之重寫——如此改動當在《竹書紀年》的竹簡正式編之前：成王紀譜十三年記魯大禘於周公廟，而此事應在成王二十三年，即成王二十一年周公去世之後。如果上述誤差得以改正，使原來正確的年份復原，那麼在十五－十六－十七年處的空檔在原簡上亦不復存在了。

5.1.1 這支竹簡的移動引起了《竹書紀年》所記克商時期事件發生的次序變化，儘管諸年代尚未確定。在這支竹簡被挪動後，事件發生的先後次序如下：克商，X 年；克商年 X+2+3，武王崩逝；X 年+6 到 X+12，周公攝政期；X 年+13，成王三十年在位期的元年。學者們均接受這一說法，但也瞭解、尊重將前 1037 年作爲成王元年的說法，故將其元年說成是在攝政期之後；他們拒不接受喪期的觀念，而他們所相信的絕對年代即爲我們在現存《竹書紀年》中所見之年代，即將克商年定爲前 1050 年。

5.2 確認許多古人還確信錯誤的克商之年——前 1045 年這一點，又可能導致我們推導出更多有關年代的問題。現存《竹書紀年》的周厲王在位年爲前 853－828 年（包括共和行政）。爲何自前 853 年起？很可能是因爲在早期的文獻中衹有厲王、宣王和幽王登基後的在位年方受承認。這就需要把宣王元年定爲前 823 年。厲王登基後的在位年數實際是三十年，這見於《史記》的誤載：「厲王即位三十年……，」此句被誤解成：「厲王即位三十年之後」，而不是厲王在位年共三十年。基於此想法，《史記》的作者（們）更進一步推測厲王奔彘前在位三十七年（見《史記》4.21a－22b）。這一誤解應該說是久已有之：現存《竹書紀年》記厲王生於前 864 年，這使得其生壽恰爲三十七歲——可以肯定，《史記》的訛誤是因此而產生的（雷學淇在近兩個世紀前已指出此點）。這一訛誤意味著前 878 年而非前 853 年成了厲王的元年，其間相差二十五年。很明顯，在前四世紀左右，所謂殷年曆表的編者採用了上推二十五年的做法；因爲這一年表將克商年定爲前 1070 年，正好在前 1045 年之前的二十五年。❽

---

❽　關於雷學淇的說法，見《竹書紀年義證》孝王七年條。有關此處和以下的殷曆紀年，根據鄭

5.2.1 這個訛誤又具有指示意義。殷曆有商朝的始年：前 1580 年，湯打敗夏；前 1579 年，商朝的始年。（見陳夢家書，1956 年，頁 212。）眞實的年份可能是在二十五年之後？而商朝的始年是前 1554 年？這是班大爲依據其他證據而提出的年份（見《古代中國》第七卷，頁 17 以下。）他的理由之一（一個成立的理由）是，在《竹書紀年》「商紀」末之總記年數和其他漢代的文獻中，皆云自湯滅夏（商朝始年）以至於紂（周朝建國），用歲 496 年。《竹書紀年》中的上述年代分別是前 1558 年和前 1062 年：必須將前 1062 年當作正統的武王元年（請注意，此年實非周受命之年），即使也將此年作爲文王的崩年，而由此之後各周王的在位期就不再有喪期，結果是將穆王元年定爲前 962 年。班大爲不接受存在守喪期的假說，他認爲眞實的年份是前 1554 年和 1058 年。其說爲是，但他卻不能就此認定：前 1056 年亦可看作周朝的始年。所以，我們還需要更多的證據。

六、夏之年代：班大爲對五星聚會的解說；彭瓞鈞之日蝕説

6. 更多的證據卻是間接來自班大爲頗令人稱奇的一個發現（儘管他尙未認識如何看待此發現的內在意義）。班大爲注意到（見《古代中國》第 9－10 卷），《墨子》卷 19〈非攻下〉中有三條關於夏、商、周三朝的奠基者的天命記載，剔除神話詞語的虛飾，其中實際上涉及到種種天象：前 1059 年的五星聚會，因周朝而現；前 1576 年終連續不斷出現的五星錯行，夜中星隕如雨，緣商朝而起；賜夏禹命於「玄宮」，班大爲指出此即二十八宿的營室。班大爲後來又發現了發生在前 1953 年二月一次會聚；在對《竹書紀年》有關堯和舜記載加以細致地分析後（參見附錄七），他將此次會聚其與禹代舜掌權這一事件聯繫了起來——在《竹書紀年》中，命禹代虞事爲前 2029 年，即舜之十四年。對於讀過班大爲著作的一些歷

玄的年表，見《叢書集成》3572 冊之《尚書鄭注》，頁 60－61。鄭玄爲劉歆十三年説的錯誤所誤導（見附錄四）：他也許是從戊午部二十九（前 1083 年）計算十四年到克商年（此年包括在內）；但是不管任何一種方法，鄭玄表示殷曆中克商年是前 1070 年。又見《毛詩》，孔穎達對豳詩序的注解，他引用了鄭玄對〈金縢〉的評論。

史學家而言，或許會感到其說太過牽強。

　　6.1 但班氏無疑是正確的。夏之紀年有別於商（殷）周之紀年。與後者不同，夏朝各王之間的在位期不能銜接，大約有三分之一在位期之間的無王期爲兩年。而最早的兩個無王期，在《竹書紀年》原注明明說是爲已故先王守喪年。這顯而易見的實驗就是假定我們發現了某種早期制度，已先於西周各王實行的兩年喪期。當然在某些情況下，夏朝這些無王期的年數長短不一，因爲就規定而言，各王在位期之間的無王期均應爲兩年。如依此重定夏代紀年，將舜十四年設爲前 1953 年，並將各王的間隔期定爲兩年，進而根據《竹書紀年》所提供的各王在位年數，我們可推得出前 1876 年 10 月 16 日即是夏代第四個王仲康五年（夏曆）九月一日；《竹書紀年》謂：「帝仲康……五年秋九月庚戌朔，日有食之。」《左傳》及重加編訂的《尙書》對此亦有記錄，並指出其時日集於房宿。這一推算是成立的：此次日蝕已爲彭瓞鈞所發現（見倪德衞、彭瓞鈞文，《古代中國》第 15 卷）。此次日蝕，實則爲日環食，出現在經度屬於夏地域之內，時爲當天早晨（而且確實在「房」）。其全食行進線路略偏於北部，但已足可以記錄在案。

　　6.2 《竹書紀年》年表謂此日爲庚戌（47），然此說未確，此日應爲丙辰（53）。但如前所述，《竹書紀年》這裡再次出現的訛誤卻頗有啓發性。《竹書紀年》記此次日蝕的年代在前 1948 年，先於前 1876 年有七十二年。這一年數的回推其實正是《竹書紀年》有意將堯元年逆溯至具有重要意義的前 2145 年的部分步驟。同樣地，前 1953，即五星聚會之年，記在舜之十四年，上推了七十六年，成爲《竹書紀年》中的前 2029 年。這七十六年會使人進而聯想到它是「蔀」的時間單位（即四「章」，每章十九年）；因此《竹書紀年》此年代也顯露出修訂年表者是在使用著「章蔀」法。那麼，爲何他們卻不將此次日蝕下推七十六年而至前 1952 年呢？他們無法這樣做，祇因還需要滿足居於房這一條件。在「章蔀」法中，二十「蔀」爲一紀，共 1520 年，爲一完整周期，即當蔀之干支朔日的次序又重輪回時（按照人們的錯誤理解；按實際計算的話，轉回一「紀」，則某日在干支日上要早五天）。因此，欲求得此日正確的干支，修訂者便想選擇距離其自身時代一紀之前的某日，即他們所能了解的干支之日。但前 1952 年以後的一紀爲前 432 年；而這一年夏曆九月一日，日並不居於房。前 431、前 430 或前 429 年亦無法達

到前述條件；但惟有前 428 年合乎這一條件；於是便有了前 1948 年之說。衹有前 428 年符合庚戌日的要求，因為若據殷曆「章蔀」法排序的話，「己酉」蔀的第一年應為前 427 年，也就是說，此「蔀」因其朔日（該年含冬至之月，亦即夏曆 11 月）為己酉（46）而得名。（參見張培瑜，《中國先秦史曆表》，頁 91、252）因此，前 428 年九月一日必須是早於己酉日（46）29+30 天而為庚戌日。280 年時的晉廷學者不可能作出如此的計算，蓋因在其時，由於長期累積而形成的章蔀法中的干支錯誤已十分明顯。他們確實知道前 427 年為己酉部的第一年，但要使用這一資料，他們本應懂得歲差（即確定前 428 年九月朔日，日確實居於房）；而且晉廷學者本應試圖發明某種錯誤的計算法，而這種計算法在前五世紀的曆法天文學家之中或早已為之；故將這樣的動機歸咎於晉朝學者是不近情理的。

6.3 至此，這種試驗性研究是成功的。我現在繼續從事這種試驗性的研究，即下逮夏代結束的年代，總是在每王死世後加上兩年間隔期。（於是我在第 11 王不降在位五十九年讓位之後不留間隔期。）。在這裡，我假定舜在位五十年，再加上兩年喪期。（詳見下文的附錄五）整個夏朝年代（按：表中年份皆為公元前）的計算結果如下：

夏王次序		《竹書紀年》的年代	修正後的年代
（舜 14）		2029	1953
舜 50		1993	1917
舜	無王期	1992 － 1990 (3)	1916 － 1915 (2)
1.禹		1989 － 1982 (8 年)	1914 － 1907 (8)
	無王期	1981 － 1979 (3)	1906 － 1905 (2)
2.啓		1978 － 1963 (16)	1904 － 1889 (16)
	無王期	1962 － 1959 (4)	1888 － 1887 (2)
3.太康		1958 － 1955 (4)	1886 － 1883 (4)
	無王期	1954 － 1953 (2)	1882 － 1881 (2)
4.仲康		1952 － 1946 (7)	1880 － 1874 (7)
	無王期	1945 － 1944 (2)	1873 － 1872 (2)

5.相	1943 − 1916 (28)	1871 − 1844 (28)
無王期	1915 − 1876 (40)	1843 − 1842 (2)
6.少康	1875 − 1855 (21)	1841 − 1821 (21)
無王期	1854 − 1853 (2)	1820 − 1819 (2)
7.杼	1852 − 1836 (17)	1818 − 1802 (17)
無王期	1835 − 1834 (2)	1801 − 1800 (2)
8.芬	1833 − 1790 (44)	1799 − 1756 (44)
無王期 (無)		1755 − 1754 (2)
9.芒	1789 − 1732 (58)	1753 − 1696 (58)
無王期	1731 (1)	1695 − 1694 (2)
10.泄	1730 − 1706 (25)	1693 − 1669 (25)
無王期	1705 − 1703 (3)	1668 − 1667 (2)
11.不降	1702 − 1644 (59)	1666 − 1608 (59)
無王期 (無：退位)		(無：退位)
12.扃	1643 − 1626 (18)	1607 − 1590 (18)
無王期	1625 − 1623 (3)	1589 − 1588 (2)
13.厪	1622 − 1615 (8)	1587 − 1580 (8)
無王期	1614 − 1613 (2)	1579 − 1578 (2)
14.孔甲	1612 − 1604 (9)	1577 − 1569 (9)
無王期	1603 − 1602 (2)	1568 − 1567 (2)
15.昊	1601 − 1599 (3)	1566 − 1564 (3)
無王期	1598 − 1597 (2)	1563 − 1562 (2)
16.發	1596 − 1590 (7)	1561 − 1555 (7)
無王期 (無)		
17.帝癸	1589 − 1559 (31)	

　　6.3.1 前 1555 這一預定年份經推算已如願達到，即爲倒數第二個夏王發的末年。看來班大爲對商朝始年的看法不誤，由此我們祇能斷定，帝癸即桀之存在乃是

戰國人杜撰歷史的產物。

6.3.2 但班大爲之說可以信從；而我們必須承認，帝癸確屬一虛構人物。就此試列舉三點加以說明：(1)正如長期所留意到的，對夏桀，即帝癸的記載，就如同對最後一位商王帝辛的記載一樣，十分可疑（在《竹書紀年》中，唯一可稱爲「帝加上干名」的夏王，即帝癸。）。(2)《竹書紀年》中其他夏王的紀譜通常簡略且長短不一，但帝癸的紀譜卻不然，不僅內容詳實，並從頭至尾可以數出八處四十字段的簡文。對此，合理的解釋是，此紀譜當系後人添寫而成的。(3)《竹書紀年》中記有17 位夏王，而他們的王年則反映出某種神秘性。第一位夏王禹元年（理論上說應在舜死後）是前 1989 年；第九位夏王芒元年爲前 1789 年；而最後一位夏王帝癸元年則是前 1589 年。若是沒有帝癸，那麼神秘化數字展示出的歷史便是一個恰好存在了整四百年、經歷十六代王的朝代，其前半段整兩百年，其後半段也整兩百年。我以爲早期的文本是存在這樣的結構的。（我在附錄三中對此有所論述。）

6.4 這種對夏之年代的重建，可以在下文中得到進一步證實。許多學者一直對商王的命名感到困惑，它們通常由兩個音節組成，而後一字總是十天干之一。原因何在？這一現象也見於上表中的兩位夏王孔甲、帝癸。結合準確的年代，它或許可用以考察人們首先想到的一個假設，即命名中君王名字中的天干是因其即位首日的天干而來。對孔甲而言，其九年在位期的元年爲前 1577 年，雖說前 1579 年已是即位之年。假設施行「夏曆」，則前 1577 年首日必爲當年春分之前月之初一，即二月十七日，儒略曆 1145471 日，此日爲甲子，乃六十日干支周期之首日。由此我們可以理解這一夏王的名字：孔甲，意爲「大甲」。

6.4.1 關於帝癸，若無此人存在，則無其年代可言。但我們知道，夏末有一位稱作發的君王，也許他就是眞正的帝癸？如以發即位之年即其七年在位期的前兩年算起，前 1563 年則爲元年，（夏曆）是年元旦爲二月十二日，儒略曆 1150580 日，爲癸酉（10）日。又有一王名可作印證：作爲孔甲的前輩，第十三位夏王廑，又稱爲「胤甲」，意指「即位的甲」或是（甲子後的）「下一個甲」。其即位之年爲前 1589 年，此年春分前一月可能始於三月一日，儒略曆 1141101 日，爲甲戌日（11）。（也許是因爲朔望交替發生在半夜後黎明前時刻，即理論上的夏曆開

始。）❾

　　6.4.2 這裡可以提出更多的驗證：《竹書紀年》「夏紀」中偶或會提及先商時的商人貴族先祖，值得關注的是一次祭祀商先公上甲（上甲微）的活動。據《竹書紀年》，上甲之父王亥（子亥）於前 1719 年被殺。（我認為，可以不妨假定這部分「商紀」根據的是其後裔宋國的錄存，並獨立於「夏紀」中的年代改動。）殷曆（即歲首在冬至後一月）中，前 1718 年元旦為一月十八日，儒略曆 1093941 日，甲戌（11）。再如商朝的征服創立者湯，其天干名為太乙。《竹書紀年》謂其建元是克夏前的前 1575 年，此說當確，因為這一年是所謂前 1580 年五星聚會之後的年份，但（如班大為已指出的）這次聚會事實上發生在前 1576 年；他們之所以如此記錄，想必是要說明已把五星聚會看作一種王朝更替的天意。太乙（湯）沒有以前 1575 年作為其天干之名，因為其元旦為癸日，而癸適為其父暨前任示癸的天干之名（也許正因為這樣的理由，有關王名的禁忌在商代一直沿襲了下來）。然而，正如周文王建元於前 1056 年，商湯要間隔一段時間後方肯正式宣布建元，以使其臣民完成某種守喪的義務；而商代的喪期通常為三年，而非兩年。（對上甲微的記述對此便有所提示：其即位於前 1718 年，但直至前 1715 年方伐有易殺其君，代父復仇。）所以需要留意前 1572 年：其殷曆元旦為一月二十二日，儒略曆 1147272 日，乙丑（02）。（湯死後不久，便於乙丑日為其舉行了一次祭祀。）

七、商之年代：商王之「天干」名號系統；繼承方式

　　7. 所以在夏代，任何以「天干」名王的例證皆可接受驗證，這看來是無一例外的：對於一個王而言，其名中天干是取決於其即位首日的日干。若無這一發現，我們將無法研究一直到商朝終結的商之年代，當然到了商朝晚期，已經有卜辭出現。

---

❾ 《竹書紀年》載，帝嚳於在位第八年去世前，「天有妖孽，十日並出」。為何會記有如此怪異之事，也許是因為孔甲為了將該年六十日甲子周期前提十日而通過頒布命令從甲寅提前到甲子。也就是說，最初定下的孔甲即位日期本是甲寅（51），而重新改為甲子（01）。果真如此的話，那麼上甲即位的最初日期（見下 6.4.2 文）也應為甲子（01）而非甲戌（11）。天干命名制度會不會出自上甲？天干計日法本身是否也由其創建？

7.1 即使這樣，還是有相當多的困難。通過觀察和思考便可發現，商王命名是按照一定規則的：⑴商王從來不以「癸」爲名。⑵兩個相繼之王從不使用相同的「天干」名。（但是父與子如果不是相繼在位的話，可以有相同的天干名。）⑶在商代，亦如夏代和西周，每一個王在喪期結束後有一登基年；但是商王通常是在三年而非兩年之後登基。我懷疑這是因爲某王的崩年可以算作其在位的最後一年，如果他是在年底去世的話；否則其崩年將是其即位人的元年。⑷如果即位年是按照上一個在位期的天干名，那麼就使用登基年的「天干」號。⑸由於「癸」爲禁忌，倘若按照規則，趕上「癸」日的話，那就使用接下來的「甲日」爲名。

7.2 《漢書》（卷 21 下 48b－49a）所引劉歆之語曰：「成湯……爲天子用事十三年矣」。但是《竹書紀年》謂：湯在天子位凡十二年。劉歆本人的意思是，湯之 13 年亦爲其繼承人暨孫子太甲的元年。我的結論是，湯這一年，即前 1542 年之初去世。不過奇怪的現象是，在多數商王世系，包括《竹書紀年》在內，太甲之前尚有兩王爲時甚短的在位期，即外丙的二年和仲壬的四年。《竹書紀年》還云：「伊尹放太甲於桐，乃自立。」我認爲，實際的眞相是：湯去世之際，伊尹掌握大權，並企圖自立爲王，但他並能實現這一企圖。他先操縱了兩個傀儡（可能是太甲的叔父）。前 1542 年的元旦是「壬」日，說明仲壬在太甲守喪期間被任命爲行使職能的王。前 1541 年的元旦是「丙」日，說明此時太甲不再出現，正式的守喪者已由外丙取代。前 1539 年元旦是「甲」日，說明太甲將此年追記爲其「天干」名。同時他處於囚禁之中，故從前 1539 到 1536 年的四年中，仲壬祇是名義上的「王」。前 1536 年從正統上說是太甲第七年；《竹書紀年》太甲七年條下云：「王潛出自桐，殺伊尹」。這是對道貌岸然的歷史之驚人修改，對此，孟子描述道：「太甲顚覆湯之典刑，伊尹放之於桐，三年，太甲悔過，自怨自艾，於桐處仁遷義，三年，以聽伊尹之訓己也，復歸於亳。」（《孟子·萬章上》）但是我認爲，如果我關於「天干」名王理論可以成立的話，我所拼合起來的敘述就應當無誤。

7.3 把這一理論應用於《竹書紀年》所記下至太戊的諸王在位年，在作了一個修正後，便可產生出準確的年代：現存所有的商王年表，包括《竹書紀年》在內，都將太戊列爲自湯以來的第五代王，並在同代的雍己之後。正如吉德煒所言（見《商史資料》，以下簡稱《資料》，頁 186，注 d），甲骨卜辭中的證據表明，太

戊在雍己之前，而且根據與《竹書紀年》大約同時的《尙書·無逸篇》的記載，太戊（在〈無逸篇〉誤稱之爲「中宗」）有極不可能的七十五年之久的在位期，《竹書紀年》亦是如此。這兩個錯誤大概是相互有關的。在這裡，我認爲正確的曆日（以下爲公元前）如下：

> 太甲，1542/1539－1528 年，(3+12)年；1539 年元旦，一月十八日，甲寅(51)
> 沃丁，1527/1524－1506 年，（3+19）年；1527 年元旦，二月四日，甲戌（11），無效的；1524 年元旦，二月一日，丁亥（24）。（太甲之兄弟。）
> 小庚，1505/1502－1498 年，（3+5）年；1505 年元旦，一月三日，丁酉（34），無效的；1502 年元旦（冬至日），1503 年 12 月 31 日，庚戌（47）。（太甲之子；甲骨卜辭稱「大庚」。）
> 小甲，1497/1494－1478，（3+17）年；1497 年元旦，二月三日，庚戌（47），無效的；1494 年元旦（含冬至之月），一月一日，癸巳（30），轉至甲午（31）。（小庚之兄弟。）
> 太戊，1477/1474－？，（3+？）年；1477 年元旦（含冬至之月），1478 年 12 月 24 日，甲寅（51），無效的；1474 年元旦（冬至前一月），1475 年 11 月 22 日，戊戌（35）。（小庚之子。）

7.3.1 止如（我所分析的）甲骨卜辭表明（見附錄二），以此年（在此即前 1474 年）始於冬至前一月作爲製定曆法的標準，一直實行於在商朝結束之前的若干年份。對於商朝早期來說，這一做法或許是反常的。《竹書紀年》記太戊元年爲前 1475 年，我假定這一年適爲商的奠基人湯所聲稱的元年前 1575 年的整一百年。可以想象，冬至前一月定爲歲首是出於這個原因，爲的是使其在位期的始年能像較早的年份那樣被視作正常年份。而實現這一點，祇需輕易地將前 1476 年中本應有的閏月去掉即可。

7.3.2 但是在《竹書紀年》和其他年表中，雍己在太戊之前，並在位十二年。這是爲什麼呢？要全面的解釋這個問題，就需要對整個商朝的年代加以解釋。可是

請注意以下各種條件：(1)外丙兩年的在位期當作爲湯守喪全部三年時期；(2)仲壬的四年在位期置於太甲形式上的十二年在位期之前；(3)定太戊登基之年爲湯元年前1575 年（經修正的）之後的整一百年（使之固定不變）；(4)在完成以上工作後，有意略去太甲之後的喪期，當滿足了這些條件之後，便會得出以下結果（又見附錄三。值得注意的是，在《竹書紀年》中，前 1558 年記爲商朝的始年。這一點在本文 7.8－7.8.2 中有所說明）：

商朝始年	1558	（自 1554 年回推）
湯之末年	1547	（自 1543 年回推）
外丙	1546－1545	（自 1541－1540 年回推）
仲壬	1544－1541	（自 1539－1536 年回推）
太甲	1540－1529	（自登基之 1539－1528 年回推）
沃丁	1528－1510	（自登基之 1524－1506 年回推）
小庚	1509－1505	（自登基之 1502－1498 年回推）
小甲	1504－1488	（自登基之 1494－1478 年回推）
——		（1487－1476，12 年）
太戊	1475－	

7.3.3 在刪除四個三年喪期後，便出現了十二年的空檔，這一空檔則通過顛倒太戊和雍己這兩位第五代商王的順序來填補上。雍己確實有十二年登基在位年（我將會說明此點），這就必須使上述的替換看起來是正當的「修訂」。與此同時，這一替換將使太戊的在位年延伸到雍己的年數裡去，這就使得太戊的在位年拉長了。

7.4 從第八王太戊元年到第二十二王武丁元年，我除了使用以「天干」爲名的王和《竹書紀年》所記王年之外，幾乎沒有採用其他方法來斷定年代，而在我看來，其中有兩個王（太戊和盤庚）的年代是不對的。從武丁（甲骨文出現於其在位期）到商朝的終結，有關資料越來越豐富，可以確定武丁的崩年是前 1189 年。以「天干」的標準和《竹書紀年》的在位期結合，得出從太戊到武丁的最接近眞實的商王年代（以下爲公元前）：

王名	《竹書紀年》年代	倪德衛所定年代	月首	世系次序
8. 太戊	1475 (75)	1477 (3+60) /1474	1 月 23 日 甲申 11 月 22 日 '75 戊午	5
9. 雍己	1487 (12)	1414 (2+12) /1412	12 月 18 日 '15 己卯	5
10.仲丁	1400 (9)	1400 (3+9) /1397	1 月 11 日 丁巳*	6
11.外壬	1391 (10)	1388 (1+10)* /1387	1 月 28 日 丁丑 12 月 19 日 '88 壬寅	6
12.河亶甲	1381 (9)	1377 (3+9) /1374	12 月 29 日 '78 甲辰	7
13.祖乙	1372 (19)	1365 (2+19) /1363	1 月 16 日 乙丑	7
14.祖辛	1353 (14)	1344 (3+14) /1341	1 月 21 日* 辛酉*	8
15.開甲	1339 (5)	1327 (3+5) /1324	1 月 15 日 甲申	8
16.祖丁	1334 (9)	1319 (3+9) /1316	1 月 16 日 丁卯	9
17.南庚	1325 (6)	1307 (3+6) /1304	1 月 3 日 丁巳 1 月 30 日 庚子	9
18.陽甲	1319 (4)	1298 (2+4) /1296	1 月 23 日 甲子*	10
19.盤庚	1315 (28)	1292 (24)*	1 月 17 日 庚寅	10
20.小辛	1287 (3)	1268 (2+3) /1266	1 月 22 日 辛丑	10
21.小乙	1284 (10)	1263 (3+10) /1260	1 月 26 日 辛未 1 月 24 日 乙酉	10
22.武丁	1274 (59)	1250 (3+59) /1247	1 月 4 日 丁巳	11

表中的*號表示在位年（盤庚）的更訂，或者喪期的調節（外壬祇有一年；另見附錄五，「商朝」末論，頁 69），或者朔日的調節（長月和短月對換的調節）。（見 7.8.）

7.5 最後一段中的一個問題促使我提出另一個猜想。下至武丁前的各代商王通常是每代有兄弟二人爲王。武丁之前的那一代則有四兄弟爲王，我相信，第二個兄弟盤庚將其前任的在位期包括到他的在位期內。武丁是最後和最年幼的兄弟之子，這似乎與慣例有違；他活得很久，在位期是（3+59）年（《竹書紀年》記五十九年），並且是他本人那一代中唯一爲王的。武丁的兩個兒子祖庚和祖甲繼承其位，而且顯然地，他們二人均非武丁指定的繼承人和主要守喪者。很可能是歷史上不見記載的祖己擔任上述角色。而且，在我看來，像盤庚一樣，祖甲將其兄祖庚的在位年算進自己的在位年中。進而言之，下一代是兩兄弟馮辛和康丁爲王；但他們是祖甲之子，而非祖庚或祖己之子，馮辛似死於其父之前，故僅有形式上的地位（見吉德煒，《資料》，頁 187 注 h）。我們在這裡看到了一個重大的制度變遷，即從施行了兩個半世紀的兄終弟及王位繼承制，變爲自康丁起施行嚴格的父死子繼的繼承制。此點須加解說。

7.5.1 我以爲，施行兄終弟及繼承制度的原因在於擔心篡位，這種行動在伊尹統治時幾乎成功，先王手下肆無忌憚的大臣利用繼承人居喪之際而竭力想得到王位。爲了保護王位免遭此類危險，便形成了這樣一種做法，即王甲剛即位時就確定王乙爲繼承人，從而在王甲之子暨繼承人守喪時，王位仍屬於王室。以後在王乙去世後，王甲之子成爲王丙，依此類推下去。這種制度長期行之有效，有效地阻止了大臣的篡權活動。然而到了後來，篡權的威脅演變爲兄弟之間的王位爭奪。我想這就是在武丁前那一代四兄弟之間所發生的情況，而武丁後一代亦出現類似情形。武丁必須比他所有的弟弟活得更長。他不得不依靠其繼承人的兄弟；而這兩個兄弟都在期待自己即位，最後祖甲成了勝者。武丁的繼承人祖己諡號「小王」，意爲「年幼之王」或實際上的「有待繼位之王」，在王室的祭祀中有他的位置，不過僅此而已（南北，明 631，見吉德煒書，頁 229－231；島邦男，《綜類》，496.4）。祖甲解決問題的辦法很簡單，就是立即授予所選繼承人以王室成員的身份。他的首選繼承人馮辛（廩辛）去世過早，所以他又選擇了第二個，乃是及時繼位的康丁，康

丁又重複祖甲的辦法：他選擇武乙爲繼承人，並馬上授予武乙其「天干」名。從此之後，歷代王室皆按此法運作。

7.6 如果以上論斷不誤的話，那麼我衹需修正武丁的年代，便可以《竹書紀年》所載各王年和以「天干」命名的理論來校正其他的年代。在吉德煒（見《資料》，頁174，注19）研究的四版武丁時期的甲骨卜辭中，提到過月蝕現象和記有「干支」記日。吉德煒定在是從前1199年至前1180年；但我認爲，定爲前1180年的那一版事實上是指前1201年的月蝕，因此這四版中的最後一版則成爲前1189年的一次月蝕。月蝕的出現似乎是君王崩逝的不祥徵兆（回顧一下前1065年的月蝕：月蝕發生時幾乎正值文王爲商王囚於羑里，而《逸周書》則記因此文王忠告其王室留意王位繼承問題）。武丁晚期的卜辭表明，他經常患病。

7.6.1 所以前1189年是對其崩年的第一個合理的猜測，而且這一猜測的結果證明是正確的。如果他確有五十九年的在位年，即如《竹書紀年》所記，那麼加上在此之前的三年喪期，其即位年應爲前1250年，是年首日爲「丁」日。而且，前1188年也始於「丁」日，因此那一年不適用於祖庚，他須採用前1185年，而此年（若使用大小月彼此交替的話）始於庚日。《竹書紀年》記祖庚在位十一年，我在此推測此年數結束於前1178年而包括前1188－86年的喪期之始年。前1177年始於「癸」日，爲了祖甲而轉至「甲」日。祖甲自己因此使用前1177年；但是喪期後的那個年份，前1175年始於「辛」日，賦予既定的繼承王位者馮辛其天干日。（《竹書紀年》記馮辛在位四年，而其他年表則記其在位六年，我推算爲前1177－1172年。）我推測馮辛死於前1172年，而前1171年按照交替規則是始於「丁」日，因爲下一個受任命的繼承者爲康丁。祖甲的所謂三十三年在位期必須是前1188－1156年，包括了祖庚的在位年，所以康丁在前1155年即位，而冬至後一月始於「乙」日，而且我假定他立即指定了其所選之子武乙爲「小王」。《竹書紀年》記康丁在位八年，而我加上兩年的喪期，共在位十年。因此武乙在前1145年即位，其冬至後一月始於「丁」日，在那一年他確定了其繼承人文武丁。《竹書紀年》記武乙在位共三十五年，我的計算爲前1143－1109年。甲骨卜辭和《竹書紀年》的記載都證實，武乙戰後在河渭一帶的狩獵中，爲雷電擊死（「王畋於河渭，大雷震死。」），其時爲前1109年末。（有關的討論可見附錄二。）

7.6.2 甲骨卜辭需要某一年曆始於前 1118 年；以此武乙必定在是年將年曆賦予其繼承人。《竹書紀年》記「文丁」在位十三年，即爲前 1118－1106 年；其他年表則記文武丁在位三年，當爲前 1108－1106 年。甲骨卜辭亦需要某一年曆始於前 1105 年，其年首日爲「乙」日，而且必須是「帝乙」元年。由於甲骨卜辭需要某一年曆始於前 1086 年（見附錄二），這一年曆當屬帝辛之年曆，而此「帝乙」在位十九年，可是《竹書紀年》卻記九年。我相信，原因在於戰國的編者不願承認在武乙和文武丁兩個在位期之間有十年的重合期，並將帝乙的在位年減去十年，即從前 1105－1087 年減爲前 1095－87 年（回退十六年到前 1111－03 年；見 7.7），再把這十年加到文武丁頭上。而且很有可能，文武丁和帝乙實際同爲一人，即在他自己登基的前 1106 年（始於「辛」日），指定將成爲紂辛（帝辛）的繼承人，文武丁在前 1105 年自稱爲「帝」；在周原的甲骨文和少數晚商的金文中，都將「文武帝乙」視爲受到崇拜的王室對象。

7.6.3 最後，我們發現甲骨卜辭中並無帝辛在位年超過二十年的記錄。其原因很可能是在帝辛長久的在位期（前 1086－1041 年）期間，又有另外一個年曆於其在位間之始啓用。新年曆元年當爲前 1068 年，其根據見《逸周書》第二十一〈豐保解〉所記「維二十三祀庚子朔」，或許是前 1046 年。（此年份隨著「庚子朔日」而繼續，確爲前 1046 年的五月。）前 1068 年乃紂辛稱「帝」和指定其子王子祿父「武庚」之年，因爲前 1068 年始於「庚」日，而且前 1068 年適爲前 1105 年後的 37 年；其他年表均記「帝乙」在位三十七年。我們所能作出的解釋是，文武丁自稱「帝乙」於前 1105 年，以後三十七年才又有商王自稱爲「帝」，即紂辛，自稱「帝辛」。（帝乙在去世之前，可能爲其子即後來的帝辛編造了前 1086 爲始年的年曆；但是我懷疑帝乙是否果眞活到前 1069 年。）《竹書紀年》所載文王爲商王囚於羑里的年代是前 1180－1074 年，減去十二年，眞實的年代則是前 1068－1062 年，我們可以看到其間所發生的事件：年曆的始年前 1068 年是雙重加冕典禮之時，這需要所有諸侯到場，包括日漸成爲威脅的周人首領文王，而帝辛趁此機會逮捕了文王。

7.7 然而，這一以前 1086 年爲始年的年曆與《竹書紀年》所記帝辛元年前 1102 年（比前者推十六年）相呼應。如果文武丁的年曆確爲前 1118－1106 年，往

下移動 10 年爲前 1108－1096 將會避免與武乙之年相重合，那麼推前十六年之法亦可應用；而在《竹書紀年》裡其在位年爲前 1024－1112 年；武乙也是同樣的情形：實際上是前 1143－1109 年，而在《竹書紀年》記爲前 1159－1125 年。但是再向遠推，年代移動工作就不同了。祖庚的十一年在位期爲祖甲所自稱，在所編年表中，這一做法又不能加以濫用，祖甲必得在位三十三年，並要把祖庚的 11 年推早而置於祖甲的三十三年之前。其結果就是武丁的年代移前（16+11）年，即從前 1247－1189 年變爲《竹書紀年》中的前 1274－1216 年。這就證實了我對武丁年代的確定。（當然，馮辛的四年在位期不可能保留在祖甲的在位期內；這四年衹有通過取消康丁和武乙在位之初的兩個兩年喪期而保留下來。所以馮辛並未改變所謂（16+11）年的計算法。）

7.7.1 但是爲什麼會有上述這十六年的移動？須假定這是「商紀」的最後所記造成的，而這點乃是針對帝辛而言。他的實際在位期是前 1086－1041 年，共四十六年。這四十六年如果始於前 1102 年，終於前 1057 年的話，次年 1056 年則是周朝王室年曆的始年。所以在晚商年代中的這十六年的挪前是發生在對編年紀的修改過程之中，即在周朝的「始年」改到前 1062 年之前，也就是喪期從周朝年表中刪除之前。從某種意義上說，它是另一個取消重合期的例子：從前 1056 年以下的年份不可能既是商又是周，或既是帝辛又是武王。但是人們可以看到另一個因素：當周公攝政期推前五年時，克商年就成了前 1045 年而非前 1040 年，帝辛的第四十六年便不可能是前 1041 年；而使此年份成爲前 1057 年則是恰當的。（刪除重合期本身就是持前 1045 年那一派學者的觀點，這就是將堯元年回推爲前 2145 年所需要的。）另外有關這些早期年代變化的跡象是它們涉及到將前 1876 年的日蝕推至前 1948 年。前 1948 年之所以被選定，是因爲這一年正值距夏九月朔日太陽在房之日有一「紀」（1520 年爲一紀）之遙；因此，必須趁著前 432－428 年的太陽位置記錄尚存之際進行修訂。（見倪德衛、彭飈鈞文，《古代中國》第 15 卷。）

7.8 對於那些深受「前1045年」說影響的戰國編者來說，關於在位期重合的觀念是不能接受的，而此觀念又是與另一個觀察聯繫在一起，以完全確認商朝編年紀。有關夏末帝癸在位期的年紀必爲戰國時人的編造，而帝癸元年＝前1589年在較早的紀年中必爲商朝的始年。這個年代是不能變通的，因爲此年與偶像化的堯元年

＝前2145年相關連：堯，一百年，喪期，三年；舜，五十年，喪期，三年；夏王從第一位到第八位，兩百年；夏王從第九位到第十六位，兩百年。前1589年則是提早了三十五年，正確的商朝始年應爲前1554年。因此，總共被取消的重合期必有三十五年：

16 年，帝辛四十六年，從前 1041 年回推到前 1057 年

11 年，祖庚的在位期（實際是 3+8）則是在祖甲所稱三十三年在位期之前

4 年，陽甲的在位期則是在盤庚所稱二十八年在位期之前

4 年，仲壬的 4 年在位期則是在太甲形式上的十二年在位期之前

其中第一段的十六年適用於祖甲之後的諸王在位期；（16+11）年則適用於盤庚之後的諸王在位期；（16+11+4）年則適用於仲壬之後的諸王在位期；而（16+11+4+4）年適用於早期的年代，祇有一個例外：湯元年祇被推前了三十一年，與太戊元年聯掛在一起，這個年份已經變爲整一百年以後，因爲在形式上的太甲年曆之始，外丙的兩年（喪期）取代了三年的喪期，這給後來太戊的在位年加了一年，使之由六十年變爲六十一年。

7.8.1 以上就是商的始年定爲前 1589 年的原因，這種說法曾持續過一段時間。但是必須注意的是，從湯元年到宋平公元年（前 575）之間的一千年已變成 1031 年；於是所有早商的年代都得相應地推減三十一年，由此而生成了三十一年的帝癸在位期。這個三十一年的下調還必須與刪除喪期相配合；的確，此步驟促使了下調年代的做法，可能如同解決一千年年數問題那樣。（通常，編撰上的改動似乎不止一個原因。）從仲丁到武丁間的喪期加起來共三十一年。所以，太戊的六十年＋一年＝六十一年，又被加上了（2+12）（前 1414－1401 年，即雍己的在位年），而成了七十五年，即前 1475－1401 年；與此同時，雍己的十二年加到太戊之前，從而填補（3+3+3+3）的空檔，這一空檔是因刪除沃丁、小庚、小甲和太戊登基前的喪期而形成的。（《尚書‧無逸》篇是在這一改動之後編著的，因爲此篇記錄由此變動而產生了太戊在位七十五年說。）關於這些論證，見附錄三。

7.8.2 最後應當注意到，商之始年被推前了四年，即從前 1554 推到前 1558 年。這一推前產生了一個結果，即 496 年後的周之始年必須是前 1062 年。一旦前

1059 年的五星聚會上推到前 1071 年，最接近的有意義年份便是前 1061 年，即武王的即位之年；所以在某種意義上說，前 1062 年在《竹書紀年》〈周紀〉後總記年數中成爲武王元年（其父文王死於其崩年的三月）；本應發生在武王十二年的克商年相應地在某種意義上就必須得是前 1051 年。此種意義可以通過整理和置入一支「十一年」的竹簡（正好四十字）於原本來實現，以標明伐紂始於此年，正統的周朝亦始於此年。這就是晉廷整理者所面臨的情形，於是他們便將此歲次命爲干支的「庚寅」。後來在對出土竹書進行整理時，編者便把「元年」改回到前 1050 年（而偶然地未刪除「庚寅」）。同時，在魏人刪除周朝年表中的喪期後，使得前 962 年成爲穆王元年，以表明前 1062 年是周朝的始年。因此兩個錯誤（又一次）互爲支持。

八、西周中晚期之年代

8. 我已經修正了定穆王元年爲前 956 年以上的西周年代，並證明《竹書紀年》所載穆王在位期間諸事件的年代絕大部分可信。不過關於穆王的年代仍存在著兩個問題：(1)他是否有登基年曆？(2)他的在位期有多長？關於第一個問題，夏含夷和我都確定鮮簋的三十四年銘文乃合於宣王世的器物；但是我們兩人皆未見過此器的照片和銘文。曾見過這兩件器物照片及銘文的艾蘭（Sarah Allan）（見她對夏含夷《史料》的書評）指出，此簋應爲穆王世的器物，並注意到定穆王元年爲前 956 年難以說通。但是定之爲前 954 年則可行：鮮簋的年代是前 921 年（見附錄六，#6）。因此前 954 年必定是穆王的登基年，這一年是以慶祝活動或其他形式，比如，在春天建立一所新宮殿等作爲標誌的（見上文，3.2）。

8.1 (2)穆王在位期究竟有多久，這是一個更爲複雜的問題。《竹書紀年》記其在位五十五年，如同幾乎所有其他古文獻的記載；但是我們應當預想到，如果穆王在位期的始年因刪去喪期而提早開始的話，那麼其在位期也必因扣除穆王以後所有父子相承的五個王之喪期而拉長（不計孝王和夷王）。因此，我可以嘗試性地說，我們可以預料《竹書紀年》所記前 907 年爲共王元年，應該是前 917 年。《竹書紀年》記共王在位十二年，即前 907－896 年。但是共王的在位期比《竹書紀年》所記爲長，這是因爲趞曹鼎的銘文提及共王爲在世之王，時爲其在位第十五

年，而祇有前 915 年爲共王元年才可如此，所以其 15 年即爲前 901 年。另外三個
屬於裘衛的銅器則以前 917 年爲共王元年。穆王紀年記有一件有根據的獨立事件—
—魯衛公死於其在位之「四十五年」，即前 918 年；這一年份應該是前 916 年，正
如我在附錄一中所證明的。上述訛誤試圖將前 917、915 年作爲共王元年，因爲最
好的解釋即假設衛公繼承人厲公的在位期記爲自共王元年開始的，此元年之假設有
誤：並非前 917 年而是前 915 年。（還有穆王「五十一年」，即前 912 年發生的事
件：「作《呂刑》」，即《尙書·呂刑》篇；不過這是傳說的記載。）。而且，夏
含夷注意到《竹書紀年》昭王六年條的記載是，「冬，十二月，桃李華」。昭王六
年爲前 972 年（以前 977 年爲正確的昭王元年）；夏含夷由此聯想到，桃李樹開花
的現象標誌穆王出生的吉兆，而到 918 年穆王將是五十五歲。這可能是關於他在位
五十五年說的來源；對於前四世紀的編者來說，這一說法似乎可以爲其他的方式所
證實。顯然，《竹書紀年》中共王九年即前 899 年條，云：「九年春正月丁亥」
（必爲元朔），「王使內史良錫毛伯遷命」。其意大概是命之作首輔大臣。前 909
年這一年份恰好符合（對我們而言，證明了前 917 年爲共王元年）；但是四世紀晚
期的曆法專家使用章蔀法和夏曆（即如《竹書紀年》那樣）而得出這樣的結論：共
王九年必定是前 899 年——對他而言，將前 907 年確定爲共王元年。

　　8.1.1 但是我必須將前 917、915 年作爲共王元年，而且必須配給他的在位期超
過（2+12）的 n 年數，而 n 等於或大於 3。那麼 n 的價值何在？我在 5.2 中指出，
《竹書紀年》中的厲王元年爲前 853 年來自於刪除厲王、宣王和幽王的守喪期（在
早期的一部已廢棄的編年紀中），一共六年時間；於是厲王元年應該是前 859、
857 年。嚴格地把這一觀念運用在西周年表的結果如下：

	《竹書紀年》			實際(?)應爲
6. 共王	前 907－896：	12 年，向後 2×5		前 917/915－904, 2+12(?)
7. 懿王	前 895－871：	25 年，向後 2×4		前 903/901－877, 2+25(?)
8. 孝王	前 870－862：	9 年，向後 2×3		前 876－868,　　9(?)
9. 夷王	前 861－854：	8 年，向後 2×3		前 867－860,　　8
10. 厲王	前 853－：	向後 2×3		前 859/857－

第九和第十位周王「應爲」的年代似乎與銘文相符合。如果我假設 n＝4，那麼我得到的懿王 899/897－873(2+25)的年代便爲銘文所證實，而且共王的年代也無問題，其年代爲前 917/915－900 年。這就表示孝王應有的在位年數爲五年，從前872 到 868 年，即 9 減去 n。那麼，爲什麼孝王在位五年後聲稱還有四年，這是否有其原因呢？

　　8.2　《竹書紀年》有一注云：「懿王之世，興居無節，號令不時。」並記曰：「十五年，王自宗周遷於槐里。」如以《竹書紀年》所載元年爲前 895 年的話，這一年應爲前 881 年，而以正確的登基之年（前 897 年）來算，則爲前 883 年。懿王的叔父辟方以非正常的形式即位，是爲孝王；孝王的在位年數，《竹書紀年》記爲九年，可是其他資料皆記十五年。因此，我猜想，辟方在前 882 年之前即已掌權，而實際在位期爲前 882－868 年，而懿王被迫退位。懿王或許活到前 868 年，這是因爲其子暨合法繼承人夷王有八年的在位年數，其間突出的所謂「司馬恭」銘文顯示前 867/865 年是夷王元年，可能體現了喪期（儘管這一點未在《竹書紀年》裡反映出）。❿孝王七年（前 864 年）冬大雨雹，《竹書紀年》注云，是年厲王（王子胡，夷王之子）生。這一條注可能是原文的一部分，因爲從此注看，厲王的年壽爲三十七歲，如果這是眞的話，就可以解釋爲什麼他流放前的在位期被《史記》誤記爲三十七年（雷學淇在近兩個世紀前已注意到此點，見雷氏《竹書紀年義證》孝王七年條）。我的假設則是，孝王在懿王死後並未立即引退，而是住在兩都之一；但是到了懿王之子（即夷王）有了繼承人時，則孝王就不再受到支持和得以繼續執政的理由，因此他就得退隱。這一假設可以說明《竹書紀年》所記孝王的九年在位年數：實際上孝王衹有五年，從前 872 至 868 年，然後是令人生疑的四年，即從前867 至 864 年。

　　8.3　確認這樣的分析，夷王的在位年在《竹書紀年》裡雖爲前 861－854 年，而（我認爲）實際爲前 867－860 年，而其紀譜除第四年和五年（應爲前 864－863

---

❿　有四篇銘文記錄在世祿宮舉行的宴會，司馬恭則是接引者。見附錄六，銅器二十二（元年爲前 867 年），銅器二十三（元年爲前 867 年），銅器二十三（元年爲前 867 年）和銅器二十六（元年爲前 865 年）。

年）外其他年份皆有記載；而孝王紀譜的最後四年僅有兩條記載，即在其第七和第八年；這兩年在《竹書紀年》的年表系統中適爲前 864－863 年。由此就有了另一個經編者改動所造成的年代重迭：孝王的最後（令人生疑的）四年包含在他正式在位期內；同時，夷王的第四和第五年的記事卻含有其所具有的前 864－863 年的絕對年份——當把喪期去掉之後，便使孝王的在位期挪移爲前 870－862 年——這些年數必須得從夷王的紀譜中減去而加入到孝王在位年裡，去作爲其第七和第八年。（見圖解二）

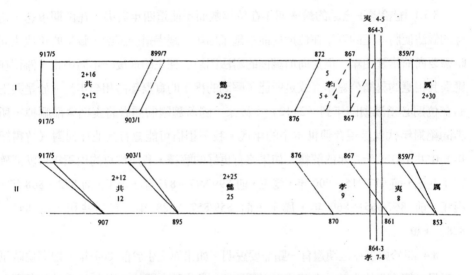

圖解二： （I 以上之橫線爲實際年份，II 之下橫線爲《竹書紀年》之年份）共王至厲王的年代：由(I)厲王出生和(II)刪除喪期以使厲王出生年份保持不變之絕對年代（見 8.1 至 8.3.1）

I. 孝王的五年實際掌權的執政期＝前 872 年－868 年，加上延伸至厲王生年的其在任期——前（867－6－5－4）年，就使得其實際掌權的執政期成爲（5+4=9）年，即前 876－868 年，也就是說將較早的年份挪回四年，止於共王即位之年前 917 年，然後把共王在位年從(2+16)年減爲(2+12)年。

（這樣的變更是在約前 400 年發生的。因此出現於前 903 年 7 月 3 日早晨的日蝕很可能即爲懿王元年的「天再旦」。見倪德衛，1983 年文，頁 554）

II.喪期既已刪除，這就造成將共王即位年推後十年，即從前 917 年推後爲前
907 年；將懿王即位年推後八年，即從前 903 年推後爲前 895 年；而孝王、
夷王和厲王即位年各推後六年，即從前 876－867－859 年推後爲前 870－
861－853 年。（於是共王的在位期祇是十二年了。）同時，夷王四－五年
（前 864－863）所發生事件的絕對年代（厲王生於夷王四年）則保持不
變，於是成爲孝王七－八年，而夷王四－五年成爲空位。（這一更動大約是
在前 350－300 年左右發生的）。

8.3.1 配給孝王全部的最後四年在位年數而不使這四年與夷王在位期重迭，這
樣的做法便將孝王的五年在位期向前推延了四年；經過這一調節，較早的年代也同
時需要向前推延四年。但是向前調換的辦法因缺少穆王的最後一年而中止，停留在
應與其相應的魯衛公薨年（或是所能了解到的穆王的實際年壽和卒年）。於是共王
的在位期必須減損四年到（2+12）；後來，隨著魏國的編者將喪期全部刪掉，所
謂的絕對年代就是現存傳世本中的年代。我不相信可能會有其他任何對《竹書紀
年》中共王在位十二年的解釋；如果沒有更好的解釋，我所推算的周王年代就能確
定：共王，前 917/915－900 年，懿王，前 899/897－873 年，孝王，前 872－868 年，
夷王，前 867/865－860 年，厲王，前 859/857－828 年（包括共和，前 841－
828）。⓫

8.4 關於厲王在位期還有一點需要說明。如果厲王生於前 864 年，他即位時祇
不過是一個六歲的小孩，在其成年（假設 20 歲的話，即前 845 年）之前就必須有
一位攝政王；他因此而需要採用一個始於前 844 年的新年曆。我設想這一位攝政王
乃是司馬恭，此人即後來在歷史上爲人所知的共和，在厲王於前 842 年末流放到汾
水河谷後，他擔任攝政王。從一些銘文來看這一假設是合理的。最明顯的例證是賜

⓫ 另一常被引爲證據的材料稱懿王元年即前 899 年：《竹書紀年》懿王元年條云：「天再旦於
鄭。」（此處的鄭乃指位於華山以北的周王室所在地，距宗周以東約 40 英里。）此條被認爲
是前 899 年 4 月 21 日的（假定的）日出時發生日蝕的一條依據。不過最近斯蒂芬森指出，這
次日蝕並未見於鄭，而是發生在遙遠的東部地區，因此此次日蝕沒有上報到周朝國都（見斯
蒂芬森，1986 年和 1992 年文）。所謂旦很可能不是日出，而是清晨第一道反射在群山或其
上高高雲層的天光。

予師兌的兩簋上的銘文，其上的年代並非來自同一年曆：其中一銘文上的「元年」祇能是前 857 年，而另一銘文上的「三年」合於前 842 年，如果前 844 年是「元年」的話。⑫兩者的王則是同一個人；在有「元年」的銘文上，他（即書吏發布給師兌的命令）命令師兌去協助「師禾父」，這顯然是共和，履行著屬於司馬恭行政權力的職責。（如果司馬恭是不久前剛擔任攝政王的話，那麼他必須從以前的行政職務中解脫出來這一點，便是可以理解的。在刻有「三年」的銘文上，王在涉及較早時的命令時，又提到「師禾父」，將之恢復和擴展它（並獎賞更多奢侈的禮品）。

8.5 還存在著一個問題，即怎樣確定一個年代之無可疑意的時代。（見圖解三）著名的毛公鼎刻有迄今所知最長的銘文，從此鼎的形制和文體來判斷，它一定是西周非常晚期的一件器物，並制作於某王即位之始；因此它可能是幽王元年器。另一個較短的銘文是在師訇簋上，與毛公鼎在構寫上有著驚人的相似之處。它含有一個完整的「元年」年份。這個年份並不合於前 781 年，即假定的幽王元年，卻極合於前 783 年。因而我必須提出宣王並未在位四十六年和死於前 782 年，而是死於前 784 年，前 783 年則是幽王的即位之年，前 781 年爲其登基之年。在原本《竹書紀年》的宣王四十四－四十五年條，即前 784－783 年，並無任何記載。而且（正如《左傳》注的作者杜預所言）在前 784 年以周王紀年改爲以晉紀年，這一年是晉殤叔元年。如果此年原本就是元年（即殤叔元年），那麼在前四世紀晚期，當喪期從《竹書紀年》刪除時，幽王的在位期就得從（2+11）年變成十一年；但仍必須終於前 771 年。而且如果宣王死於前 784 年，即「元年」，幽王「元年」前 781 年則應當稱爲「四年」，即殤叔之四年。可是，這將會是不能理解的。所以（我提出），判斷「元年」爲宣王之崩年一定是將「三年」誤筆爲「元年」了（「元」和「三」這兩個字很爲相近）。因此幽王的年代應爲前 783/781 年－771 年，（2+11）年；宣王之年代則確是前 827/825 年－784 年，（2+42）年。

---

⑫　見附錄六，銅器 32 和 39。

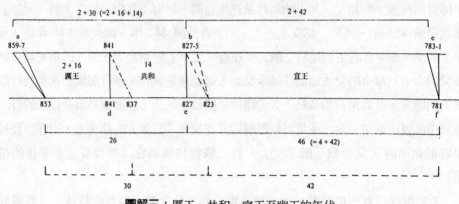

圖解三：厲王、共和、宣王至幽王的年代

a. 厲王爲夷王守喪的二年被刪除：厲王 2+16+14，–2=30；厲王元年＝前 853

b. 宣王爲厲王守喪的二年被刪除：宣王元年＝前 823

c. 幽王爲宣王守喪的二年被刪除；宣王崩於前 784 年，重定爲前 782 年。（見 8.5）

d. 對共和元年的四年修正：厲王 2+16，–2，–4，=12

e. 對宣王元年的四年修正：宣王 2+42，–2，+4，=46

f. 前 781 年，幽王登基之年，成了其即位之年。

8.6 可見，不允許把喪期插入年表和將晉魏紀年加於原來的周朝年表這兩者間緊密聯繫，又一次證明，刪除喪期的做法證實前四世紀晚期魏人修訂工作的主要方面。這樣的變更使得穆王元年從前 956 年推至前 962 年，武王元年推至前 1062 年，而這一年應該是其父之崩年。這又必須與前 1061 年相調停，此年份產生於重新將前 1059 年的五星聚會推至前 1071 年在房之時和將唐叔虞之受封年定爲前 1035 年。或許所有這些旨在支持魏惠成王在前 335 年自行稱王。對比之下，早期周人的修訂工作是以消除重合期爲中心的——這是擁護王權的「天無二日，國無二君」的正統偏見在起作用。一種簡便的做法就是將周公的七年攝政期置於成王之前，從而將克商年由前 1040 年改爲 1045 年，帝辛的最後一年由前 1041 年改爲前 1057 年，然後一直順推，將堯元年定爲前 2145 年。附錄三在這一問題上有更爲詳明的討論。

附錄一：魯國諸公之年代

西周時期的魯國國君有兩種不同的年表。第一種見於《史記·魯世家》，另一種見於《竹書紀年》。爲了比較兩者，以下列出魯國諸公的薨年（均爲公元前）和在位年（見圓括號內）：

	《史記》	《竹書紀年》	經我的修正的年代
伯禽	999	989	990 (46)
考公	995 (4)	988 (1)	986 (4)
煬公	989 (6)	(982)(6)	980 (6)
幽公	975 (14)	968 (14)	966 (14)
魏公	925 (50)	918 (50)	916 (50)
厲公	888 (37)	879 (39)	879 (37)
獻公	856 (32)	(856)(23)	856 (23)
眞公	826 (30)	826 (30)	826 (30)

（考公的薨年見於「魯築茅闕門」的記載；此當在煬公元年；爲了保持一致性的需要，《竹書紀年》之煬公薨年必當前 982 年；在《竹書紀年》所記康王（錯誤的）崩年條中刪去；又是爲了保持一致性的需要，獻公的薨年必當前 856 年，而卻在《竹書紀年》的夷王條中刪去，夷王紀譜中的六年則移置到厲王的紀譜中。）

根據《漢書》（卷 21 下 63a）所引劉歆的說法，周公之子伯禽在位年爲四十六年，即從成王親政（共三十年）的元年算起。《史記》中的材料表明，成王三十年的親政時期始於前 1044 年，即如《竹書紀年》記成王在位共三十七年。這完全是不可能的：我已經說明其在位三十年的紀譜始於前 1035 年。所以，某種錯誤使得《史記》所記年份推早了九年。顯然，這一錯誤產生於《史記》所記獻公的在位年上，原本的「二十三」改爲「三十二」。（這一點曾爲雷學淇所辨證，見《竹書紀年義證》厲王十二年條）現仍有兩處差別：⑴在《竹書紀年》裡，考公在位年要少三年，而伯禽的薨年則晚一年；⑵在《史記》中，厲公在位三十七年，而在《竹

書紀年》裡則是三十九年，因此在《竹書紀年》中前述的薨年提早了兩年。

　　這兩處的差別乃是《竹書紀年》本身的訛誤。通過配給考公四年的在位期，來克服第一個錯誤，這使得伯禽的薨年在《竹書紀年》裡（前 992）要比（修正的）《史記》中（正確的）年份（前 990）早兩年；所以伯禽的薨年顯示出與其他魯公的崩年一樣，有兩年的差別。要解決《竹書紀年》所載的第二個錯誤，就是讓厲公在位年成為三十七年，這就使兩個年表在所有細節上相同了。

　　為什麼我說《竹書紀年》的資料在後兩處是錯誤的呢？這是因為，如果是把它們當作《竹書紀年》而非《史記》之誤的話，就有可能解釋它們；反之，如果是《史記》的錯誤的話，就無法作出解釋。

　　關於第一個錯誤的解釋來自夏含夷所發現的那支錯簡。它使武王的在位年增加了三年。在較早而後來改寫的《竹書紀年》本子中，這就必須在以後紀譜推遲三年，這樣一直到穆王元年，但此年不包括在內，因為從周開國到穆王元年為 100 年，這是一個固定的年數。這三年推延期在繼之而來的修改中取消了，但在現存的文本中仍有兩處痕跡。第一個痕跡是考公的在位期祇有一年，這很可能是併入了魯國某一獨立的年表中，而這一年表在戰國時的《竹書紀年》編者看來，是必須受到重視。

　　這三年推延期的第二個痕跡見於昭王紀譜。我們發現其中有兩次征伐楚國的行動分別記於昭王十六和十九年。後一次伐楚行動乃成災難，導致周王之死和周師在漢水受到重創·十六年條中僅說：「伐楚，涉漢，遇大兕。」（即水牛）「兕」字原應為兇，即災難，這兩個字從形式上看，幾乎相同。此條很可能是昭王十九年條裡那段記載前面的內容，它是作為主要事件的簡要描述內容的。（為了比較起見，請看成王條開端記：「七年，周公復政於王」；此年其餘的記載一步步地敘述導致此事件的以下各項活動，這些活動完整地錄至此年年底。）那就是說，當戰國時人修改紀年，恢復昭王的在位年為十九年時，把「十六」年條仍然保存下來，並置於到第一句處，「兇」也隨著改為「兕」（大概是想像中的第一次出征中的徵兆，因為祇曾有過一次災難）。

　　第二個錯誤，即把魏公的薨年和魯國早期各公的年代向前推了兩年，這一點可以由以下的事實來說明：《竹書紀年》最初假設在每王接位時有兩年的喪期。認

爲魏公死於前 918 年，便是說他的繼承者於前 917 年接位，這是「元年」，也就是共王的接位年。而正確的元年則也許應該是前 915 年（即登基之年）。同樣的，我們也應記得，伯禽的在位期始於成王元年，即成王登基（他在位三十年）之元年；而且也假定在這情形下，元年是指「即位」之年。這一錯誤或許插進了獨立的魯國年表之中，而魯年表又深爲戰國時的《竹書紀年》編者所重視。

附錄二：晚商周祭之祀周

商代周祭祭祀的周期通常爲三十六旬（每旬十天）的周期，與三十七旬的周期是相間交替安排的。典型的一版卜辭在每旬的最末一天（即癸日）契刻，宣布次日的祭祀。因此將周祭系統配合以甲名先王的祀序（天干名決定每旬的祭祀日）是很方便的。周祭有五種祀典：祭祀，壹祀，叠祀，這三種祀典是在連續的旬內爲某一王祭祀，在每年的最初四個月（陽曆）舉行；彡祀，是在每年的第二個四個月舉行；翌祀，則在每年的最後四個月舉行。一般來說，第一組的四個月有十三旬。對於所有受祭者，每四個月祭祀開始都舉行工典祭。全部以「甲」爲名的祀序表可以根據島邦男《殷墟卜辭研究》頁 57、59 和 60 的圖表重建起來，而在一年中任何一個四個月對所有先王先妣的主要祭祀日（祭，彡，翌）的整個祀序表在島邦男書中（頁 101）以圖解形式出現。學者們對於五種祀典的祀首存在著不同的看法，島邦男（我採納他的看法，儘管並非是因爲他所例舉的理由）主張「祭」祀爲祀首。（參看常玉芝書，頁 186－191）。目前尚未進行研究的是，以通過卜辭的所謂第五期而來的準確日子使這一圖表顯示出來，其中包括它的不同變化。如果某人想從以上材料得到年代信息，他就必須要做這項工作。這就是我試圖在此從事的研究。

首先必須從一系列相關的甲骨卜辭中提出足夠的資料細節，從而才能確定絕對年代、王在位期和至少有一版卜辭記錄該王在位期的一次祭祀的年、月、日。或許僅有的如此系列是超過 70 至 100 版卜辭的系列（取決於哪一版包括其內），這系列記錄了征伐人方（或曰夷方）的日常活動的過程，這一定是帝辛在位時的第十至十一年。（在陳夢家 1956 年之書的頁 301－304 有一使用方便的卜辭表）這些卜辭要求第十年結束於甲午（31），已未（32）或丙申（33），並包括九月爲閏月。

在晚商，這樣的年份衹有前 1077 年，解釋成以冬至所在之月爲最後一個月，此月結束於已未日（32）。這一年必須是九月爲閏月這一點，已見於一些提及此年的甲骨卜辭；在這裡，月長之和假定此年是前 1077 年：

10 年	9 月	甲午（31）	05－34（30 天）
	9 月	癸亥（60）	35－03（29 天）（閏月）
	10 月	癸酉（10）	04－33（30 天）
10 年	10 月	甲午（31）	

秋分日，十月二日，儒略積日 1328324，此日爲丁酉（34），中氣在第一個「九月」末；因此下一個陰曆月份（我叫作有二十九天的九月）便無中氣，故而它必須是閏月，假如這個在後代文獻中提到的常法能夠適用的話（在這一材料中，它提供了連貫一致的結果）。⑬

卜辭有關此次征伐的記錄見於《甲骨文合集》36482，其上的曆日是「甲午，……在九月。遘上甲壹隹十祀」。這一信息確定了卜辭的曆日是儒略積日 1328321，前 1077 年 9 月 29 日，並表明這一年的祀周（工典祭，祀周的第一祀典）始於儒略積日 1328301，前 1077 年 9 月 9 日，是甲戌日。因此王室元年是前 1086 年。另一版卜辭《甲骨文合集》37852，預感到會與人方發生麻煩，而此卜辭的曆日是「[乙]亥（12）……在二月。遘祖乙彡隹九祀」。這就確定了這一天爲儒略積日 1327762，前 1078 年 3 月 20 日，並表明目前的祀周始於儒略積日 1327581，前 1079 年 9 月 20 日，再次爲甲午日（11），此曆年始於冬至後一月。

然而其他兩版卜辭（見《續編》1.5.1）是在第三祀的 11 月癸酉（10）和 12 月癸未（20），而且仍以甲午（11）作爲祭系列的首日，而這一天必須是儒略積日 1325781，前 1084 年 10 月 16 日。如果這一天是在前 1084 年 11 月，那麼曆年（前 1083）便始於亥月（冬至前一月），即從（前 1084）11 月 19 日到 12 月 18 日。接

---

⑬ 以陽曆一歲之時間十二等分之一的中日爲一中氣日；夏（冬）至和春（秋）分日均屬中氣。關於置閏的規則，見倪德衛 1989 年文，頁 210，及孔穎達之說。

著是，從前 1084 年直至 1079 年，祀周保持爲三十六旬，總是始於甲戌，因而周祭的首日就每四年向前推移二十一天；有時在此期間，曆年之始向後推兩個月，或許是按一年含有十四個月計算的。

有關旬日次序的最長卜辭見於李學勤、齊文心和艾蘭所編《英國所藏甲骨集》（1985 年）中的編號 2503，它是由幾個早期之作的碎片拼組成的（注意：「在…月」乃占卜者活動之月，他是在癸日占卜，而非於甲日祭祀之月）：

癸酉（10）…在二月。	甲戌（11）	祭小甲（等）；佳王八祀。	
癸未（20）…在三月。	甲申（21）	壹小甲（等），	
癸巳（30）…在三月。	甲午（31）	祭戔甲（等），	
癸卯（40）…在三月。	甲辰（41）	祭羌甲（等），	
癸丑（50）…在三月。	甲寅（51）	祭𡆥甲（等），	
癸亥（60）…？月。	甲子（01）	壹𡆥甲（等），	
癸酉（10）…？月。	甲戌（11）	祭祖甲（等）。	

在《金璋所藏甲骨卜辭》一件屬於較早時期的拓本（編號 382）中，倒數第二行的月份數字釋爲「四」；但是這個數字實際上是難以辨認的。如果有人表示這樣的懷疑（就像我這樣），即我認爲一個月份不可有三十一天，此第八祀就必須含有一個閏三月。我現在試驗性地使用後代的規則，即以無中氣之月爲閏月，加上一個假設——氣節的區分是由觀察到的秋分而以十五或十六天的時段來決定的，這就正式承認多至日推遲了兩天。卜辭材料決定了目前的祭祀周期始於甲午日（31），所以它必須在以前 1086 年爲元年之外的某一年曆。但是它也暗示祀周的首日必須在曆年的首月；因此那一天必須早於到現在爲止所驗證的任何卜辭的日期。

符合上述情形的年份是前 1098 年：那一年實際的多至日是辛未（08），即前 1099 年 12 月 31 日，於是所能接受的多至日（因此爲一中氣）應當是一月二日，癸酉（10），它是陰曆月份的最後一天。在此之後的二月無中氣，必然是閏三月。所以，年曆又始於亥月。如果這一年是第八年的話，那麼年曆必須在前 1105 年開始。進而言之，記有第七祀的一版卜辭恰好與記有第八祀卜組在日序上能夠係聯

的；此即《佚存》545 所記載的：「癸未（20）……在五〔月甲申（21）〕，壹祖甲；隹王七祀」。這次祭祀是周祭的第 111 天；因此首日還是甲午日（31）；在前 1099 年甲申（21）的五月（以亥月計算），這一天必須是 3 月 19 日。人們可以憑經驗來測算二十年的周祭祀譜——前 1111－1092 年的祀周首日、曆年的正月、以及祀周的旬：

前 1111 年	甲午	（31）	亥	36	旬
前 1110 年	甲午	（31）	亥	37	旬
前 1109 年	甲辰	（41）	亥	36	旬
前 1108 年	甲辰	（41）	亥	37	旬
前 1107 年	甲寅	（51）	亥	36	旬

依此類推，前 1105－4 年將爲甲子年；前 1099－8 年將爲甲午年；前 1093－2 年再次爲甲子年，而屆時將會清楚地看到，保持周祭的周期始於歲首的做法便是不可能的，即使以亥月爲歲首（因爲當三十六旬祀年和三十七旬祀年交替時，周期的首日每四年移早一天）。所以曆家祇好放棄這樣的做法，到前 1086 年祀年時，按三十六旬來計算，以保持祭祀的首日是甲子。然後他們採用一個三十七旬的祭祀年份，將首日提昇爲甲戌，由此這種祀年一直保持到前 1077 年。這樣一來，祀年的歲首便迅速地從早冬到早秋向前運行。大概從前 1092 年起，「祀」一詞被認爲表示普遍意義上的「年」。

　　在少數存留下來的相關卜辭中，於征伐西方的盂方（處於渭河與黃河匯合之處）適爲前 1110－1109 年。有一版卜辭開端（《甲編》2416，據說是最長的卜辭）記「丁卯（04）……在十月，遘大丁翌」。大丁（湯之子，即大甲（太甲）之父）之翌祭是在第 274 日，於是祀周始於甲午日（31），前 1111 年 11 月 27 日；第 274 日爲前 1110 年 8 月 27 日，陰曆之十月在此年（亥年）當爲陽曆 8 月 10 日－9 月 8 日。在次年春天例行祭祀的卜辭上需要有一個祀年始於甲辰（41）日。有關征伐的最後一版卜辭是刻在動物頭蓋骨上，其上記錄了商王在盂方境內秋獵。這是一種典型的表達勝利的方式。如果帝辛的年曆確實起於前 1086 年，而《竹書紀

年》所記始於前 1102 年，就說明此書所記晚商的年份被回溯上推了十六年。《竹書紀年》中所記武乙的崩年是前 1125 年；所以它實際上是前 1109 年。根據《竹書紀年》的記錄，武乙在河渭一帶狩獵時為雷電擊斃（「王畋於河渭，大雷震死。」）。

《甲編》2416 號沒有年份。但是懷特氏收藏的 1908 號卜辭殘片上有一段較之《甲編》2416 號為短的文字，並說是王九祀（見常玉芝書，頁 246）。所以我的結論是，武乙在其在位期的後期，即前 1118 年，便開始替其繼承人文武丁實行一個新的年曆。《竹書紀年》的「文丁」13 年應當為前 1118－1106 年；而在其他年表中，屬於他的三年應為前 1108－1106 年。在 1105 年文武丁改稱帝乙，開始了一個新的年曆（因此他死後，有時又稱為文武帝乙）。《竹書紀年》記帝乙在位僅九年，這是因為戰國時的編者不能接受在武乙和文丁兩人在位期之間有十年的重合時間這一事實；所以他們從帝乙在位期的十九年（前 1105－1087 年）減去了 10 年（使原來前 1095－1087 年，退回到前 1111－1103 年）。

大多數的年表記帝乙在位三十七年。這個數字可能有其根據：它暗示在前 1068 年當有另一「帝」之就位典儀。年曆的第二十三年始於前 1068 年應為前 1046 年。《逸周書》第二十一〈酆保解〉記，「維二十三祀庚子朔，九州之侯咸格于周。」在第二十三年某月（未說明月名）朔日，即庚子日，武王和周公會諸侯顯係在接近克商之前。而在克商之役前不久，祇有兩個年份含有以庚子日開端的月份：前 1046 和前 1041 年。然而，如果前 1068 年開始一輪新的記年數，這將有助於解釋，為什麼迄今仍未發現有記載帝辛在位二十年以上的卜辭。

假如前 1068 年為帝辛第二次稱「帝」典儀之年，那麼此年便是專為此事件而選擇的，或許已是預先準備好了的。前 1105－1104 年都是祀年周期中的甲子年。欲使前 1068－1067 年成為甲子年，帝辛必須恢復三十六旬和三十七旬交替的祀年周期，也就是，讓始於前 1077 年 9 月 9 日的周期按三十七旬運行。所以我假定帝辛是這樣做的。有一個第二十年的組合似乎確定了我的這一猜測，可參看島邦男《殷墟卜辭研究》，頁 148（其將《續編》6.5.2，6.1.8 和 3.28.5 綴合起來），這一年應當是前 1049 年。但是另外的卜辭銘文（包括晚商的金文）則需要始於前 1065 年的記年數，即可以是所預期的新「在位期」實施之年。我對整個祀譜的重建，前

1120－1041 年，也包括了這種假設。其他學者可對此進行檢驗。

　　但是我必須指出，在前 1120－1112 年間，還有另外的因素發生了作用。在武乙去世之前，那一祀年祇須有三十五旬。如果在某一較早時期，曆法所規定的年份始於春季的首月，然後再改爲冬季的首月，其結果將是，會有一些祀年周期將始於二月、三月，甚至四月。如將祀周和曆年重新推排，這就有必要在有時實行三十五旬的周期，從而使祀周的首日每年提前十五天。《殷墟卜辭研究》第 161 頁上刊有島邦男複製的十幾版殘斷卜辭，暗示祀周始於晚冬或春天，我據此重構了前 1120－1112 年的祭祀年。

　　我所作的全部年代重組工作的結果如下（年份爲公元前）：

年份	干支，祀首日	在位期/年	儒略積曆，祀首日		祀日	旬
1120	01	武乙24	131	2391	1120 年 2 月 17 日	36
1119	01	25		2751	1119 年 2 月 12 日	36
1118	01	文武丁1		3111	1118 年 2 月 7 日	36
1117	01	(武乙27) 2		3471	1117 年 2 月 2 日	35
1116	51	(28) 3		3821	1116 年 1 月 17 日	36
1115	51	(29) 4		4181	1115 年 1 月 12 日	36
1114	51	(30) 5		4541	1114 年 1 月 7 日	35
1113	41	(31) 6		4891	1114 年 12 月 23 日	36
1112	41	(32) 7		5251	1113 年 12 月 17 日	35
1111	31	(33) 8		5601	1112 年 12 月 2 日	36
1110	31	(34) 9		5961	1111 年 11 月 27 日	37
1109	41	(武乙35) 10		6331	1110 年 12 月 2 日	36
1108	41	文武丁1 (11)		6691	1109 年 11 月 26 日	37
1107	51	2 (12)		7061	1108 年 12 月 1 日	36
1106	51	3 (13)		7421	1107 年 11 月 26 日	37
1105	01	「帝乙」1		7791	1106 年 12 月 1 日	36

1104	01	2		8151	1105 年 11 月 25 日	37
1103	11	3		8521	1104 年 11 月 30 日	36
1102	11	4		8881	1103 年 11 月 25 日	37
1101	21	5		9251	1102 年 11 月 30 日	36
1100	21	6		9611	1101 年 11 月 24 日	37
1099	31	7		9981	1100 年 11 月 29 日	36
1098	31	8	132	0341	1099 年 11 月 24 日	37
1097	41	9		0711	1098 年 11 月 29 日	36
1096	41	10		1071	1097 年 11 月 23 日	37
1095	51	11		1441	1096 年 11 月 28 日	36
1094	51	12		1801	1095 年 11 月 23 日	37
1093	01	13		2171	1094 年 11 月 28 日	36
1092	01	14		2531	1093 年 11 月 22 日	36
1091	01	15		2891	1092 年 11 月 17 日	36
1090	01	16		3251	1091 年 11 月 12 日	36
1089	01	17		3611	1090 年 11 月 7 日	36
1088	01	18		3971	1089 年 11 月 2 日	36
1087	01	19		4331	1088 年 10 月 27 日	36
1086	01	紂辛1		4691	1087 年 10 月 22 日	36
1085	01	2		5051	1086 年 10 月 17 日	37
	11			5421	1085 年 10 月 21 日	36
1084	11	3		5781	1084 年 10 月 16 日	36
1083	11	4		6141	1083 年 10 月 11 日	36
1082	11	5		6501	1082 年 10 月 6 日	36
1081	11	6		6861	1081 年 9 月 30 日	36
1080	11	7		7221	1080 年 9 月 25 日	36
1079	11	8		7581	1079 年 9 月 20 日	36
1078	11	9		7941	1078 年 9 月 15 日	36

1077	11		10		8301	1077 年 9 月 9 日	37
1076	21		11		8671	1076 年 9 月 14 日	36
1075	21		12		9031	1075 年 9 月 9 日	37
1074	31		13		9401	1074 年 9 月 14 日	36
1073	31		14		9761	1073 年 9 月 8 日	37
1072	41		15	133	0131	1072 年 9 月 13 日	36
1071	41		16		0491	1071 年 9 月 8 日	37
1070	51		17		0861	1070 年 9 月 13 日	36
1069	51		18		1221	1069 年 9 月 7 日	37
1068	01 帝辛	1	19		1591	1068 年 9 月 12 日	36
1067	01(=紂辛)	2	20		1951	1067 年 9 月 7 日	37
1066	11	3	21		2321	1066 年 9 月 12 日	36
1065	11	4	1		2681	1065 年 9 月 6 日	37
1064	21	5	2		3051	1064 年 9 月 11 日	36
1063	21	6	3		3411	1063 年 9 月 6 日	37
1062	31	7	4		3781	1062 年 9 月 11 日	36
1061	31	8	5		4141	1061 年 9 月 5 日	37
1060	41	9	6		4511	1060 年 9 月 10 日	36
1059	41	10	7		4871	1059 年 9 月 5 日	37
1058	51	11	8		5241	1058 年 9 月 10 日	36
1057	51	12	9		5601	1057 年 9 月 4 日	37
1056	01	13	10		5971	1056 年 9 月 9 日	36
1055	01	14	11		6331	1055 年 9 月 4 日	37
1054	11	15	12		6701	1054 年 9 月 9 日	36
1053	11	16	13		7061	1053 年 9 月 3 日	37
1052	21	17	14		7431	1052 年 9 月 8 日	36
1051	21	18	15		7791	1051 年 9 月 3 日	37
1050	31	19	16		8161	1050 年 9 月 8 日	36

1049	31	20	17		8521	1049 年 9 月 2 日	37
1048	41	21	18		8891	1048 年 9 月 7 日	36
1047	41	22	19		9251	1047 年 9 月 2 日	37
1046	51	23	20		9621	1046 年 9 月 7 日	36
1045	51	24	21		9981	1045 年 9 月 1 日	37
1044	01	25	22	134	0351	1044 年 9 月 6 日	36
1043	01	26	23		0711	1043 年 9 月 1 日	37
1042	11	27	24		1081	1042 年 9 月 6 日	36
1041	11	28	25		1441	1041 年 8 月 31 日	37
1040	(商之終結)						

注：用一個儒略積日數字而去尋找其相應的干支，就要除以 60，再從餘數中減去
　　10。（如果餘數少於 10，就在減號之前加上 60。）關於儒略積日數字，參考
　　斯塔爾曼（W.D. Stahlman），金格里奇（O. Gingerich）之書（1963 年）甚爲
　　方便。

　　關於以甲名王的祀序以及晚商的祭、壹和劦等祭祀的配合，見島邦男，《研
究》，頁 56－61。周祭周期如下（此處所列王名皆是其見於卜辭之名；（戔甲＝
河亶甲）；羌甲＝開甲（或是沃甲）；（魯甲＝陽甲））：

旬 1　　祭工典
旬 2　　祭上甲
旬 3　　　　　　　　壹上甲
旬 4　　祭大甲　　　　　　　　劦上甲
旬 5　　祭小甲　　壹大甲
旬 6　　　　　　　壹小甲　　劦大甲
旬 7　　祭戔甲　　　　　　　劦小甲
旬 8　　祭羌甲（＝沃甲）壹戔甲
旬 9　　祭魯甲（＝陽甲）壹羌甲　　劦戔甲

旬 10　　　　　　　　壹夒甲　　　　啓羌甲

旬 11　祭祖甲　　　　　　　　　　啓夒甲

旬 12　　　　　　　　壹祖甲

旬 13　　　　　　　　　　　　　啓祖甲

旬 14　工典，乡

旬 15　乡上甲

旬 16

旬 17　乡大甲

旬 18　乡小甲

旬 19

旬 20　乡戔甲

旬 21　乡羌甲

旬 22　乡夒甲

旬 23

旬 24　乡祖甲

旬 25

旬 26　工典，翌

旬 27　翌上甲

旬 28

旬 29　翌大甲

旬 30　翌小甲

旬 31

旬 32　翌戔甲

旬 33　翌羌甲

旬 34　翌夒甲

旬 35

旬 36　翌祖甲

我不願冒然敘述這些儀式(或曰祭祀:大概總是與奉獻貨幣(如瑪瑙、貝)、酒、食物,或俘虜的有關)。有些或者全部的儀式想必是公共活動;比如,在銅器銘文上的某日有時可以稱作(或曰包括了)「彡日」,「翌日」,或「劦日」,顯然無需再作確認。有證據表明,部分或全部的儀式包括身著祭服的公共游行(也許類似日本京都常見的 matsuri,意爲「祭祀」)。例如,有些占卜顯示了人們擔心下雨的焦慮心情,因爲這可能會干擾儀式的進行並弄髒他們的祭服。另一個例子是前面提及的長篇卜辭,此篇言及將征伐盂方(《甲編》2416,島邦男,《綜類》,518.4):「重衣翌日步」,意爲「身著祭祀服裝,在翌祀之日行進」。

就我的目的來說,所有我自稱已知的和所有我需要瞭解的東西,就是那些名字和標準的次序。

附錄三:先周紀年之發展

在這裡,我有選擇地制定年表(紀年爲公元前):

(a 欄)《竹書紀年》中從黃帝到商的年代,加上虛構的「帝癸」在位期(《竹書紀年》並沒有堯之前的本來年份,但是這些年份可以推算出來);

(b 欄)在較早的年表中,從黃帝到商的年代並無「帝癸」的三十一年在位期,而且假定堯之前的君主死後均有兩年的間隔;

(c 欄)假設最早無誤的年表,假定(i)舜十四年爲前 1953 年;(ii)堯的統治結束於他在位第五十八年,其子丹朱遭流放,堯的餘年則爲舜所軟禁,而這些餘年計入舜在位期的前九年,在此之後則是兩年的喪期。[14]

---

[14]　應該設想這樣的間隔期是包括在舜去世後的禹的全部在位期內(見理雅各譯:《竹書紀年》,頁 118);因此我假定這樣的間隔期在堯去世後也出現過。堯的最後九年相當於於舜的前九年;見《史記·五帝本紀》1.29a。

		(a 欄)	(b 欄)	(c 欄)
黃帝	100	2402	2406	**2287**
黃帝 50		2353		
左徹	7	2302	2306	2187 ❺
顓頊	78	2295	2299	2180
顓頊 13			**2287**	
顓頊，崩逝		2218	2222	2103
喪期			2221 (2)	2102 (2)
帝嚳	63	2217	2219	2100
喪期			2156 (2)	2037 (2)
摯	9	2154	2154	2035
堯 1		**2145 (100)**	**2145** (100)	2026 (58)
堯 42		**2104**		
堯 58				1969
堯，崩逝		2046	2046	
喪期		2045 (3)	2045 (3)	
舜 1		2042 (50)	2042 (50)	1968
堯，崩逝（舜 9 年）				1960
喪期（年曆中斷）				1959 (2)
舜 10			1957	
舜 14（五星聚會）		2029	2029	**1953**
舜，崩逝		1993	1993	1917
喪期		1992 (3)	1992 (3)	1916 (2)
禹　1（正統的說法）		**1989**	**1989**	1914

---

❺ 關於黃帝死後因其臣左徹出現的七年喪期問題，參看理雅各譯：《竹書紀年》，頁 110；又見方詩銘、王修齡：《古本竹書紀年輯證》，頁 170，其中提及《路史》所引「古本」《竹書紀年》。

仲康 5（日蝕）	1948	1948	1876
芒　　（第九位夏王）	**1789**	**1789**	**1753**
帝癸	**1589**		
商，元年	1558	**1589**	**1554**

　　許多學者主張，堯以前編年紀事不能視爲《竹書紀年》的一部分；但是在本表所展現的堯之前與嗣後的關聯駁斥了上述說法。這也表明了現存《竹書紀年》中的年表是如何計算出來的。在最早的紀年年表（c 欄），我取前 2287 年爲黃帝元年，而這一年恰爲顓頊十三年，是假定的新曆頒行之年，在第二欄（b 欄）的較早年表（仍然承認在各王死後有兩年的喪期，在帝嚳之子摯爲堯取代之後即無喪期了）。這個前 2287 的年份爲所謂顓頊曆的始年所肯定，這出於已佚的劉向《洪範傳》中的一條引文，見於《新唐書・曆志》卷 27a，頁 17a。（我已經在《古代中國》第 15 卷（1990 年）所載的回應文字中分析了這條引文，見頁 169–70）。這一年份看起來似乎是爲了方便曆法而杜撰的：前 2287 年是前 427 年（即殷曆系統的「己酉蔀」之首歲）的 1860 年前，而殷曆系統則爲戰國時期的《竹書紀年》編者所採用，例如推求仲康時的日蝕發生之日（見 6.2）。1860＝31×60；每隔三十一年，陰曆月份朔日的干支就重複一次；每隔六十年，那年的首日就往前運行十二天（明顯地，這些數字祇能是近似值）。因此我必須猜想這個最早的紀年是在前 427 年作爲編撰《竹書紀年》的一個基本依據而制定的。

　　下一步應當是在一代之後的周或魯學者之著作：堯元年（前 2145 年）定在商王所謂承認古公亶父爲「周公」這一事件（即前 1145 年）之前的 1000 年（在目前的本子裡，前 1145 這一年份移後了十二年），反過來，這一年份又被認定是周克商之前的一百年，在魯－周紀年周期中的前四百年，則是前 1045 年。這一變動需要在《竹書紀年》中插進材料，將前 2026 年推前一百一十九年，成爲前 2145 年（見第二欄(b)的黑體字）。當這一工作完成後，前 2287 年便成了顓頊十三年，並將這個年份作爲年曆的基點保留下來。

　　在(a)欄，喪期消失了，隨之消失的是前 2287 年。顓頊崩年成了前 2218 年；《左傳・昭公八年》記，在此年，木星在鶉火次。這裡暗示一種計算法，即假設木

星的十二年周期，這是根據從前 400 到前 330 年這些年的觀察得出的。比如，前 370 年木星在鶉火次（(2218－370)÷12=154）。然而，又有兩個年份揭示了前四世紀末魏國編者的干預：在現存的《竹書紀年》中，前 2353 年爲黃帝（其中置入一段戰國人的冗長注文）在位第五十年，他進行了一次精心安排的祭祀活動，此年恰爲前 453 年之前的一百「章」（殷曆的十九年七閏之定律），而前 453 年正是爆發導致魏國建立的決定性戰役之年（即趙韓魏滅知伯之年）。前 2104 年這個年份情形更爲複雜：預兆周朝興起的五星聚會的實際時間是前 1059 年的初夏（實際是聚於井－鬼）；而預兆商興起的五星錯行的實際時間是前 1576 年的初冬，兩者之間相差 516.5 年。這一間隔期卻在「今本」《竹書紀年》中因這兩個年份的移動而含糊不清了；但是無論如何這些是上天確認商周的跡象；那麼魏國又怎樣呢？在魏國的編者手中，周朝時五星聚會的年份伴隨著魏國的重要性，推前到前 1071 年（前 771 年的三百年之前）。將這個間隔期（516.5 年）加倍，即 1033 年，而從前 1071 年向前推 1033 年，便爲前 2104 年，即堯四十二年，人們在此希望發現與預兆魏國未來興起相關的行星跡象。「今本」《竹書紀年》堯四十二年條下云：「景星見於翼。」此句乃引自堯 70 年條（＝前 2076 年，正是預兆商興起的錯行天象的五百年之前）後的一段冗長的注文，其中也在描述假定的五星聚會。（因此，這些充滿神話傳說的冗長注文看來是屬於戰國時期《竹書紀年》的墓本內容）。

夏朝的紀年表明，前 1589 年，即「帝癸」元年，想必早已作爲（傳說中）的商始年：(b)欄使得夏恰好是(200+200)年，始於正統的元年；眞正的年份表明了此點，顯示夏的年代是(200+199)年，始於事實上的元年。《竹書紀年》中的夏帝相之後的四十年無王期乃戰國人加進去的，這是他們試圖將堯元年推至前 2145 年的重新編年工作的一部分。另一部分則是將堯的在位年變成一百年而不是五十八年。

然而，另一原因來自將商的第一年從前 1554 年推至前 1589 年的編排工作。這一工作將商王在位期中的重合期取消：在武丁之後的年紀中取消（16+11）年的值；加上四年，使盤庚在位期變爲二十八年而不是二十四年；又使仲壬在位期之四年移至太甲之前。以下商王（至相甲）的表格顯示了這一編排過程的細節。欄目以(1)(2)(3)標出如下：

(1) 將外丙的兩年在位期當作湯的整個喪期（三年），這就使得太戊元年正好

成爲商朝建國始年（前 1575）的一百年之後，這就將太戊在位年數延長爲六十一年。（《竹書紀年》中的太戊紀譜裡，其去世前所記錄的最後一個事件是，「六十一年，東九夷來賓」。）

(2) 通過取消重合期，將商之始年推至前 1589 年，這就使得錯行星象的出現於湯元年的前五年而不是前一年。但是這一更動使得湯元年成了宋平公之前的 1031 年而不是整 1000 年，由此也無法看到周的始年是在商的始年的 496 年之後。

(3) 這一更動最終導致把湯元年和太戊元年推後三十一年，並編造出帝癸的在位期，以塡補這一空缺。同時，喪期也被取消，造成太戊之前的十二年間隔，此間隔期通過將雍己移至太戊之前來塡補；把太戊的在位期加上（雍己的）（2+12）年而拉長至七十五年。值得注意的是，從第十一個到第二十二個商王在位期的喪期總年數爲三十一年，正好與帝癸的在位期相合。

「眞實年代」是由《竹書紀年》中各王在位期的時間和紀年干支所確定的（見 7.4）。（在一些例證中，所選擇的某一月份的朔日比張培瑜所算出的日期要早或晚一天，但是調節長－短月計算法可以證明這一差別的合理性。關於外壬在位期的一年守喪期，詳見附錄五）商朝年代的重建需要假定太戊，活到八十歲以上，如果他是小庚之子的話。同時也須對雍己是否爲太戊之兄弟持懷疑態度；或許雍己是小甲之子、太戊之表兄弟。總之，他是太戊的同代人，但非主要序列（所謂「大宗」）上之王。

商代年代的更動，從真實的年代到《竹書紀年》的年代（皆為公元前）

王	真實年代	在位時間	(1)	(2)	(3)
帝癸	(虛構的)	(31)			1589
錯行	1576		*1576*	+35	−31=+4 *1580*
1. 湯1	1575		*1575*	+31	−31 *1575*
尚1	1554		*1554*	+35 *1589*	−31 *1558*
喪期	1542–40	(3)			
2. 外丙	1541–40	(2) +1	1542–41	+35	−31=+4 1546–45
3. 仲壬	1539–36	(4) +1	1540–37	+31+4=+35	−31=+4 1544–41
4. 太甲	1539–28	(12) +1	1540–29	+31	−31 1540–29
5. 沃丁	1527/24–06	(3+19) +1	1528/25–07	+31,	−31,+3 1528–10
6. 小庚	1505/02–98	(3+5) +1	1506/03–99	+31	−31,+3+3 1509–05
7. 小甲	1497/94–78	(3+17) +1	1498/95–79	+31	−31,+3+3+3 1504–88
雍己				(3+3+3,+3=12,置入)	1487–76
8. 太戊	1477/74	(3+60)* +1	1478/*1475*	+31	−31 *1475*
	−1415	+0	−1445	(3+60+1,−3+2+12,=75)	−1401
9. 雍己	1414/12–01	(2+12)			(刪除)
10. 仲丁	1400/97–89	(3+9)		+31,	−31+3=−28 1400–92
11. 外壬	1388/87–78	(1+10)*		+31	−28+1=−27 1391–82
12. 河亶甲	1377/74–66	(3+9)		+31	−27+3=−24 1381–73
13. 祖乙	1365/63–45	(2+19)		+31	−24+2=−22 1372–54
14. 祖辛	1344/41–28	(3+14)		+31	−22+3=−19 1353–40
15. 開甲	1327/24–20	(3+5)		+31	−19+3=−16 1339–35
16. 祖丁	1319/16–08	(3+9)		+31	−16+3=−13 1334–26
17. 南庚	1307/04–99	(3+6)		+31	−13+3=−10 1325–20
18. 陽甲	1298/96–93	(2+4)		+31	−10+2=−8 1319–16
19. 盤庚	1292–1269	(24,+4=28)*		+27+4=+31	−8 1315
				+27	−8 −1288
20. 小辛	1268/66–64	(2+3)		+27	−8+2=−6 1287–85
21. 小乙	1263/60–51	(3+10)		+27	−6+3=−3 1284–75
22. 武丁	1250/47	(3+59)		+27	−3+3=0 1274–16
	−1189				
23. 祖庚	1188/85–78	(3+8=11)		+16+11=+27	1215–05
24. 祖甲	1177/75	(2+20,+11=33)		+16	1204
	−1156				−1172

附錄四：其它克商年份之解說

1.在其他年表中，必須注重周克商的年代，這一問題始終深受關注。正如我已經論證的（4.3－4.3.2），克商的眞正年代應爲前 1040 年。在很久以前（約在前 400 年以前），對周公攝政期的興趣和對明顯的年代不合之疑惑，導致人們假設七年的攝政期在成王的三十年在位期之前，並將克商年代推前五年到前 1045 年。既有《竹書紀年》的年份——前 1050 和前 1051 年；也有殷曆的年份——前 1070 年，我在前面已對這些年份部分地作了解釋（4.1，4.3.1，5.2，7.8.2）。**⓰**

2.劉歆所云克商年爲前 1122 年，這種說法基於三個錯誤的信念：(1)在一百四十四年中，木星運行一百四十五個次；(2)克商時，木星處於鶉火次；(3)「魄」爲月亮的無光部分，因此克商甲子之日爲既死霸的四天之後，此日必須在是月剛剛開始之際，而非接近月末之時。144:145 的錯誤比例衹能爲這樣的人所相信，即他接受《竹書紀年》的說法，並觀察到木星在前三百一十五年的位置，因爲在那一年，十二年周期的規律會告訴他，木星應在大火（第 10 次）——《竹書紀年》已經暗示，這是木星在前 1035 年的位置，其時晉國始君受封；事實上木星在前 315 年位於後五次（即第三次）：(1035–315)+5=(5×144)+5=5×145。很可能這是劉歆的錯誤產生之根源（非直接的，因爲他未曾見過《竹書紀年》）。《竹書紀年》本身也暗示，克商時歲在鶉火；因此這種看法的出現是早於《竹書紀年》。《國語・周語》卷 3 第 7 節的一段敍述開頭云，歲在鶉火（天象圖上處於南）。伐紂行動實際上始於前 1040 年的仲冬（夏曆的前 1041 年終），木星此時在天象圖上應處於北，即在虛（見班大爲，1983 年文，頁 241）。**⓱**這就告訴我們，《國語》所載乃是約在前六世紀末和五世紀初某觀察者的一個計算結果。（他知道正確的克商年份，但是採用了 12 年周期的規則。參見倪德衛 1992 年文的討論。）

⓰ 假如前 1035 年（即像在 4.3.1 所提出並在附錄八所論證的那樣）——唐叔於大火年受封——是《竹書紀年》的魏國編者爲使惠成王前 335 年稱王有效所選擇的話，這就表示前 1050 年應爲鶉火年，由此亦爲克商年；這也要求前 1071 年出現五星聚於房，大火中宿。

⓱ 見王先謙：《荀子集解》（上海：世界書局，1936 年，《諸子集成》本），頁 85。

　　班大爲在其 1983 年之文曾引楊倞《荀子‧儒效》注：「尸子曰：武王伐紂，魚辛諫曰：歲在北方，不北征；武王不從。」但他本人並不接受這一說法，他傾向於《國語》所載是有根據的。漢代的劉歆除了根據錯誤的天文歷法將克商年絕對地定於公元前 1122 年這一點外，他關於周武王伐紂克商的說法也非正確。劉歆以及班大爲主張，周武王是在周受命的十三年發動克商的牧野之戰，此年歲（木）星在鶉火，而歲（木）星的位置與周朝的命運相聯繫。班大爲論証道，這一年應該是前 1046 年。

　　劉歆認爲克商之役發生在周受命的第十三年，而此年歲（木）星位於鶉火。劉歆的誤說來源於來自上述《國語‧周語》中的那段記載（其所記之時爲前 522 年）。它記載了克商之戰武王時的日、月及歲（木）星所處的天象位置：歲星在鶉火，月在「天駟」，即在房，日在「析木之津」，即箕與斗兩個星宿之間（根據《爾雅》所載）。十五年前，我曾在《古文字研究》第八輯上撰文，指出此段記載是西漢人僞造的，不足爲憑。現在我逐漸認識到，這樣的看法不確。因此，我接受關於此段記載是戰國早期文獻的觀點。

　　儘管這段天象的記載比我原來所主張的時代要早，但是它卻是出於僞造，而非原來的眞實記錄。由於《國語》的這段記載與尸子之語相牴牾，其中之一必爲誤載。唯一能夠說明何者爲誤的辦法，就是要看其中何段記載能被證明爲誤。如果其中之一證明爲誤，另外一段的解釋則是正確的。而最能證明爲誤的正是《國語》所記。而且劉歆理論的另一部分，即「十三年」的觀念，也是錯誤的。

　　「殷曆」的置閏法——章＝十九年，蔀＝四章＝七十六年——是在約公元前五世紀早、中期發明和採用的，因爲此計算法在那時大概是以「合天」確定多至點和陰曆每月的朔日。假設五世紀前期的一位研究者試圖以此設置法來証實克商之年。即他已知此年應爲前 1040 年，決戰獲勝在甲子日，此時已臨近前 1040 年夏曆二月末。在前十一世紀中葉，殷曆系統的干支在記日上要提前兩天。這點將告訴這位研究者，甲子日乃前 1040 年三月朔日。他知道這是錯誤的；於是他得出結論說，上述說法所使用的曆法肯定「周」曆。因此他重新解釋了以前大月 30＋小月 29 天的記載日月系統。這就使得甲子日成爲周曆二月的最後一天，將克商之戰的

開始放在接近秋季最後一個月末，而這正是《國語》所載的天文現象。[⑱]所以他推測周武王提前出師，時為前 1041 年末。他接著從前 1041 年以十二年週期向前計算（他以為十二年為木星的運行週期），到了前 477 或 465 年，歲（木）星位在鶉火。他就斷定當武王出發時歲（木）星則是位在鶉火，就如《國語》所記載的那樣。

　　3.劉歆理論的另一個方面是，主張克商在周受命的第十三年，因為他已知元年乃鶉火年。這「十三年」的錯誤是通過他的一些其它想法體現出來的，不過他可能認為他的主張自有其原因，而我卻找不出對這一誤解的任何解釋。這是需要提出一個解釋，因為這個錯誤繼續影響著那些主張其他克商年份的學者們，甚至包括一些現代的學者。

　　4.進而言之，劉歆的錯誤可以溯及漢代早期曆法的一個慣例，及盲從戰國之說。戰國末年的流行看法是以克商之年為「十二年」。此說為《史記》所從，接著亦為劉歆所採納。此乃錯誤之一。漢初的慣例是使用夏曆中的月名來確定任何年曆中的月份。比如，如果某曆始於立冬的正月，它即始於「十月」。這點使《史記》的作者瞭解到其資料來源「十一年十二月」（即周師渡河之年月）被誤以為「十一年正月」，因為他假設此十一年是指以冬至後一月，即第十二月，為一年之第一月的曆法。此乃錯誤之二。劉歆也接受了這一用法，但他與《史記》在另一點上卻有所不同：《史記·周本紀》似乎是說（不像那幾篇〈世家〉所載）克商戰役的年份應該從文王（已故）被承認為王開始算起；它還明確地說文王在受命七年後崩。劉歆所能得到的證據（如《逸周書》第二十五〈文傳解〉）表明，文王在受命後的第九年尚在世，劉歆因而假定文王崩於九年。我已經指出，文王在前 1056 年，即受命之第三年，改正朔；因此第七和第九這兩個年份均無誤。但是很可能在漢代早期沒有人知道這一點，以及此點的古代制度基礎。於是劉歆就假定《史記》把第十三年克商誤作第十一年。所以，劉歆以為「十三年」是史實。此乃錯誤之三。這第二和第三點錯誤的根據出自另外的一種說法，即克商年是在某一第十二年而非某一第17 年，我已在 5 和 5.1 討論過了。（見《漢書》卷 21B53b－54a，及王先謙的《漢

---

⑱　《國語》記，武王克商之役開始時，「日在析木之津」，「箕斗之間」（《爾雅》），則必為冬至月或為該月之前；又云：「月在天駟」（即「房」宿），則必為月末。

書集解》；和《史記》卷四〈周本紀〉7a—9a。）⓵

　　最後，有一個爲人廣泛接受的克商年份是前 1027 年。它顯然是有可信的文獻爲根據的。（我現在撇開其他的年份不談，因爲它們中間的大多數都是現代人的臆測；一共加起來，人們提出或認可的克商年份約有四十個以上。）這一說法的文獻根據是六朝人裴駰所引《竹書紀年》「自武王滅殷，以至於幽王，凡 257 年」。裴氏顯然是據此以說明西周的年數；因此他的意思是「從武王元年」（假定的克商之年）到幽王的最後一年（前 771 年包括在內）爲 257 年。而被人忽視的是，裴駰在別處暗示，*他自己未見過《竹書紀年》的原書*；他告訴我們（見《史記集解》「魏襄王卒」之〈集解〉，見《史記》卷 44，10a）：「荀勖曰：和嶠云『《紀年》起自黃帝，終於魏之今王。』」（荀勖、和嶠皆爲參與整理約 280 年出土的《竹書紀年》的晉廷學者）。（見倪德衛發表於《古代中國》第 15 卷之文，頁 171，注 12）人們必須得出這樣的結論，裴氏所引西周年數體現了他本人對他人所引《竹書紀年》之語的解釋。所引《竹書紀年》乃是「周紀」末尾之語。其文曰：

　　　　武王滅殷，歲在庚寅 (27)。二十四年，歲在甲寅 (51)，定鼎洛邑，至幽
　　　　王二百五十七年，共二百八十一年。自武王元率己卯 (16) 至幽王庚午
　　　　(07)，二百九十二年。

以上有干支紀年的斜體文句很可能並非原文；當刪掉這些文字後，此段共有 40 個字，恰爲竹書之一簡的長度；因此這段刪餘的文字看來是眞實的。很顯然，裴駰所見到的引文祇有第一和第二句，即「武王滅殷，二十四年，定鼎洛邑，至幽王二百五十七年」，卻沒有接下來的總年數。但是若無總年數，這段文字的意思便是模稜兩可的。它可以（也正好是）表示，在武王滅殷後二十四年，定鼎於洛邑；從那時直到幽王（在位期的結束）共是 257 年。但是裴氏——如果說這是他所見的全部文

⓵　三國時期的注疏家譙周 (201—270) 曾爲裴駰《史記集解》所引，說《史記》曰：「武王十
　　一年東觀兵，十三年克紂。」（'IG) 此說與現存《史記》所載不合。此說法肯定是按照劉歆
　　所改動過的本子；因爲如果「十三年」是原文的話，就無法說明這句引文，既不能解釋爲何
　　「十二年」乃先秦的文字，也無法解釋爲何「十一年」乃現存的文字。

字，當是十分公允的——卻把此段理解爲：「……（從武王）到幽王是 257 年」。正確的意思乃是能與《竹書紀年》其他部分相合的唯一可能的解釋，而任何承認《竹書紀年》爲眞書的人都將會立即認識到這一點。所以前 1027 年克商的假說乃屬於視《竹書紀年》爲僞書的觀點。此種觀點已經不再站得住腳了，前 1027 年克商的假說亦如是。

———————————

關於更多的所推定的周克商年代之討論，可參看北京師範大學國學研究所編輯的系統研究這一問題的集子。這部集子包括五十七篇文章，此書簡短的書目（頁 687−690）例舉了古今研究者所提出的四十四種不同的克商年份，還臚列了超過七十五位學者的上百篇研究文字，其中大多數是中國學者，但也包括了研究這一問題的美國、日本和歐洲最重要的學者。我主張克商年爲前 1040 年的文章亦收入此集，此文是由史丹福大學研究生周平所翻譯的。這篇文字乃是我尚未出版之書《〈竹書紀年〉解迷》中關於周克商的一章。

令人感到欣慰的是，我注意到：在我提出前 1040 年說之前幾個月，中國學者周文康也提出了同樣的說法。（不過周氏的討論較爲簡略，而且有些看法與我的持論亦有不同。）此外，吉德煒教授（見吉氏 1978 年文，頁 175）事實上已猜測克商年不祇是前 1041 年，而是前 1041 或 1040 年，他的看法是根據從商朝的武丁到前 841 年共和執政的各王在位期的平均數而來的。我對前 1040 作爲克商年最終會爲人們所接受這一點，始終保持著信心。

附錄五：黃帝至西周之年表

在位者名	《竹書紀年》 （＝暗示）	（包括喪期）	校正年代 [＝傳說]
黃帝	（2402，100 年）	（2406）	[2287−2188，100]
左徹　無王期	（2302，7）	（2306）	[2187−2181，7]

| 顓頊 | (2295，78) | (2299) | [2180－2103，78] |

顓頊 13 年：改正朔 (2287)

（《竹書紀年》的年表延長推前，將命理學意義上的重要年份堯元年定爲前 2145 年（見附錄三）。整個年表的第一年前 2287 年，則保留作爲「顓頊曆」的首年。刪去喪期後，「前 2287 年」便不復出現）

(喪期)		(2221－2220，2)	[2102－2101，2]
帝嚳	(2217，63)	(2219)	[2100－2038，63]
(喪期)		(2156－55，2)	2037－2036，2
摯	(2154，9)		2035－2027，9
堯	2145－2046，100 年		2026－1969，58
堯被囚			1968－1960，9
(喪期)	2045－2043，3		
(喪期；年曆中止)			1959－1958，2
舜	2042－1993，50 年		1968－60，1957－35
(喪期)	1992－1990，3		
(喪期；年曆中止)			1934－1933，2

　　《竹書紀年》所記舜在位五十年很可能是確實的。這樣會將其崩年定爲前 1917 年，而前 1916－1915 年則爲喪期，前 1914 年爲正統的禹元年。關於以前 1935 年爲舜之崩年的理由（如果舜這個人物確實在歷史上存在過的話），見倪德衛、彭聎鈞在《古代中國》第 15 卷（1990 年）頁 95 有關部分：

> 可以說舜的確死於前 1935 年，即他在位之 32 年，於此《竹書紀年》記曰：舜「陟方岳」，因爲在《竹書紀年》中「陟」總是用來表示君主的「死亡」。

在以下的夏年表中，我採用上述的觀點；由於如果堯之假定在位一百年說是明顯的理想化的話，人們必須同樣地懷疑舜在位五十年說；所以也許加在「陟」之後的

「方岳」一詞是爲了讓舜享有一個聖人所應有的在位年數。這一問題不應影響以後夏朝各王的絕對年代；如果假定舜死於前 1935 年，那麼就必須明確指出禹在位是二十六年而非八年。

（在以下年表中，《竹書紀年》的年表在左，經我修正的年表在右。）

夏朝

1.禹

（事實上的）	2029 −（舜，第 14 年）	1953，五星聚會
（爲舜居喪）	1992 − 1990，3 年	1934 − 1933，2
禹		
（正統上的）	1989 − 1982，8	1932 − 1907，26
（喪期）	1981 − 1979，3	1906 − 1905，2
2.啓	1978 − 1963，16	1904 − 1889，16
（喪期）	1962 − 1959，4	1888 − 1887，2
3.太康	1958 − 1955，4	1886 − 1883，4
（喪期）	1954 − 1953，2	1882 − 1881，2
4.仲康	1952 − 1946，7	1880 − 1874，7
仲康 5 年，日蝕，1948		1876，日蝕
（喪期）	1945 − 1944，2	1873 − 1872，2
5.相	1943 − 1916，28	1871 − 1844，28
（篡位）	1915 − 1876，40（傳說）	
（喪期）	（無）0	1843 − 1842，2
6.少康	1875 − 1855，21	1841 − 1821，21
（喪期）	1854 − 1853，2	1820 − 1819，2
7.杼	1852 − 1836，17	1818 − 1802，17
（喪期）	1835 − 1834，2	1801 − 1800，2
8.芬	1833 − 1790，44	1799 − 1756，44
（喪期）	（無）0	1755 − 1754，2

9.芒	1789－1732，58	1753－1696，58
（喪期）	1731，1	1695－1694，2
10.泄	1730－1706，25	1693－1669，25
（喪期）	1705－1703，3	1668－1667，2
11.不降	1702－1644，59	1666－1608，59

（退休；死於扃 10 年，年曆沒有中止）

12.扃	1643－1626，18	1607－1590，18
（喪期）	1625－1623，3	1589－1588，2
13.廑	1622－1615，8	1587－1580，8
（喪期）	1614－1613，2	1579－1578，2
14.孔甲	1612－1604，9	1577－1569，9
（喪期）	1603－1602，2	1568－1567，2
15.昊	1601－1599，3	1566－1564，3
（喪期）	1598－1597，2	1563－1562，2
16.發	1596－1590，7	1561－1555，7

（無喪期）

17.帝癸	1589－1559，31（虛構的）	

（見本文 6 至 6.4.2 節以確定右欄的年份：前 1953 年的五星聚會定爲舜十四年。假定兩年的喪期說明，可信的前 1876 年 10 月 16 日爲日蝕日；而前 1577 年 2 月 17 日，甲子日，作爲孔甲之首日，以說明其甲名；商的眞正始年是前 1554 年，帝癸則是虛構人物，說見本文 6.3.1.1。）

商朝

行星顯現	1580	1576
湯，元年	1575	1575
克夏	1559	1555
1.湯	1558－1547，12	1554－1543，12
（喪期）		1542－1540，3

2.外丙	1546－1545，2	1541－1540，2
3.仲壬	1544－1541，4	1542/1539－1536，3+4
4.太甲	1540－1529，12	1542/1539－1528，3+12
伊尹簒位	1540－1534，7	1542－1536，7
伊尹被殺	1534	1536

（《竹書紀年》曰：「伊尹自立。」我認爲他僅僅企圖這樣做，因他不過祇是將太甲囚禁，而立外丙、仲壬爲其傀儡；這或許是爲何外丙、仲壬二人不見於一些年表的原因。）（以下*號標誌著主要的校正年代。）

5.沃丁	1528－1510，19 年	1527/1524－1506，3+19
6.小庚	1509－1505，5	1505/1502－1498，3+5
7.小甲	1504－1488，17	1497/1494－1478，3+17
8.太戊	1475－1401，75	1477/1474－1415，3+60*
9.雍己	1487－1476，12	1414/1412－1401，2+12
10.仲丁	1400－1392，9	1400/1397－1389，3+9
11.外壬	1392－1382，10	1388/1387－1378，1+10
12.河亶甲	1381－1373，9	1377/1374－1366，3+9
13.祖已	1372－1354，19	1365/1363－1345，2+19
14.祖辛	1353－1340，14	1344/1341－1328，3+14
15.開甲	1339－1335，5	1327/1324－1320，3+5
16.祖丁	1334－1326，9	1319/1316－1308，3+9
17.南庚	1325－1320，6	1307/1304－1299，3+6
18.陽甲	1319－1316，4	1298/1296－1293，2+4
19.盤庚	1315－1288，28	1292－1269，24*
20.小辛	1287－1285，3	1268/1266－1264，2+3
21.小乙	1284－1275，10	1263/1260－1251，3+10
22.武丁	1274－1216，59	1250/1247－1189，3+59
23.祖庚	1215－1205，11	1188/1185－1178，3+8
24.祖甲	1204－1172，33	1177/1175－1156，2+20*
25.馮辛	1171－1168，4	[1175－1172，4]

26.康丁	1167－1160，8	[1171－1156]，
		1155/1153－1146，2+8
27.武乙	1159－1125，35	1145/1143－1109，2+35
28.文武丁	1124－1112，13	1118－1108/1106，10+3
29.帝乙	1111－1103，9	1105－1087，19*[－1069，37]
30.帝辛	1102－1051，52	1086－1069，18
		1068－1041，28*

（*盤庚可能把陽甲的 4 年算在他的「28 年」之中；祖甲肯定是把祖庚的十一年算進了他的「33 年」中。兩人的做法都是篡位的企圖，但祖甲成功了。武丁指定的繼承人可能是祖己，卜辭中稱其爲「小王」；我猜測，在祖庚在位期間（全部或部分），祖己是主要的守喪者。祖甲在前 1175 年指定馮辛爲繼承人，在前 1171 年（馮辛死時）又指定了康丁，這樣就保證了他的嫡系子孫繼承王位。武乙繼續運用這一政策，在前 1118 年給其子武文丁本人一個年曆。（同樣地，在前 1086 年帝乙可能給予其子紂辛本人一個年曆。）武文丁和帝乙或許是同一個人，他在前 1105 年獲得「文武帝乙」這一稱號。他去世的時間可能在前 1080 年前後。其子紂辛約在前 1068 年獲得「帝辛」的稱號，同一年紂辛升擢其繼承人祿父爲王室成員（號爲武庚），並採用了新的年曆。

有一種辦法可以避免假定外壬（第十一位王）在位期之始出現不規則的單一守喪年：假設仲丁的在位期是（2+9），應在前 1389 年置入的閏月適爲前 1390 年終。外壬在前 1389 年（而非前 1388 年）接位，實際上始於從含冬至之月算起的第三個月。於是假設陰曆月首日已確定，因此形成二十九天的月份和三十天的月份相互交替。外壬的年份則是（2+10），前 1389 年/前 1387－1378 年。（以前 1389 年的首日爲壬戌(19)，二月八日，而非癸未(20)，二月九日。）仲丁在位年則爲前 1400、1398－1390，（2+9）（前 1400 年元旦爲丁巳(54)，正月十一日，並非戊午(55)，正月十二日）

西周

文王	1113－1062，52 年	1101/1099－1050，2+50
五星聚會	1071	1059

受天命	1070	1058
王室年曆		1056
1.武王	1061－1045，17	1049－1038，12
克商	1050（第 12 年）	1040（自 1056 起的第 17 年）

（可能是在前五世紀中葉，「王室之曆」被重新確認爲武王之曆；由於錯誤地將前
1041 年算作鶉火次之年，從而使得前 1065 年成爲受命之年、前 1057 年爲文王之
崩年（見倪德衛 1992 年文的論述）。於是似乎在位十二年的武王於第十七年克
商。這一反常現象祇有將周公攝政期推回五年才能解決（即在成王的三十年在位期
前有七年），並將成王紀譜的一支竹簡置回武王之紀譜（即夏含夷所發現的），這
使武王在世多了三年。結果是將「十二」和「十七」對換。）

武王稱王	1050－1045，6	1040－1038 年，3
2.成王	1044－1008，7+30	1037/1035－1006，2+30
周公攝政	1044－1038，7	1037－1031，7
3.康王	1007－982，26	1005/1003－978，2+26
4.昭王	981－963，19	977/75－957，2+19
5.穆王	962－908，55	956/954－918，2+37
6.共王	907－896，12	917/915－900，2+16
7.懿王	895－871，25	899/897－873，2+25
8.孝王	870－862，9	872－868，5

（厲王生於前 864 年，夷王在此之前一直未有繼承人，也許這便成了孝王篡位的借
口。所以孝王可能一直到前 864 年占據著王位，他實際上在位九年。夷王之父懿王
可能被迫退位，他一直活到前 868 年。）

9.夷王	861－854，8	867/865－860，2+6
10.厲王	853－842，12	859/857－828，2+30
共和攝政	841－828，14 年	841－828，14
11.宣王	827－782，46	827/825－784，2+42
12.幽王	781－771，11	783/781－771，2+11

（傳統上認爲宣王和幽王的在位期分別爲前 827－782 年和前 781－771 年。對這兩
個王年的修正，見 8.5。）

附錄六：西周青銅器的分期與金文曆譜的
排定；陰曆之「月相」

（以下列第一行為例來說明：「25 8 C (21)」表示「第二十五年，八月，第三分月相，甲申(21)」；「979yr」表示前979年，假定此年建寅（春分以前之月），並有閏月。（同欄中的「h」為「亥」月，即多至前之月；「c」為「丑」月，即多至後一月；「z」為「子」月，即丑月前之月。）「11(06)」指的是第十一月（從多至月算起），該月首日是「己巳(06)」。）（夏含夷 1991 年之文和我本人對以下青銅器中四分之三的年代排定在看法上是一致的。）

青銅器名	銘文年代	王世	元年	年份	月(天干)	日
1.小盂鼎	25 8 C(21)	康	1003	979yr	11(06)	16
2.師遽簋	3 4 B(58)	穆	956	954z	4(44)	15
3.庚嬴鼎	22 4 C(46)	穆	956	935z	4(24)	23
4.裘衛簋	27 3 B(35)	穆	956	930z	3(26)	10
5.虎簋蓋	30 4 A(11)	穆	956	927z	4(07)	5
6.鮮簋	34 5 C(55)	穆	954	921z	5(32)	24
7.裘衛盉	3 3 B(39)	共	917	915c	4(27)	13
8.裘衛鼎 I	5 1 A(47)	共	917	913c	2(47)	1
9.齊生魯彝	8 12 A(24)	共	917	910c	909.1(24)	1
10.裘衛鼎 II	9 1 D(17)	共	917	909c	2(53)	25
11.走簋	12 3 C(27)	共	917	906c	4(05)	23
12.趞曹鼎 II	15 5 B(19)	共	915	901z	5(06)	14
13.師虎簋	1 6 C(11)	懿	899	899z	6(53)	19
14.舀鼎	1 6 C(12)	懿	899	899z	6(53)	20
15.吳方彝	2 2 A(24)	懿	899	898c	3(19)	6
16.趩觶	2 3 A(52)	懿	899	898c	4(49)	4
17.達盨蓋	3 5 B(39)	懿	897	895z	5(31)	9
18.大師虘簋	12 1 C(31)	懿	897	886z	1(11)	21

19.望簋	13 6 A(35)	懿	897	885h	5(33)	3
20.休盤	20 1 C(11)	懿	897	878z	1(55)	17
21.牧簋	7 13 B(51)	孝	872	866h	12(39)	13
22.師艅簋	3 3 A(11)	夷	867	865z	3(8)	4
23.師晨鼎	3 3 A(11)	夷	867	865z	3(8)	4
24.師旂簋 I	1 4 B(51)	夷	865	865z	4(37)	15
25.諫簋	5 3 A(27)	夷	867	863z	3(26)	2
26.癲盨	4 2 B(35)	夷	865	862c	3(21)	15
27.散季簋	4 8 A(24)	夷	865	862c	9(17)[18]	7
28.師旂簋 II	5 9 B(19)	夷	865	861c	10(11)	9
29.伯碩父鼎	6 8 A(6)	夷	865	860y	10(05)	2
30.王臣簋	2 3 A(27)	厲	859	858c	4(27)	1
31.逆鐘	1 3 B(57)	厲	857	857y	5(51)[50]	8
32.師兌簋 I	1 5 A(51)	厲	857	857y	7(50)	2
33.叔專父盨	1 6 A(24)	厲	857	857y	8(19)	6
34.鄭季簋	1 6 A(24)	厲	857	857y	8(19)	6
35.師㝃簋	11 9 A(24)	厲	857	847c	10(20)	5
36.大簋	12 3 B(24)	厲	857	846c	4(17)	8
37.癲壺	13 9 A(15)	厲	857	845z	9(09)	7
38.大鼎	15 3 D(24)	厲	857	843z	3(60)	25
39.師兌簋 II	3 2 A(24)	厲	844	842c	3(25)[24]	1
40.師毀簋	1 1A(24)	共和	841	841y	3(19)	6
41.無㠱簋	13 1 A(39)	共和	841	829c	2(39)	1
42.伯克壺	16 7 B(32)	共和	841	826h	6(19)	14
43.頌鼎	3 5 D(11)	宣	827	825z	5(45)	27
44.兮甲盤	5 3 D(27)	宣	827	823z	3(04)	24
45.虢季子伯盤	12 1 A(24)	宣	827	816z	1(25)[24]	1
46.克鐘	16 9 A(27)	宣	827	812c	10(27)	1
47.吳虎鼎	18 13 B(23)	宣	827	810c	12(15)[14]	10
48.趩鼎	19 4 C(28)	宣	827	809c	5(11)	18

49.此鼎	17 12 B(52)	宣	825	809y	808.2(38)	15
50.番匊生壺	26 10 A(16)	宣	825	800y	12(16)	1
51.袁盤	28 5 C(27)	宣	825	798y	7(07)	21
52.閒攸從鼎	32 3 A(29)	宣	827	796y	5(26)	4
53.晉侯蘇編鐘	33 1[12] B(55)	宣	827	795h	12(47)	9
54.伯寬父盨	33 8 D(28)	宣	825	793y	10(07)[06]	23
55.善夫山鼎	37 1 A(47)	宣	825	789y	3(47)	1
56.師訇簋	1 2 C(27)	幽	783	783c	3(12)	16
57.師穎簋	1 9 C(24)	幽	783	783cr	11(08)	17
58.鄭簋	2 1 A(24)	幽	781	780c	2(25)[24]	1
59.柞鐘	3 4 A(51)	幽	781	779c	5(48)	4
* 伊簋	27 1 C(24)	[年代必有誤]				
* 克盨	18 12 A(27)	[年代必有誤]				

1. 前 979 年，在建子年曆法中的十月應爲閏月。

18. 從造型和紋飾來看，休鼎應該是懿王世器，那麼懿王在位二十五年的記載則爲不誤，而且厲王出奔彘前也不可能在位三十七年。

39. 朔日實際是次日的 01：32，戊子(25)。

42. 宣王即位是在前 827 年。但是我猜想，在都城的共和並沒有立即離開其位，已故厲王的地方距離都城相當遠，而厲王之子的支持者可能行動遲緩並且很謹慎。因此可以有理由說，厲王世的年曆在前 827－826 年仍在使用。伯克壺（我定其年代爲前 826 年）看來是呈獻給共和的，其時他仍然作爲一國之首而盡其職；制壺者向共和呈獻其感謝之辭：「白克敢對揚天右王白友」，「天右王白」意爲「受天之祐而當王位之伯」，即指伯和父。

46. 8.1=(28)（朔 06:44）。調節長－短月計算法的要求(27)。

49. 在趞鼎與此鼎之間，將丑月爲歲首改爲以寅月爲歲首，是由於從前 827 年爲元年變爲前 825 年爲元年造成的。假定在三月（＝四月）之後和十二月之前，有一個閏月產生這一變動。

52－53. 閒攸從鼎年代不明，可能是三十一年。它的形制與毛公鼎相似，而毛

公鼎很可能是幽王世器。從前 827 年算的話，閼攸從鼎是前 797 年；它可能是一篇帶有地方性的銘文，攸是宋國東邊的一個小國，當地的年曆大概是以亥月爲歲首，而周王室的年曆此時顯然還是以寅月爲歲首。如果在攸國前 797 年無閏月的話，則前 796 年的三月當爲張培瑜所定的前 796 年的正月朔日辛卯日(28)。所以日期應爲「【周曆前 827 年】三十一年【＝前 797】，【當地年曆】三月【前 796 年，＝周曆前 797 年 11 月】，第一月分，壬辰日(29)【＝第二天】。」在近年出土的晉侯蘇編鐘中的年代還需要加以這樣的分析解釋，因爲這也是一篇帶有地方性色彩的銘文。（參見倪德衛、夏含夷：〈晉侯的世系及其對中國古代紀年的意義〉，《中國史研究》，89(2001.1)：3－10。）

54. 在前 793，10.1＝(07)，朔日 00:21；釋爲(06)（這是爲調節期所允許的）。我已假設第二十三日是在既望。這篇銘文可能是出現了因疏忽造成的不規則現象（「既死霸」因粗心大意而被簡單地寫成「既死」）。

56. 訇簋，亦有學者主張作「詢」簋。

57. 假定在三月和十一月之間有一個閏月。（前 783z 年是一個有十三個月的年份。如果到此時節氣曆法是根據一個準確的冬至點來確定的，那麼五月一定是閏月。）

58. 前 780c 年二月首日＝(25)；(24)是爲調節期所允許的，在此爲「初吉丁亥」即特別吉祥之日所強定的。

爲了說明使用陰曆用語表示銘文年代中的陰曆「四分月相」，在此我對周克商伐紂記載中所使用的類似而更爲複雜的系統進行了嘗試性的分析。對於這一征伐行動，我所定的年代是夏曆十四月到四月，即前 1041 年 12 月 23 日到前 1040 年 6 月 17 日。節氣的首日之下加橫線，牧野之戰發生在清明日。（《詩·大明》：「肆伐大商，會朝清明。」）❷⓪

---

❷⓪ 在生霸一詞極少出現。到了漢代時，它可能是指某一段時間而非某一確定日子；而這一時段應爲六日，即從朏到既生霸前一或二日；但是在生霸必須包括第六和第七天，正如此處所顯示的那樣。

公元前 1040 年周克商伐紂之日期（與月相表）

	11月	12月	1月	2月	3月	4月
1	(05)12月23日	(34)1月21日	(04)2月20日	(33)3月21日	(03)4月20日	(32)5月19日
2	(06)朏	(35)	(05)朏	(34)	(04)朏	(33)
3	(07)	(36)朏	(06)	(35)朏	(05)	(34)朏
4	(08)	(37)	(07)	(36)	(06)	(35)
5	(09)	(38)	(08)	(37)	(07)	(36)
6	(10)在生霸	(39)	(09)在生霸	(38)	(08)在生霸	(37)
7	(11)	(40)在生霸	(10)	(39)在生霸	(09)	(38)在生霸
8	(12)既生霸	(41)	(11)既生霸	(40)	(10)既生霸	(39)
9	(13)旁生霸	(42)既生霸	(12)旁生霸	(41)既生霸	(11)旁生霸	(40)既生霸
10	(14)冬至*	(43)旁生霸	(13)	(42)旁生霸	(12)	(41)旁生霸
11	(15)	(44)既旁生霸	(14)	(43)既旁生霸	(13)	(42)既旁生霸　1
12	(16)	(45)大寒	(15)雨水	(44)	(14)	(43)　2
13	(17)	(46)	(16)	(45)春分	(15)	(44)　3
14	(18)	(47)	(17)	(46)	(16)穀雨	(45)　4
15	(19)	(48)	(18)	(47)	(17)	(46)　5
16	(20)既望	(49)	(19)既望	(48)	(18)既望	(47)小滿,燎　6
17	(21)	(50)既望	(20)	(49)既望	(19)	(48)既望
18	(22)	(51)	(21)	(50)	(20)	(49)
19	(23)	(52)	(22)	(51)	(21)	(50)
20	(24)	(53)	(23)	(52)	(22)	(51)
21	(25)	(54)	(24)	(53)	(23)	(52)
22	(26)	(55)渡河	(25)	(54)	(24)	(53)
23	(27)	(56)	(26)	(55)	(25)	(54)
24	(28)既死霸	(57)	(27)既死霸	(56)	(26)既死霸	(55)
25	(29)旁死霸	(58)既死霸	(28)旁死霸	(57)既死霸　1	(27)旁死霸	(56)既死霸
26	(30)小寒,開始	(59)	(29)	(58)　2	(28)	(57)
27	(31)	(60)立春	(30)驚蟄	(59)　3	(29)	(58)
28	(32)	(01)	(31)	(60)　4	(30)	(59)
29	(33)	(02)	(32)	(01)牧野**　5	(31)立夏	(60)
30		(03)		(02)		(01)

* 　公元前 1041 年秋分＝十月二日，儒略日 1341473；後 91 日＝儒略日 1341564，1 月 1 日；見 4.3.3。

**　周在牧野克商之日爲二月甲子(01)，朝，清明首日；《詩·大明》：「*肆伐大商，會朝清明。*」

不同的說法應加以調和，其中一些說法遭到那些不懂確定年代之人的任意篡改。劉歆所引《周書・武成》云，「惟一月壬辰(29)旁死霸若翌日癸巳(30)武王迺朝步自周于征伐紂。」根據《史記・周本紀》，我們將一月改為十一月。《逸周書・世俘解》將武王此次行動定為一月丁未日(44)，即旁生霸後之日。這裡的「一月」及所引〈武成〉云武王一月發兵都是錯誤的；但是其所記其他部分卻是有意義的，這是因為劉歆（他未說明出處）說，在丙午日(43)武王還師，這說明軍隊早已在他之前出發；而且我的分析發現，在我所提出（夏曆）十二月中旁生霸實際是丙午日。此點還可從劉歆所引《周書・武成》瞭解地更多：「惟四月既旁生霸，粵六日庚戌，武王燎於周廟。」也就是說，他獲勝之後，返回都城。既旁生霸，意為「魄月生成而更盈滿」，應為旁生霸後次日。（我假定，第二分「月相」有八天，「既」在此周為「在」天後，同時第四分「月相」祇有六天，「旁」則是短月第二日，而在長月中卻沒有此日，這看來是確定牧野之戰日期所須的，「既死霸後五日」已是「二月」底了。）〈世俘〉的記載確認了此年的第四月始於乙未日(32)，因為其開篇即曰：「維四月乙未日，武王成辟」；在此有「乙未」無他故，因為此日為四月之首日，而四月間舉行了慶祝勝利的儀式。（在此，〈世俘篇〉亦確定克商年為前1040年。）

附錄七：《竹書紀年》之簡文

　　我在這裡提出的問題是關於約 280 年發現的《竹書紀年》的情形以及相關的疑問和意見的分歧。

　　首先：我假定夏含夷所發現的那支錯簡實際上在《竹書紀年》入墓之前已經挪動了。對我來說，以上假說要求我不僅承認荀勗所言「一簡四十字」是確切的、而非一個約數，而且出土的竹簡必須是緊密地粘合在一起的。然而近年來出土的竹簡卻顯示出簡策形式的多樣性，並且每簡的字數亦不盡相同。此外，我必須假設，由於這些竹書屬於王室檔案館，因此上述「一簡四十字」的規格長期地使用於所有的文獻，這是因為我認為那支竹簡可能在前 299 年之若干年前已經挪動。持反對意見者亦對我說，我忽視了這樣的可能性，即竹書出土時極為散亂，編絲早已朽斷，

竹簡本身也許遭水所浸透，形似一盤雜亂的意大利通心面。正是由於這種可能性，使得夏含夷的假設看起來頗爲引人注目：晉廷整理者必須重新排列他們所從事整理的竹簡，因而很容易造成誤排。

相反地，我認爲夏含夷假說的主要長處在於，他指出了一支被挪動的竹簡之內容應爲成王十五、十六、十七年之事，故此簡不應出現在武王的紀譜中；而且在刪掉成王紀譜開端的干支紀年後，那裡正好有（10×40）的間隔可以插入那支竹簡。當然接受夏含夷觀點的種種理由與竹書出土時的情形沒有任何關係；但是如若有人說這一挪動是在戰國時期進行的，那就必須如此推論：這種「一簡四十字」的書寫規格當在魏國王室實行已久。

這一推論看來是正確的。事實表明，帝癸紀譜早在竹書入墓前便已插入《竹書紀年》，並且正好占據（8×40）字的間隔，這要求當時的書寫竹簡採用標準的規格。這不衹是唯一的例證。例如，在現存《竹書紀年》康王紀譜中有這樣多餘的幾段，而且還將伯禽的薨年記爲康王十九年，實際上其薨年應在康王十六年。我的看法是，這種不準確的年紀是因爲這支有三年記載的竹簡所造成的（即它是因竹簡的挪動而造成年代改動的殘跡，並且一直未得到糾正）。人們將會發現，衹要加以修正，即復原竹書原有文詞次序，按四十字字數的計算就是正確的了。這一紀年始於竹簡的頂端，在竹簡的一半處結束。這也是成王紀譜的眞實情形和武王紀譜的原始狀態。除非每行四十字的規格已經使用了相當長的一個時期的話，否則這些特徵是不可能自行展現出來的。

至於竹書的狀況：另一位曾經整理竹簡的學者束晳在《晉書》中有傳。其傳云，盜墓者匆忙中打開墓穴，燃燒竹簡當作火把來照明。這就說明墓冢不是建在平地的穴洞（如果是的話，它可能被水淹沒）內，而是開鑿於山坡之上，坡上氣候十分干燥，所以大把的竹簡很容易點燃。而且我們從束晳傳所得到的印象是，竹簡爲盜墓者發現時已經是捆綁在一起，也就是說，在多數情況下竹簡的編絲未受損害。據說墓冢位於汲郡的西部邊界，那裡並非低窪地區，而是山區（說不定屬於黃土高原，人們迄今還在那裏開挖窰洞）。

可以假定一些竹書的情況並非處於良好狀態，檢視《竹書紀年》所載最後一個世紀的部分即表明了這一點：在這一世紀的記載中，雖然每一年都列舉年份，但

在一些年份下卻無記載。很顯然，學者們必須整理那些雜亂的竹簡，試著將史事編排到各個年份中去，這樣做可能會發生錯誤，因爲有時是不能確定應將某一事件排列到某個年份。但對《竹書紀年》的早期部分來說，則不存在這個問題，因爲人們不會假設每一年都會有事件可記。（《竹書紀年》關於前四世紀記載的那部分情形表明，「今本」乃晉廷學者著述的一個抄本，而但尙未完成。見附錄八）

理雅各的〈緒言〉討論了《竹書紀年》的干支紀年問題，指出添加干支乃是六朝人所爲（當然是正確之說）。接著他又恰當地問道，在竹書發現後的整理過程中，是否還有過更多的改動？他認爲，在整理中肯定曾有過改動，即使對諸王的在位期，亦是如此，正因爲此，《竹書紀年》也就失去了作爲紀年標準的價值。（理雅各書，頁 182）他提出兩個理由支持這一觀點。第一，他發現在夏商周年紀結尾的各朝總年數，始終不能合於各王在位期相加之和。第二，他引用束晳之語（引自《晉書·束晳傳》：「（《紀年》）夏年多殷」），然而實際上卻是相反（就如《竹書紀年》各年紀的總年數所清楚表明的那樣）。

關於其第一點理由：理雅各並沒有仔細研究《竹書紀年》那些總年紀之語。它們是首尾一貫的：夏朝 471 年，自前 2029 至 1559 年；商朝 496 年，自前 1558 年至 1063 年；西周 292 年，自前 1062 年至 771 年。（這種首尾一貫還表現在：前兩個總年紀之語恰好占了半簡，而第三個總年紀之語，如刪去其中的干支之句，也正好湊足一支竹簡。）但是夏朝年表的始年應是前 1989 年，而非《竹書紀年》的前 2029 年。商朝年表的終年應是前 1051 年，而非《竹書紀年》的前 1063 年。所以理雅各對此抱怨說，而他無法看到《竹書紀年》以前 2029 年爲夏朝始年具有重要的意義，即此年舜任命禹來統御王國；而前 1062 年作爲周朝始年也是有其意義的，即此年武王在其父三月去世後繼承了王位。這裡存在一個問題（我已經討論過），即爲什麼前 1062 年這一年被視爲周朝的始年，但是它確實如此，這就駁倒了理雅各的異議。

束晳之語更易引人注意，而且使許多人感到迷惑。對之的解釋會是令人驚奇的，並將解決另外兩個疑難。第一個疑難是：在見到剛發現的竹書後不久杜預撰《春秋經傳集解後序》說，其《紀年》篇起自夏殷周，皆三代王事。但實際上現存《竹書紀年》記事起自黃帝，下逮唐堯，自堯開始，各王元年皆有確切的年代。第

二個疑難是：周朝的年表始於克商之年（至少在目前《竹書紀年》的次序上），商朝的年表則始於湯伐夏以後之年，使得克夏之年成為夏朝的終年。

　　第一個疑難有兩部分。《竹書紀年》有關堯以前的簡短部分肯定是與後面的部分分開整理的，或許由另一批學者處理的。所以杜預前去看竹書時，恰好見到（後來）需要在元年加上干支的那部分紀年。荀勖所引和嶠之言，對於堯之前的記載屬於《竹書紀年》這一點來說是至為關鍵的，但是它（現在）在形式上不同於其他部分，而且杜預顯然沒有見過這一部分。可是他為什麼說《竹書紀年》起自夏殷周呢？

　　這是因為，杜預把堯舜的年紀作為關於整個夏朝記事的引言部分：正是在堯舜的年紀中，有關夏的第一位君主禹的生平故事開始了；如果不包括這些敘述，便是不可能有一部全面的夏朝記事（可與《孟子·盡心下》所記「由堯舜至於湯」句比較）。當然，當這些記事包括在內時，《竹書紀年》中「夏」（設想中的朝代）積年就如束晰所說的那樣，比商積年長了。

　　對此概念的證實可見我本人對於商以前年代重建的重新檢討，說見附錄三。在最早的紀年中，堯元年為前 2026 年，而夏朝的終年（假如我們將此年作為商克夏前之年）應為前 1556 年。這恰是 471 年，正是現存《竹書紀年》的夏年數。接著，人們也許要問在前 1589 年（即我所重建的有中間期的商朝始年，見附錄三(b)欄末）之前的 471 年為何年？這一年將是前 2060 年，此年在中間期和最後年紀中則是堯八十六年。那麼在堯八十六年又發生了什麼呢？理雅各（頁 114）所譯《竹書紀年》記：「八十六年，司空（按指夏禹）入覲，贄用元圭」。關於此條，可參看《古代中國》第 9－10 卷所載班大為之文（頁 179）。班氏爭辯道，此條實際指的是《竹書紀年》所記舜十四年（前 2029 年）的同一事件，即舜將其權力轉交給禹（堯八十六年即從堯七十三年加上十四年，其時堯禪讓其位與舜；「玄圭」（the "dark sceptre"）（理雅各譯為"dark-cloured mace"）則是前 1953 年（見頁 178）發生五星聚會的暗示，標誌著上天賦予禹權力。班大為這一論點被一位屈尊的批評者指為僅僅是「猜測」而已；但是現在可以看出班氏之說乃正確無誤的。任何人都可以看出《竹書紀年》的年份是如何和為何出現重複的，即既有舜十四年，等於前 2029 年，又有堯八十六年（如舜十四年），等於前 2060 年。堯的年份正好

比舜的年份早三十一年，就像（也是因爲）有中間期的商朝始年要比現存《竹書紀年》的商朝始年早三十一年一樣。看來，夏積年爲 471 年的等式具有其本身的歷史，並隨著後來的年表在不同的情形中重現。在早期的年表中，471 年（等於夏積年）包括堯和舜的全部年代。當然，所有這些都證實了我和班大爲的分析，並再次顯示了《竹書紀年》具有類似於羅塞達石碑之作用的一面。

這也表明，夏含夷所指出的錯簡應當是在前 299 年之前就已挪動了，因此並沒有發生過在前 280 年及此後對《竹書紀年》重新編排，以致《竹書紀年》作爲紀年標準的價值隨之喪失的情況。

附錄八：魏人對《竹書紀年》之修改及「今本」

顯而易見，《竹書紀年》的文本直到它在前 299 年入墓之前尚未形成定本。有一個歷史細節可以說明，將魏國的紀年與以前已存的早期編年銜接起來並全部地重新編寫，是在魏襄王於前 318 年即位後由魏國編者進行的。這一細節見於《竹書紀年》前 327 年條下有關周朝九鼎淪泗的記載。這一「事件」也許祇是一個傳說，但很快就爲人們普遍相信。（秦始皇曾使千人沒水尋求九鼎，弗得。或根據有的記載，他們找到九鼎的其中之一。）關於九鼎淪沒的記載，在《史記·封禪書》中僅云：「或曰宋太丘社亡，而鼎沒於泗水彭城下。」司馬遷的確假定九鼎在西周滅亡之後被帶到秦國。《竹書紀年》此一年份看來是後人僞造的，因爲這一年份適爲《竹書紀年》所記前 1027 年定鼎洛陽之後的七百年；而前 1027 這一年份也不確。任何一個人都會問道，魏襄王在位時的紀年修訂者究竟作了些什麼工作——如果此時他們作了任何修訂的話。

爲什麼要編撰這樣一部紀年？如果其目的祇是爲了一部本國史，爲什麼它不始於前 453 年？因爲這一年魏氏因在晉國內爭中獲勝建國。作爲母國的晉具備很多資格條件，它曾在前 770 年執掌周廷的大權，其時周平王在洛陽即位。假使前 453 年知伯在晉國內部的爭戰中贏得了勝利的話，他很可能進而統一中國。魏國繼承了這些先志，其志向可從其國君的名字窺見一斑：「文」（文侯，前 445－396 年？）和「武」（武侯，前 395－370 年）。武侯的繼任者（或稱爲惠侯）在約前

335 年稱王，其第一個年曆始於前 334 年；他的稱號上加了「成」，而成王乃繼周朝立國之君武王後的周王名稱。或許這一稱號是在他去世後謚封的。紀年應當是中國早期歷史的一個延續，以此應合魏國稱王的合法性。關於周朝歷三十代和七百年的觀念見於《左傳・宣公三年》的記載，此書大約與《竹書紀年》同時完成，而周代的第三十位王是襄王（前 368–321 年）。關於一個新的王權早該於七百年時出現的說法爲孟子所重申，這見於他在約前 313–312 年記載下來的對話中（《孟子・公孫丑下》）。因此，「七百」對於歷史年代數字學來說是一個很重要的數字，《竹書紀年》的編者就是根據這一觀念工作的。

在以下一個頗費筆墨的問題中可以找到有關的線索。西晉鎮南大將軍杜預在滅吳之後，於 280 年返回北方從事《左傳》研究。他曾在京城停留，見到剛剛出土的《竹書紀年》原本。他有關《竹書紀年》的描述見於他後來所撰《春秋經傳集解後序》。他立即發現，《史記》所載「梁惠王」卒於前 335 年的說法是錯誤的；而其後的年紀，即從前 334 到 319 年（十六年的時間），並不屬於襄王在位期，而是惠成王稱王後的年紀。杜預採納此說，並予以惠成王改元後「十六」年的年數。但是事實上「十六」似乎並非《竹書紀年》本身所載年數可知：劉宋朝的裴駰《史記集解》所引兩位晉廷學者荀勖、和嶠之語，顯然稱惠成王改元後十七年卒。（至少原本《竹書紀年》的另一引文亦有同樣的說法。見范祥雍書，頁 65；方詩銘、王修齡書，頁 135–137。）應當接受這些所引說法，因爲它們告訴我們出土竹書確實如此記載，而且提出這些說法的人不僅有杜預這樣的親見原書的人，還有直接參與整理出土《竹書紀年》的人。他們當然曉得他們所云之事。杜預可能因驚喜而特作記錄，認爲所謂的襄王實際是惠王稱王後的延續。他回家後記寫下他的見聞（據他說，是在事發兩年之後）。杜預運用了對於《史記》的知識，而其上所云「十六年」幾乎是完全正確的。

但是「今本」《竹書紀年》所記與上引原本《竹書紀年》相同：兩者均記「魏惠成王三十六年，改元稱一年。」在今本《竹書紀年》中，此年爲前 335 年，而十七年以三十六年＝元年來算，乃是惠成之薨年。再說，其薨年看來是無可懷疑的：他死於前 319 年。可見他作爲魏國君主的第一個紀元之年應在前 370 年。這個前 370 的年份（即周烈王六年）已記載於《史記》，也見於「今本」《竹書紀

年》。

　　然而，前 370 年的年份是錯誤的。唐代的符兆之書《開元占經》引原本《竹書紀年》曰：「惠成王元年，晝晦」。這是古書提到日蝕的通常說法。這次日蝕發生在前 369 年 4 月 11 日，它也爲《史記·六國年表》中的秦國記錄所載。這次日蝕是環食，出現於中國北方的下午較早時分，在當時的秦、魏國都均可看到。

　　因此，在襄王在位期間所進行的修改工作並不僅是將晉魏年表合併到早期（周朝等）的王室年表之中，這一工作還加進了有年份的九鼎淪泗故事，同時又重新確定惠成王的薨年是其假定的十七年。這一改變有其作用，即將魏國年表中所有的事件都提前一年（除幾個例外），從紀年的開始到惠成王在位的結束。《竹書紀年》顯然是在惠王的前任武侯之時，從晉國編年紀轉爲魏國的編年紀。武侯在位應當是二十六年，前 395－370 年；但是「今本」《竹書紀年》和《史記》都記爲十六年，前 386－371 年。在入墓的《竹書紀年》中則記爲在位 26 年，這就含蓄地說明是前 396－371 年。將年份提早一年可以清楚地見於「今本」，這是因爲它已經將以魏紀年換成絕對年代（即周紀年），不過《竹書紀年》的原本已暗示了這一點。《史記》錯誤地將惠王即位定爲前 370 年，因爲它把「三十六年」當作惠王的薨年，並把此年作爲「元年」的前一年，而將此「元年」錯誤地當作襄王之年。但是這並非「今本」中前 370 年說的解釋。檢視一下惠成王的第二個紀元，即以「今本」與《史記》誤記爲屬於襄王的各事件之年代相比較，就會看到問題的眞正根源在於《竹書紀年》給出惠成王「第十七年」。在第二個紀元中的事件都證實了這一點：在大多數情況下，凡這一時期的同一事件分別記於《史記》和《竹書紀年》時，《竹書紀年》總是要早一年，《竹書紀年》的原本或許也是如此。

　　我甚至把問題歸咎於《竹書紀年》原本——即接近襄王在位結束時所編的本子——在這一本子中魏國的全部年代都系統地做了手腳，因爲在惠成王在位晚期加多了一年，使得整個魏紀年向前挪了一年。在這樣一點上，此種做法乍看起來似乎是合理的：無疑地，惠成王在前 335 年確實頒布了新的紀元——自前 334 年（從前 369 年算起，這一年應爲其在位的第三十六年）開始。但是爲什麼魏國的編者要這樣做呢？線索在於將九鼎失落定爲前 327 年的那條記載。此年份並未挪前，而是當時人僞造的，其目的是爲了與前 1027 年配合，而後一年份也是魏國的編者捏造出

來的。很明顯，襄王手下的編者在調節惠成王時期的年代，因爲他們已經確定了周初克商的一系列年代，並試圖將以上這些年代配合在一起。

上述的複雜年代包括了前 1035 這一年份，即始封唐叔虞爲晉公的那一年，此年份顯然是爲了牽合將惠成王元年即前 335 年上推七百年。但定之爲前 1035 年是錯誤的，從《竹書紀年》所記克商時期的相關年代可以看出：若說冊封唐叔在前 1035 年，即（據《竹書紀年》所記）發生在周公的攝政時期；而事實上此事發生在攝政期內。那麼，爲何編者必須將此年定爲前 1035 年？爲什麼不是前 1034 年，讓惠成王的年代不變呢？因爲正如《國語・晉語四》所記（這也許是正確的記載）始封唐叔虞時，木星正處於大火次（次十）；《國語・周語三》云（這肯定是不確的記載，但魏國的編者並不知道這一點），武王發起克商之戰時，木星在鶉火次（次七）。如果前 1035 年是大火年，那末前 1050 年，即《竹書紀年》所載克商之年，則是鶉火次之年。如果承認惠成元年是前 334 年的話，那末唐叔的冊封則應該是前 1034 年，而克商之年則成了前 1049 年。然而編者知道他們不可以讓這樣的情形出現。他們對於周朝自穆王以上各王在位年的重新斷定表明，他們是在取消各王的喪期，同時他們讓成王元年仍舊是前 1037 年，作爲他「成年」執政三十年的第一年。然後他們採用了成王自己親政三十年之前爲七年攝政期的觀念，又接受了將成王紀譜中一支竹簡挪至武王紀譜晚期的說法，並認爲武王不是在克商後二年而是五年後去世的觀點。因此，在編者的重建中，克商之年必須是前 1050 年，而不可能是前 1049 年。於是惠成「元年」就得是其稱王之年，即前 335 年，而非實際紀元第一年的前 334 年。事實上，如果嚴格地按照《國語・周語三》中杜撰的天象記錄的話，鶉火之次年就必須是克商前之年，不過這需要將唐叔冊封之年定爲前 1036 年，並使得惠成元年爲前 336 年，而這是沒有辦法做到的。

我已經選定了推論的方法，此法使我檢驗了前 4 世紀晚期即戰國中期人們的思想活動。這樣的推論祇能受到屬於撰寫竹書的特定時代而非三世紀那個時期的思想動機之指導，更不屬於那些較晚時期的頗具想象力（假設的）的作僞者。但是「今本」的兩個特徵是這類關於戰國時代的思想動機之分析所無法解釋的：(1)從周顯王元年即前 368 年起，每一年份均列出，即使此年無事；(2)關於前四世紀的大量材料見於許多《竹書紀年》的引文（「古本」），卻不見於「今本」。

　　有一種可能的解釋是，至少稱爲「今本」中的這一部分是晉廷學者在尚未結束整理工作前的一個稿本（也許是盜印的）。從周顯王元年起每一年份均列出這一點可能表明，這個本子實際上是研究進行過程中的半成品。如果紀年中的晉後期和魏之部分是訛脫殘缺的話，魏國學者當會列出一張年表（大概是逐行逐字地），每一年份皆留有空檔，並以周紀年（就像《史記·六國年表》那樣），然後將材料排進各個年份中去。當抄寫者刻寫到顯王世時，發現從這一時期從頭至尾的資料都相當豐富（即使如此，亦爲未完階段），所以紀年僅有兩三個年份的「缺載」。於是從這裡起，他索性逐字地抄錄此表。但是周朝各王的在位期也是研究者確定從前784 到 368 年的年代架構。這可以從安王二十一年（前 381 年）條所記看出：「韓滅鄭，哀侯入於鄭」。在晉廷學者完成整理工作之際，他們已經弄清楚了，武侯在位是 26 年（而不是《史記》所記十六年），所以此處的二十一年當爲武侯二十一年（即是前 375 年），正如現在「古本」《竹書紀年》所輯之條告訴我們的那樣。而抄寫者的工作則在發現和改正這些不經意的錯誤之前既已完成，也就是在從前784 到結束的年代被改回到《古本》所採用的以晉魏紀年之前。

　　還有一個有力的例證說明「今本」不可能是後代的僞作，或曰後代重編之書。周貞定王十六年條祗記：「十六年。（原注：晉出公二十二年）」。除此之外，此年下沒有任何其他記載。爲什麼呢？這是祗是爲占用一個年份所立之條，而此年是前 453 年，即戰勝知伯、魏國分立爲獨立國之年，它是整個《竹書紀年》中最重要的年份。任何一個唐朝以後的作僞者都本來應在此條內提供更多的內容，因爲他們首先要從《史記》中尋找材料。《史記》本身的年代含糊不清：〈晉世家〉記此年爲哀公（或許是知伯的傀儡）四年，但《史記·六國年表》則云晉出公二十二年應在同一年。在〈晉世家〉對這場戰鬥的簡略描述之後，《索隱》曰：「如《紀年》之說，此乃出公二十二年事。」這些已足以使後來的一個有創造力的古典學家重編或僞作一部「年表」，他一定會將所有這些內容都收錄進去。但是晉代學者是相當小心謹慎的，他們發現足夠關於此次戰鬥記錄的斷簡，並深信正確的年份是晉出公二十二年（與《史記》所載相異反），但是他們尚未想出如何將這些斷簡綴合在一起的辦法，所以當後來成爲「今本」的稿本完成時，他們還未來得及往此年條中放進任何材料。

在這個稿本完成後，晉廷的少數學者繼續從事整理工作，綴合了更多的材料，其中包括司馬貞撰《史記索隱》時所能接觸的材料。除了為他書所引、我們現在稱之為「古本」的佚文外，比較完整的整理本已經失佚。我們現在所說的流傳過程便是這個失佚本子的流傳歷史，它自北宋以後就失傳了，祇剩下少數見於宋人書目的非編年性質的殘篇，但現在也失傳了。可是那個仍以周紀年的未定稿本卻幸運地留存下來。據說，《竹書紀年》在元末明初猶有刻本行世（見陳力文，頁 5）。明代後期出現了一個《竹書紀年》的本子，並經一再翻刻，這便是我們所說的「今本」。而這個本子中的紀年（除了在魏國年表上從前 453 到 370 年有少數的年份混亂）是與古代的本子相同的。這就是為什麼我能夠使用「今本」《竹書紀年》一書作為研究三代年代學的關鍵。

　　　譯者後記：這篇論文牽涉到許多年代學、天文學和上古史的專業術語，譯者自知水平有限，從事移譯時感學力不足，錯舛不當之處，敬祈海內外讀者專家指正。

參考書目（按原文的英文字母順序排列）

艾蘭(Allan, Sarah)：〈評夏含夷《西周史資料》〉(Review of Shaughnessy, *Sources of Western Zhou History*)，《東方與非洲研究學院學報》(Bulletin of the School of Oriental and African Studies)第 55 卷，第 3 期（1992 年），頁 585－587。

艾蘭、李學勤、齊文心：《英國所藏甲骨集》，北京：中華書局，1985 年。

常玉芝：《商代周祭制度》，北京：中國社會科學出版社，1987 年。

陳力：〈今本《竹書紀年》研究〉，《四川大學學報叢刊》第 28 輯（1985 年 10 月），頁 4－15。

陳夢家：《殷墟卜辭綜述》，北京：科學出版社，1956 年。

范祥雍：《古本竹書紀年輯校訂補》，上海：上海人民出版社，1962 年。

方詩銘，王修齡：《古本竹書紀年輯證》，上海：上海古籍出版社，1981 年。

方法斂(Chalfant, Frank H.)摹，白瑞華(Britton, Roswell S.)校：《金璋所藏甲骨卜辭》(The Hopkins Collection of Inscribed Oracle Bone)，紐約：1939 年初版；臺

北：1966 年重印本。

郭沫若主編，胡厚宣總編輯：《甲骨文合集》13 卷，北京：中華書局，1982 年。

黃彰健：《武王伐紂年新考並論〈殷曆譜〉的修訂》，臺北：中央研究院歷史語言
研究所，1999 年。

吉德煒(Keightley, D.N.)：《商史資料》(Sources of Shang History)，伯克利：加州大
學出版社，1978 年(Berkeley: University of California Press)。

理雅各(Legge, James)：《中國經書》第 3 卷：《書經》(*The Chinese Clasics*,
Volume III: *The Shoo King, or Book of Historical Documents*)，倫敦(London)：
1865 年。

理雅各：《竹書紀年》，見《書經》，「緒言」("The Annals of the Bamboo
Books," in Legge, *The Shoo King*, "Prolegomena,")，頁 105－183。

雷學淇：《竹書紀年義證》，1810 年撰，臺北：藝文印書館，1977 年。

李約瑟(Needham, Joseph)：《中國的科學與文明》第三卷：《數學與天地之科學》
(*Science and Civilization in China*; Volume 3: *Mathematics and the Sciences of the
Heavens and the Earth*)，劍橋：劍橋大學出版社，1959 年(Cambridge:
Cambridge University Press)。

倪德衛(Nivison, David S.)：〈西周年代〉(The Dates of Western Chou)，《哈佛亞洲
研究學刊》(Harvard Journal of Asiatic Studies)第 43 卷，第 2 期（1983 年 12
月），頁 481－580。

倪德衛：〈前 1040 年定爲周克商之年〉(1040 as the Date of the Chou Conquest)，
《古代中國》(Early China)第 8 卷（1982－83 年），頁 76－78。

倪德衛：〈中國二十八宿的起源〉(The Origin of the Chinese Lunar Lodge System)，
見 A. F. 阿萬尼(A. F. Aveni)編：《世界考古天文學》(*World Archaeoastronomy*)，
劍橋：劍橋大學出版社，1989 年，頁 203－218 (Cambridge: Cambridge
University Press, 1989: 203-218)。

倪德衛，彭瓞鈞(K. D. Pang)：〈《竹書紀年》中夏代早期紀年的天文學證據〉
(Astronomical Evidence for the *Bamboo Annals'* Chronicle of Early Xia)，《古代
中國》(Early China)第 15 卷（1990 年），頁 87－95；倪德衛：「答復」

(Response)，頁 151－172。

倪德衛：〈《國語》的天文記錄〉(The *Guo yu* Astrological Text)，在美國東方學會 (American Oriental Society)1992 年在麻省劍橋舉行的年會上宣讀，尚未發表。

倪德衛：〈《召誥》之解說〉(An Interpretation of the "Shao Gao")，《古代中國》 (Early China)第 20 卷（1995 年），頁 177－93。

倪德衛：〈武王克商之日期〉，見北京師範大學國學研究所編：《武王克商之年研究》，北京：北京師範大學出版社，1997 年，頁 513－532。

倪德衛：〈克商以後西周諸王之年曆〉，見朱鳳瀚、張榮明編：《西周諸王年代研究》，貴陽：貴州人民出版社，1998 年，頁 380－387。

班大爲(Pankenier, David)：〈天文上的商代與西周年代〉(Astronomical Dates in Shang and Wetsern Zhou)，《古代中國》(Early China)第 7 卷（1981－82 年，出版於 1983 年），頁 2－37。

班大爲：〈墨子與夏商周的年代〉(Mozi and the Dates of Xia, Shang and Zhou)，《古代中國》(Early China)第 9－10 卷（1983－85 年），頁 175－83。

班大爲：《早期中國的天文和宇宙觀：作爲「天命」的顯現》(Early Chinese Astronomy and Cosmology: the "Mandate of Heaven" as Epiphany)，班大爲之博士論文，史丹福大學(Stanford University) 1983 年，349 頁。

邵東方：〈《今本竹書紀年》諸問題考論──與陳力先生商榷〉，見氏著：《崔述與中國學術史研究》，北京：人民出版社，1998 年，頁 293－385。

邵東方：〈《今本竹書紀年》周武王、成王紀譜排列問題再分析〉，《中國史研究》總第 85 期，2000 年第 1 期（2000 年 2 月），頁 89－104。

夏含夷(Shaughnessy, Edward L.)：〈《竹書紀年》眞僞論〉(On the Authenticity of the *Bamboo Annals*)，《哈佛亞洲研究學刊》(Harvard Journal of Asiatic Studies) 第 46 卷第 1 期（1986 年 6 月），頁 149－180 。

夏含夷：《西周史資料》(*Sources of Western Zhou History*)，伯克利：加州大學出版社，1991 年(Berkeley: University of Californian Press)。

島邦男：《殷墟卜辭研究》，東京：汲古書院，1958 年。

島邦男：《殷墟卜辭綜類》，東京：汲古書院，1977 年。

斯塔爾曼(Stahlman, W.D.)，金格里奇(Gingerich, O.)：《公元前 2500 至公元 2000 年日星每旬黃經表》(*Solar and Planetary Longitudes for Years −2500 to +2000 by 10-day Intervals*)，麥迪遜：威斯康星大學出版社，1963 年(Madison: The University of Wisconsin Press)。

斯蒂芬森(Stephenson, F. R.)、霍登(Houlden, M.A.)：《歷史上的日蝕圖：東亞，公元前 1500 至公元 1900 年》(Atlas of Historical Eclipse Maps: East Asia, 1500 BC − AD 1900)，劍橋：劍橋大學出版社，1986 年(Cambridge: Cambridge University Press)。

斯蒂芬森：〈關於《竹書紀年》天再旦記載的重新探討〉(A Re-investigation of the "Double dawn" Event Recorded in the *Bamboo Annals*," 《皇家天文學會季刊》(Quarterly Journal of the Royal Astronomical Society) 第 33 卷（1992 年），頁 91−98。

王國維：《今本竹書紀年疏證》，見楊家駱書。

王國維：〈生霸死霸考〉，見《觀堂集林》卷 1，北京：中華書局，1984 年。

王先謙：《荀子集解》，上海：世界書局，1936 年，《諸子集成》本。

楊家駱：《竹書紀年八種》，臺北：世界書局，1963 年。

張培瑜：《中國先秦史曆表》，濟南：齊魯書社，1987 年。

（本文所引甲骨文資料的縮寫方式乃據吉德煒《商史資料》一書，所引《史記》、《漢書》、《【新】唐書》的版本為臺北藝文印書館影印之乾隆武英殿版《史記》、《唐書》和王先謙《漢書補注》（光緒二十六年，1900 年）。所有《漢書》卷 21 上的引文乃自〈律曆志〉之下篇；在此篇中，班固記錄了劉歆《世經》一書，見頁 45a 以下各頁。）

作者附記：本文由邵東方博士翻譯。英文原文載于 *Sino-Platonic Papers* 卷 93（1999 年 1 月），作者在此謹向該刊主編 Victor H. Mair 教授表示感謝，承蒙他俞允中譯文的發表。

經 學 研 究 論 叢
第 十 輯　頁311～314
臺灣學生書局　2002年3月

海峽兩岸清代揚州學派學術研討會

編輯部

　　中央研究院中國文哲研究所經學文獻組為執行「清乾嘉揚州學派研究計畫」，於民國八十九年四月三日至五日，與揚州大學人文學院合辦「海峽兩岸清代揚州學派學術研討會」，臺灣地區參加學者有中央研究院中國文哲研究所研究員林慶彰、副研究員蔣秋華、助研究員楊晉龍，佛光大學校長龔鵬程、臺灣師範大學國文系教授賴貴三、暨南國際大學教授周昌龍、交通大學共同科教授詹海雲、臺北科技大學教授劉玉國、中央研究院中國文哲研究所博士候選人培育計畫金培懿、清揚州學派研究計畫助理蕭開元等十人。

　　四月三日上午八時三十分舉行開幕式，由揚州大學人文學院院長俖榮本教授主持。首先是俖院長致歡迎辭。其次由揚州大學副校長周新國教授介紹揚州大學的大略情況;接著是揚州市孫永如副市長，表達揚州市政府支持研究中國傳統文化的立場。另外，由林慶彰先生報告「清乾嘉揚州學派研究計畫」的研究概況和成果。黃愛平宣讀戴逸教授祝賀函、漆永祥宣讀孫欽善教授祝賀函。開幕式結束後。到虹橋賓館大門之階梯合影留念。

　　以下是會議的議程：

■4月3日

◎第一場會議（王小盾、周昌龍主持）

　　龔鵬程：清朝中葉的揚州學派

　　戴　逸：吳、皖、揚、浙——清代考據學的四大學派（由黃愛平代為宣讀）

　　王俊義：關於揚州學派的幾個問題

湯志鈞：清代經學學派及其異同

◎第二場會議（王俊義、楊晉龍主持）

田漢雲：關於進一步確認揚州學派的思考

黃愛平：清代漢學流派析論

林慶彰：方東樹對揚州學者的批評

趙葦航：揚州學派經世致用思想述論

◎第三場會議（蔣秋華、黃愛平主持）

劉仲華：揚州學者的子學研究

王章濤：商儒轉換中的揚州學派及其經世致用

楊晉龍：《經傳釋詞》內《詩經》條目析論

■4月4日

◎第四場會議（龔鵬程、彭林主持）

承　載：揚州學派與蘇南學人

周昌龍：戴震義理學中情理的社會基礎與驗證

華　強：略論戴震的自然科學觀及其影響

詹海雲：全祖望與揚州學派

張承宗：從揚州地理觀念的變化說揚州與江南的密切關係

◎第五場會議（賴貴三、錢宗武主持）

蔣秋華：孫喬年對《古文尚書》的考辨

張其昀：《經義述聞》通假借之芻議

趙中方：《廣雅疏證》與漢語詞族研究

班吉慶：從〈與李方伯書〉看王念孫古音研究的貢獻

郭明道：王氏父子校釋群書的方法與成就

單殿元：《經傳釋詞》簡論

■4月5日

◎第六場會議（蔣秋華、承載主持）

劉玉國：阮元〈釋訓〉析論

金培懿：阮元注經方法中的語言意識及其詮釋學意義

漆永祥：《漢學師承記》史源考辨

◎第七場會議（錢競、詹海雲主持）

彭　林：試論焦循《群經宮室圖》

錢宗武：《尚書補疏》疏證

程　鋼：解釋學與修辭學——以焦循《易》學的假借引申論爲例

賴貴三：批判繼承與創造發展——清乾嘉通儒焦循經學述評：

　　　　以手批《十三經注疏》爲例簡說

◎第八場會議（劉玉國、張承宗主持）

張連生：焦循參撰《揚州圖經》說質疑

劉建臻：焦循《集舊文鈔》考證

秦華生：二十一世紀與揚州學派

　　下午四時至五時爲閉幕典禮，由佴榮本院長主持閉幕式。佴院長報告會議進行的狀況及成果，龔鵬程先生代表臺灣與會學者發言，感謝揚州大學的招待、安排，並提出一些建議；湯志鈞先生發言，認爲揚州學派的研究還有許多尙待討論的議題，海峽兩岸學者的研究可以互補；揚州市文化單位趙昌治先生發言，表達市政府在揚州文化上要進行的工作。祁龍威教授自認爲國語不好，以及表達交班傳承之意，委由田漢雲教授代爲答謝大家熱烈參與會議之雅意，並宣讀其〈再一次對我校「揚州學派」研究的回顧與展望〉一文；林慶彰先生最後發言，說明中央研究院中國文哲研究所與揚州大學學術合作的關係，和在「揚州學派」相關研究上的成果及各項研究計畫。

　　此次會議的論文，經篩選後，將由臺灣學生書局出版。雙方並商定明年（90年）五月上旬，由中央研究院中國文哲研究所舉辦第二次「清代揚州學派學術討論會」。

經 學 研 究 論 叢
第 十 輯　頁315～316
臺灣學生書局　2002 年 3 月

「乾嘉學者的義理學」研討會

編輯部

中央研究院中國文哲研究所經學文獻組執行的「清乾嘉經學研究計畫」第二年度子計畫「清乾嘉學者的義理學」，執行期間自民國八十八年七月一日至八十九年十二月三十一日止，計有一年半。其間召開四次研討會，時間及論文發表者如下：

第一次研討會（民國 88 年 11 月 23 日）

陳祖武：章學誠與乾嘉學風——讀實齋家書札記

周積明：《四庫全書總目》與乾嘉「新義理學」

第二次研討會（民國 89 年 1 月 6 日）

第一場（張壽安主持）

1. 梁紹傑：從考據到義理：龔自珍的思想菁華及淵源再論

2. 馮錦榮：乾嘉時期考據學與曆算研究的一些問題

3. 張素卿：「經之義存乎訓」的解釋觀念——惠士奇、惠棟父子的經學

第二場（楊晉龍主持）

1. 李紀祥：戴震《孟子字義疏證》及其道統論述

2. 林登昱：藉焦循以論戴東原的情欲哲學

3. 鄭卜五：常州學派「群經釋義公羊化」探源

第三場（蔣秋華主持）

1. 周昌龍：戴震義理學中情欲的社會基礎

2. 孫中曾：通古幾道與經旨究道——論乾嘉之學兩種義理論述的詮釋路徑

第三次研討會（民國 89 年 5 月 20 日）

第一場（李威熊主持）

  1. 王俊義：錢大昕寓義理于訓詁的義理觀——兼論乾嘉考據學是否只重考據不言義理

  2. 黃愛平：乾嘉漢學治學宗旨探析——以戴震、阮元爲中心

第二場（胡楚生主持）

  1. 詹海雲：乾嘉時期浙東之義理學

  2. 殷善培：從相人偶到貫道——阮元的仁學

第三場（夏長樸主持）

  1. 劉玉國：阮元與詁經精舍諸子之緣訓詁求義理

  2. 張麗珠：「漢宋之爭」難以調和的根本歧見

第四次研討會

第一場（陳鴻森主持）

  1. 李威熊：乾嘉浙東學派之經學觀

  2. 張壽安：從「親親尊尊」看儒學禮秩的情理結構

第二場（張壽安主持）

  1. 林啓屏：乾嘉義理學的一個思考側面——兼論「具體實踐」的重要性

  2. 鄭吉雄：乾嘉治經方法中的思想史探索——從治經方法到治先秦諸子

  3. 林慶彰：清乾嘉考據學者對婦女問題的關懷

經 學 研 究 論 叢
第 十 輯 頁317～340
臺灣學生書局 2002 年 3 月

出版資訊

一、本專欄收國內外最新出版，有關經學和經學人物之相關專著。惟舊籍重印或再
　　版書，則不予收入。

二、各提要略依經學總論、周易、尚書、詩經、三禮、三傳、四書、孝經、爾雅、
　　讖緯、經學人物等之順序排列。

三、提要前之目錄項，分別依書名、作譯者、出版地、出版者、頁數（冊數）、出
　　版年月等項排列。

四、各提要以簡介各書之內容為主，如有所評論，僅代表作者之意見。

五、歡迎各界人士提供與本專欄性質相符之著作，以便推介，來書請寄臺北市和平
　　東路一段 198 號臺灣學生書局經學研究論叢編輯部收。

《經學今詮初編》

**《經學今詮初編》　中國哲學第二十二輯　瀋陽　遼寧教育出版社　651 頁
2000 年 6 月**

　　本書是《中國哲學》的第二十二輯，其中收錄了十八篇論文，依次是姜廣輝的
〈傳統的詮釋與詮釋學的傳統——儒家經學思潮的演變軌跡與詮釋學導向〉、黃俊
傑的〈孟學詮釋史中的一般方法論問題〉、黃啓發的〈禮的宗教胎記〉、林啓屏的
〈古代中國「語言觀」的一個側面——以《易・繫辭》論「象」爲研究基點〉、廖
名春的〈郭店楚簡引《詩》論《詩》考〉、張踐的〈先秦孝道觀的發展〉、嚴正的
〈漢代經學的確立與演變〉、王葆玹的〈今古文經學之爭及其意義〉、張海晏的
〈《詩經》在漢代的教化功能——齊魯韓毛四家《詩》學合論〉、林忠軍的〈論兩
漢易學的形成、源流及其特徵〉、張廣保的〈緯書對經書的闡釋〉、張文修的〈正
始時期經學的玄學化〉、浦衛忠的〈孫復與宋代《春秋》學研究〉、吳銳的〈蔡沈

的《尚書》學研究〉、汪學群的〈王夫之的「六經責我開生面」〉、陳居淵的〈惟禮至上與以禮代理——淩廷堪禮學思想析論〉、陳其泰的〈龔自珍與晚清經學的嬗變〉、陳昭瑛的〈《臺灣通史》與儒家的春秋史學〉。

　　此書所收的文章相當多樣，每一個時代中重要的論題大都已顧及，而內容主題又不相重複，似乎是經過企劃編輯的。　　　　　　　　　　　　（陳邦祥）

《群經要略》

《群經要略》　黃壽祺著　上海　華東師範大學出版社　235 頁　2000 年 10 月

　　本書爲作者與學生講授群經要義的講稿修改而成，文字十分簡要，除本文外，另附數篇文章與表格作爲補充、參考之用。內容共十一篇，依序爲：〈經名與本枝篇〉第一，論經名之演變；〈周易篇〉第二，論《周易》名義、時代、作者、宗派等，另附錄〈周易名義考〉、〈論易學之門庭〉兩文作爲補充；〈尚書篇〉第三，釋《尚書》名義、時代、傳授源流及派別、文體等，另附錄〈孔壁古文尚書與伏生今文尚書篇數異同表〉、〈僞古文尚書與伏生今文尚書篇第異同表〉、〈孔壁古文尚書與僞古文尚書對照表〉、〈尚書篇目表〉四種，便於讀者查檢比對；〈詩經篇〉第四，討論《詩經》作者、時代、效用、四始、六義、傳授源流、體式、修辭、韻法和《詩序》作者、《齊詩》五際六情等，另附錄〈毛詩序〉、〈晉摯虞文章流別論所列舉各詩〉、〈詩經修辭舉例〉、〈顧炎武日知錄所論古詩用韻之法〉、〈詩經篇目表〉，提供讀者參考；〈三禮篇〉第五（附《大戴禮記》），先總論禮的緣起，其次分論《三禮》的名義、作者、內容等，並兼及《大學》、《中庸》、《大戴禮記》等；〈春秋三傳篇〉第六，先釋《春秋》名義、孔子作《春秋》之義、及《三傳》緣起，其次分論《三傳》傳授源流、內容等；〈孝經篇〉第七，論《孝經》之作者、授受、大義等；〈論語篇〉第八，釋《論語》名義、作者、流別、內容、價值等；〈孟子篇〉第九，述孟子事略及其書傳授源流、《孟子》與群經關係等；〈爾雅篇〉第十，論《爾雅》作者、源流、與辭書關係、體例、功用等，並列舉羽翼《爾雅》之書；〈總論篇〉第十一，依經之時代、史書性質、政教功能、與諸子關係、文體之源等六端總論各經要略。

　　作者黃壽祺，一九三五年北平中國大學國學系畢業，曾任教於中國大學、華北

國醫學院、福建師範大學等校。專研《易》學，著有《易學群書平議》、《六庵論易雜著》、《六庵易話》、《周易譯注》、《周易研究論文集》等書，並主編《中國文學史》、《福建文學史》、《清詩選》等。　　　　　　　　　　　（何淑蘋）

《經學大要》

《經學大要》　錢穆著　臺北　蘭臺出版社　626頁　2000年12月

　　《經學大要》一書，乃民國六十三年（1973）至翌年，先生爲中國文化學院研究生所開「經學大要」一課之講堂記錄稿。全書有三十二講，及附錄一編。本書於民國八十六年聯經出版事業公司已重新編排，並印入《錢賓四先生全集》中。

　　先生開此課，乃因民國十九年，先生撰〈劉向歆父子年譜〉一文，在《燕京學報》發表。北平各大學本開設有「經學史」及「經學通論」課，皆主康有爲「今文家」言，遂多於是年秋後停開，迄今未能恢復，先生引以爲內疚。但因年事已高，精力所限，無法從事著作。所以只能開「經學大要」的課程，希望爲經學作些貢獻。

　　全書中分爲三十二講，每一講又分若干小節，長短不一。每一講有一個主題，但同時雜有其他相關資料，正如先生所言：「或許我所講像顧亭林《日知錄》、錢竹汀《十駕齋養新錄》、陳蘭甫《東塾讀書記》……。」這種筆記式的爲學方法，也正是先生所讚賞和積極推行的。這三十二講大抵從儒家與經學的關係開始論述起，到最末的幾講都是在講清代的學術，因此它是以年代來排列，整個經學的流變綱舉目張，能讓學生了然於心。

　　先生言：「其撰文主旨，本爲看重經學，特指出講經學不能專據今文家言。未料結果竟相反。屢思有所補救，皆因生活不安定，未能如願。晚年自知精力已衰，不可能再寫經學史之類的專著。思之再三，決定先爲學生開一經學入門之課。第二步再配合講稿內容，引據古人經學專著，加以評論，主要針對皮錫瑞《經學歷史》及《經學通論》兩書。爲照顧學生缺乏經學知識之背景，課堂講授力求淺易。」所以《經學大要》一書講得都很淺，先生似乎有意的避開深入的內容，但是一些大綱領卻又敘述得相當清楚，順著這些綱領，應該可以把握住研究經學史的重點。

　　　　　　　　　　　　　　　　　　　　　　　　　　　　（陳邦祥）

《義疏學衰亡史論》

《義疏學衰亡史論》 喬秀岩著 東京 白峰社 283頁 2001年2月

本書爲作者在北京大學就學時博士論文的日文版。全書主要在論述南北朝後期至初唐時期經書義疏學的演變狀況。全書分六章，內容大要如下：

第一章討論皇侃《論語義疏》。第一節說明《論語義疏》之內容大都因襲先儒舊說，皇侃創說者甚少。第二節論皇疏中經文科段之說及前後內容相對應之說蓋多出皇侃，并論其特點在傅會通理。第三節討論皇侃整理舊說之狀況，認爲皇侃態度曠達，取捨之間又見精審。第四節引書雜識，條記所見，論到皇侃引書體例以及引書範圍等。

第二章論二劉之學術。二劉著書均佚，今論其學術，必需分析《五經正義》，從中鉤稽二劉之說。分析《五經正義》則有劉文淇《舊疏考正》可以參考。因《考正》之爲書，引《正義》每條下輒爲評論，論說散見，且有先後矛盾之說，故第一節先檢討劉文淇說。第二節乃論二劉學風。因襲劉文淇讀《左傳正義》之法，且以《書》、《詩》、《春秋》孔疏大都出二劉，據其與《禮記正義》及賈公彥《二禮疏》不同之特點，推定二劉義疏之思想傾向、學術態度等。概括言之，二劉學風特點可謂現實、合理、文獻主義。相對論之，皇侃、賈公彥等學術特點可謂思維、推理、經注主義。二劉打破舊來義疏學傳統，肆力攻駁先儒傅會之論。

第三章論《禮記正義》之風貌。《禮記正義》以皇侃義疏爲藍本，故與《書》、《詩》、《春秋》孔疏多所不同。但因唐初孔穎達等已經深受二劉新學風之影響，亦多見與皇侃不同，反有與二劉相同之特點。

第四章用《禮記子本疏義》、《孝經述議》兩種佚存書，檢驗上三章所論。《子本疏義》出自皇侃，《孝經述議》即劉炫原書，可以直接了解皇侃、劉炫之學術。兩種殘卷可以爲上三章之現實證據，可互相參驗。

第五章檢討賈公彥《二禮疏》，先論《二禮疏》內容大都因襲舊說，而其逐句注釋之體例或爲前儒所不備。第二節論《二禮疏》編撰態度草率，常見改編舊說而論理謬誤者。可見賈公彥已不自己創說，主爲因襲先儒說而已。

第六章論述賈公彥《二禮疏》之基本學術內容。義疏鄭學之基本方法是語言

上、觀念上之通理，與皇侃之義疏學相通，而與清人實事求是之學完全不同。

　　總之，皇侃多傅會，著意構造道理貫通之體系。傳統義疏鄭學專爲語言通理之學。二劉極力排斥先儒傅會之說，由是義疏學蛻變。其後孔穎達、賈公彥等則已無創造新說之能力，多沿襲舊說而已。

　　作者本名橋本秀美，日本福島縣人。東京大學碩士，曾留學中國山東大學、北京大學，以本書獲北京大學博士學位。曾以筆名陳沂、陳秀琳，在臺灣的《經學研究論叢》、《中國文哲研究通訊》、大陸的《原學》，發表多篇學術論文。

（編輯部）

《元代經學國際研討會論文集》

《元代經學國際研討會論文集》　楊晉龍主編　臺北　中央研究院中國文哲研究所籌備處　2 冊　840頁　2000 年 10 月

　　《元代經學國際研討會論文集》是中央研究院中國文哲研究所籌備處於一九九八年十二月二十二、二十三日舉辦「元代經學國際研討會」時，與會學者所發表的論文，計有二十七篇。

　　論文集上冊前有楊晉龍導言〈元代經學史的奠基與新猷〉，收論文：(1) Benjamin A.Elman（艾爾曼）〈The Transformation of the Civil Service Curriculum Between 1250 and 1400 and the Role of the Yuan Dynasty in classical Studies〉（艾爾曼著、呂妙芬譯〈南宋至明初科舉科目之變遷及元朝在經學歷史的角色〉）；(2)夏傳才〈元代經學的社會歷史背景和程朱之學的發展〉；(3)福田殖著、連清吉譯〈經學家許衡——其思想的特質〉；(4)黃沛榮〈元代《易》學平議〉；(5)鍾彩鈞〈胡方平、一桂父子對朱子《易》學的詮釋〉；(6)詹海雲〈吳澄的《易》學〉；(7)楊自平〈吳澄《易》學研究——釋象與「象例」〉；(8)許維萍〈董眞卿《周易會通》在「復古《易》運動」中的意義〉；(9)蔡方鹿〈吳澄的《尚書》學述要〉；(10)蔣秋華〈王充耘的《尚書》學〉；(11)許華峰〈論陳櫟《書解折衷》與《書蔡氏傳纂疏》對《書集傳》的態度——駁正《四庫全書總目》的誤解〉；(12)陳恆嵩〈董鼎《書蔡氏傳輯錄纂註》對蔡沈《書集傳》的疏釋〉。

　　論文集下冊收：(1)張宏生〈元代《詩經》學初探〉；(2)趙沛霖〈劉瑾《詩傳通

釋》淺說〉;(3)楊晉龍〈《詩傳大全》與《詩傳通釋》關係再探──試析元代《詩經》學之延續〉;(4)小島毅著、連清吉譯〈〈冬官〉未亡說之流行及其意義〉;(5)姜廣輝〈評元代吳澄對《禮記》的改編〉;(6)張高評〈黃澤論《春秋》書法──《春秋師說》初探〉;(7)馮曉庭〈趙汸《春秋金鎖匙》初探〉;(8)神林裕子〈黃震の《四書》學〉;(9)神林裕子著、張文朝譯〈黃震的《四書》學研究〉;(10)林慶彰〈元儒陳天祥對《四書集注》的批評〉;(11)廖雲仙〈許謙《讀論語叢說》序說〉;(12)金春峰〈朱熹至元儒對《大學》的解釋及所謂「朱陸合流」問題〉;(13)黃復山〈陶宗儀《說郛》百卷本流衍考及其讖緯輯佚之文獻價值評議〉。

　　論文內容含括元代的《易》、《書》、《詩》、《禮》、《春秋》、《四書》等的研究,對於認識元代的經學成就,具有參考價值。　　　　　　（簡逸光）

《出土簡帛《周易》疏證》

《出土簡帛《周易》疏證》　趙建偉著　臺北　萬卷樓圖書公司　317頁　2000年1月

　　《易》除傳世本《周易》外,尚有《連山》與《歸藏》;但後二者的具體情況,我們不得而知。雖然後人輯有《歸藏》六十四卦卦名及零星記載,但所知也有限。近年來,陸續公布了馬王堆漢墓帛書《周易》六十四卦卦爻辭、《繫辭》和《二三子問》、《易之義》、《要》、《繆和》、《昭力》等《易》說,以及安徽阜陽漢簡《周易》六十四卦卦爻辭殘文（包括殘缺的占問卜辭）等出土資料,無形當中,增添了不少《易》學研究的活泉。不可諱言,這些新出土的珍貴資料對傳統《易》學的某些成說已造成衝擊,而且在一定程度上也改變了我們對古代學術的許多看法。儘管如此,這種衝擊和改變,在某種意義上是引導我們對《周易》作更積極的再探究,這可從簡帛《周易》出土以來,海內外研《易》學者相繼發表有關文章而得到證明。但是將這些出土文獻資料作全部的系統整理和研究的論著,迄今尚未得見。有鑒於此,作者遂以過去撰寫相關著作所積累的大量出土文獻資料為基礎,詳加考證比較,而撰成《出土簡帛《周易》疏證》一書。

　　全書共分八個部分:第一部分──對今本、帛本、簡本和《歸藏》的成掛法和卦序,以及今本、簡本（即阜陽漢簡《周易》）、帛本、《歸藏》的卦名進行研

究。第二部分——對今本、帛本、簡本六十四卦卦爻辭,以及簡本有些卦中殘存的占問卜辭,亦間作詮釋,藉此可瞭解古人的實占情況。第三部分——對今本、帛本《繫辭》異文作疏證(僅附六十四卦及《繫辭》的今本原文),以釐清二者之間的異同。第四至八部分——對《二三子問》、《易之義》、《要》、《繆和》、《昭力》等帛本《易》說原文,分別加以疏證、解說,讓讀者對帛書《周易》能有更進一步的認識。

本書固以出土簡帛《周易》原文爲疏證對象,由此著眼,上可追溯《易》學的開端,下可探究漢《易》的興起,其間所揭示的相關問題,實具有學術意義和價值。

(李鴻儒)

《周易見龍》

《周易見龍》 謝祥榮著 成都 巴蜀書社 920 頁 1999 年 9 月

本書是以哲學社會學的方法,結合文化人類學、民俗學、詮釋學、歷史學、社會學、政治學、管理學等學科,從各種不同的角度,對八卦文化的源流,以及《周易》經文的主旨與其社會學意識,進行系統探討和深入揭發的理論性著作。本書所以命名爲《周易見龍》,乃是作者希望讀者諸君在研讀它的時候,既不要囿於傳統的成說,也不要被細枝末節上的繁瑣考評所糾纏,而能夠以潔淨精微的心態,充分領略古聖先賢們的睿智精思,感受他們仁民愛物的博大情懷,以及「吉凶與民同患」的憂危意識。前人云:「千年習《易》不見龍。」本書追求的目標正在「見龍」,作者以「見龍」作爲自己的探索目標,既表現出其學術膽識,也體現其學術趣味之所在,帶有蜀《易》學傳統中,追求理性、不好功利的特徵。

全書分上、下兩篇。上篇分〈畫卦、重卦說〉、〈制器尙象辨〉、〈連山、歸藏析〉、〈周初作易述〉、〈周易象數探〉等五章十九節,內容條理分明,旨在探討八卦文化的源流。下篇則分九章六十四節,逐卦、逐爻、逐句、逐字對經文加以考釋、講解、評析,以揭發六十四卦繫辭的史實背景及其深層的哲學內涵,而達到明辨《周易》的主旨。

作者謝祥榮,一九二八年生,四川省峨眉山市燕崗人。一九五二年畢業於四川大學歷史學系,曾在中共成都市委黨校從事理論教育工作多年。一九八九年退休以

後，便盡力於傳統文化經典的研究。現爲四川省社會科學院道學文化研究中心特約研究員、四川省《周易》研究會顧問。　　　　　　　　　　　（李鴻儒）

《周易程傳註評》

《周易程傳註評》　黃忠天著　高雄　復文圖書出版社　805頁　2000年9月

　　《易經》向來被推爲群經之首，除了它有「文起周代，卦肇伏羲」（《經典釋文・序錄》）的特點外，更因爲它象徵文明的開始，而成爲「政教之所生」（《六藝論》），所以歷代學者無不傾其心力，投入研究的行列，《易》學著作之繁富，是其它經書所難以比擬的。雖是如此，但對初學者而言，諸家的說法不一，且各有所長，實在難以取捨。有鑑於此，如何在浩瀚的典籍中找到「登堂入室」的階梯，對初學者來說，實在是首要的工作。作者認爲，應從熟悉經傳原典及古注入手，並先義理而後兼及象數，先一家而後旁涉諸家，依此要旨，則非程頤伊川先生的《易傳》莫屬。作者所以對程頤《易傳》如此的厚愛，除了該書是伊川畢生精力的結晶外，其所持理由有三：⑴承先啓後，影響深遠；⑵平實明白，說理精到；⑶因時立教，切於實用。由於《程傳》只解上下經及〈彖〉、〈象〉、〈文言〉，不解〈繫辭〉、〈說卦〉、〈序卦〉、〈雜卦〉等四傳，所以本書在〈繫辭〉以下，是用朱熹的《周易本義》來作補充。

　　全書除了卷首及卷尾外，共分七卷。一至六卷是對《周易》經傳原典及《易程傳》的內容加以注釋、評析。在注釋方面：或訓解疑難字詞，或說明牽涉的人地事物，或註明典故出處等等，以減輕讀者檢索的不便。在評析方面：一者解說卦爻的精義，以補注釋所未及；二者援引歷代《易》家的卓見，以供比較；三者評析《程傳》的是非訛謬；四者抒發作者的觀點。至於第七卷（〈繫辭〉以下四傳），則只列出朱熹的原注，而不另作註評。卷首有程頤伊川先生畫像等圖版四幅，卷尾附有《經義考》程頤《易傳》考、《四庫全書總目・程頤易傳提要》及程頤《易傳》研究論著目錄。本書內容紮實，點校嚴謹，且排版合宜，字體多元，利於閱讀，可說是提供了初學者一個良好的選擇。

　　作者黃忠天，一九五八年生，臺灣省臺中縣人。政治大學中文系畢業，高雄師範大學國文研究所碩士、博士。現任高雄師範大學國文系副教授，並擔任易經、治

學方法、經學史、四書等課程。著有《楊萬里易學之研究》、《宋代史事易學研究》、《周易程傳註評》等，另有學術論文二十餘篇。　　　　　　（李鴻儒）

《焦循儒學思想與易學研究》

《焦循儒學思想與易學研究》　陳居淵著　濟南　齊魯書社　484頁　2000年5月

　　焦循（1763－1820），字理堂，一字里堂，晚號里堂老人，江蘇甘泉（今揚州邗江黃珏）人。嘉慶六年（1801）中舉人，次年參加會試受挫，從此絕意仕進，專心學術研究。一生的主要貢獻是儒家經典的整理與研究。在《易》學方面，著有《易通釋》二十卷、《易圖略》八卷、《易章句》十二卷，合稱《雕菰樓易學三書》。另有《易話》、《易廣記》、《注易日記》等。前者是焦循通過對《周易》的「實測」研究，建構獨特的《易》學體系，從縱橫兩方面通釋《周易》全經，並用文字和圖表詳細說明，由此闡發自己的思想。後者是焦循研究《周易》的心得札記和個人體驗。

　　本書是陳居淵先生研究焦循儒學和《易》學思想的成果。全書分六章。首章是〈源遠流長的易學〉，敘述歷代《易》學的流派。第二章〈焦循易學的文化環境〉，分〈儒學的繁榮與宋易的沉淪〉、〈乾嘉考據學與漢易的復興〉、〈獨特的學術之鄉〉三節論述。第三章〈焦循的學術思想及其易學〉，論述焦循的經學、數學和《易》學思想。第四章〈焦循易學的構架與特徵〉、第五章〈焦循易學的道德義理詮釋〉、第六章〈焦循易學的歷史評價〉，爲全書主體部分。另有〈焦循交游考〉、〈焦循著述考〉、〈焦循學術編年〉三篇附錄。是研究焦循學術思想重要的參考用書。　　　　　　　　　　　　　　　　　　　　　　　　　　（編輯部）

《二十世紀中國易學史》

《二十世紀中國易學史》　楊慶中著　北京　人民出版社　550頁　2000年2月

　　本書有系統的介紹二十世紀中國《易》學研究的歷史。作者以一九四九年爲界，將二十世紀分爲前後兩個時期。前一時期爲上編，分三章論述。首章爲〈經學家的易學研究〉，分別論述章炳麟、劉師培、杭辛齋、尚秉和的《易》學。第二章〈古史辨派與唯物史觀派的易學研究〉，分別論述顧頡剛、李鏡池、郭沫若等人的

《易》學。第三章〈易學研究的新探索〉，分別論述于省吾、高亨、聞一多、蘇淵雷、金景芳、熊十力、薛學潛等人的《易》學。

下編為四至九章。第四章〈五六十年代的易學研究〉，論述該時段研究《周易》經傳時代、思想的成果。第五章〈八十年代以來周易經傳的注釋與研究〉，分別論述高亨、金景芳、呂紹綱、黃壽祺等人的研究成果。第六章〈易學史研究〉，論述朱伯崑、鄭萬耕、李申、蕭漢明等人的研究成果。第七章〈周易與出土文物〉，敘述對數字卦和帛書《周易》的研究成果。第八章〈周易思想的現代詮釋〉，論述余敦康、董光璧、張立文的研究成果。第九章〈一九四九年以來臺灣地區的易學研究〉，在經、傳研究方面，分別論述屈萬里、高明、戴璉璋、黃沛榮、朱高正等人的研究成果。在《易》學史研究方面，分別論述高懷民、黃慶萱、賴貴三等人的研究成果。在《易》學思想方面，論述方東美及羅光的成果。

二十世紀的《易》學研究，成果相當豐富，本書所論，雖未賅備，但可以作為研究二十世紀《易》學發展的入門書。　　　　　　　　　　　　　（劉康威）

《尚書語法研究》

《尚書語法研究》　張文國著　成都　巴蜀書社　253頁　2000年8月

本書為研究《尚書》語法結構的專著，研究對象為《尚書》今文二十八篇，共分為十二章，為：《尚書》詞類活用研究、《尚書》代詞研究、《尚書》無「也」字說、《尚書》同義連用現象研究、《尚書》謂詞性成分的名詞化現象研究、《尚書》定語研究、《尚書》同位短語研究、《尚書》三字短語研究、《尚書》特殊語序研究、《尚書》句式研究、《尚書》歧義結構研究、《尚書》省略研究等章。

本書的體例、研究方法與取材選擇在〈凡例〉中有說明：⑴現行的《尚書》有今古文之分。今文二十八篇是公認的先秦古文，具有很高的語料價值，所以，本書只對今文二十八篇作了語法分析；偽古文二十五篇不在研究之列。書中如果涉及古文部分，則專門用「古文《尚書》」的字樣表明之；沒有專門表明的，都屬今文。⑵二十八篇的篇名中，由於輸入不便的原因，《金縢》和《君奭》兩篇分別簡稱為《金》和《君》。其他篇名仍用全稱。⑶原文依據通行的《十三經注疏》本。偶有不同的地方，在句後都特別作了說明。⑷白話譯文及標點符號主要採用了三家：王

世舜《尚書譯注》、周秉鈞《白話尚書》、江灝、錢宗武《今古文尚書全譯》。本書中分別簡稱爲《譯注》、《白話》、《全譯》。⑸文中例句後〔　〕裡的文字爲對今文《尚書》的現代文注釋。注釋多採自上述三家。注釋多爲關係到理解整句話的關鍵詞語；注釋力求簡明扼要。⑹文中的「孔傳」指僞孔安國傳；「孔疏」指唐孔穎達的正義。所引傳疏文字力求與經書原文一致，不多引，也不漏引。

本書作者除了利用漢唐與清人注疏，對現代的幾種《尚書》白話譯文，能兼容並蓄，有所取用，這點是非常可貴的。本書對認識《尚書》語法，有相當的助益。

（劉康威）

《詩騷新識》

《詩騷新識》　楊仲義著　北京　學苑出版社　271頁　1999年7月

古代文學研究領域中，《詩經》、《楚辭》研究與唐詩、宋詞研究一樣，一直受到學者的重視，學者投身研究《詩經》、《楚辭》，在精神、語言、藝術、文化等多方面所代表的意義，而使得研究成果豐碩。即便如此，缺憾與不足的情況仍然存在，如：《詩經》、《楚辭》語句的不少難解之處，至今仍未得到令人滿意的解釋。又如：有關《詩經》、《楚辭》的整體認識及對屈原其人的某些共識，尚經不起認眞考究。再如：《詩經》、《楚辭》首創之風騷傳統的本意和承傳，至今尚未見一本專著詳論。另外，從文化學、民俗學角度研究《詩經》、《楚辭》，雖已大見成效，但畢竟還是剛剛起步，偏頗之處亦經常見到。最後，用詩歌美學審視《詩經》、《楚辭》，雖然已是一個老課題，但實際上還做得不夠好。基於以上各種原因，作者希望藉由本書的論析，彌補以往《詩經》、《楚辭》學研究的不足與缺憾。

本書分爲五大部分，一爲「舊說辨妄」，作者對於傳統定見和近世新見並不準確、科學的地方，選擇十一個子題加以辯駁。

二爲「風騷傳統」。此章旨在對「風騷傳統」的本來意義，也就是它所包含的各個方面，進行全面的探討和歸納。

三爲「風騷審美」。作者認爲「美」本來是詩歌的固有特性，但是歷來談論詩美的著作，是連篇累牘，而於〈風〉、《騷》則是語焉不詳，淺嘗輒止，有鑑於

此，專關此章，詳論〈風〉、《騷》之美。

四爲「〈風〉旨辨正」。歷來學者對《詩經》的箋注可謂汗牛充棟，作者吸取了前人的成果，反覆思考，發現一些屬於作者本身的心得體會和學術見解，藉此章呈現出來，以供大眾參考。

五爲「屈騷析疑」。除〈天問〉一篇以學理爲賦誦，較少詩意，因而沒有收入外，其他各篇均予以析疑。作者強調，「析疑」不同於「註解」，也不同於「賞析」，它是在對難於理解的語詞進行簡明解釋的基礎上，著重將其與全篇語意、命旨聯繫起來解析，以求得對全篇思想內容的準確把握。

本書作者對《詩經》、《楚辭》的研究頗有新意，可提供另一研究角度，但由於本書篇幅不大，要討論的問題頗多，因此對問題的探討，難免有不夠深入的疑慮。　　　　　　　　　　　　　　　　　　　　　　　　　　　（王清信）

《史記與詩經》

《史記與詩經》　陳桐生著　北京　人民文學出版社　260頁　2000年2月

《詩經》學上一些長久以來爭議不休的問題，例如孔子刪《詩》說、四始說等，都是由《史記》的記載所引發的，因此探討《詩經》與《史記》兩者間的關係，有助於釐清部分難解的議題，本書即是作者試圖在前人的基礎上，對兩書間的問題提出進一步的探討，包括司馬遷的《詩》學淵源、孔子刪《詩》說的成因、四始理論內涵的再解讀、傳統風雅正變說的檢討、辯駁《商頌》爲宋詩說等。另外，作者對前人較少述及的部分，例如《詩經》對《史記》在宇宙觀、思維方式、取材、詩學批評觀等方面的滲透，也加以說明。

本書內容共九章。第一章〈司馬遷的《詩》學淵源〉，說明司馬遷與《魯詩》的關係；第二章〈論刪詩說〉，主要藉由對《史記‧孔子世家》內容的探討，分析秦漢之際儒家後學對孔子形象再塑造的歷程，並以「合法的偏見」來詮釋孔子刪詩說的形成價值；第三章〈四始的再解讀〉，首先檢討清儒魏源解讀方式的得失，其次解釋「始」概念的產生、四始的主題內容、理論地位等；第四章〈關雎、鹿鳴與風雅正變〉，討論兩篇詩歌作爲刺詩卻又居於正風、正雅之首的爭議問題；第五章〈《商頌》辨〉，《商頌》創作時代有殷商及春秋宋國兩種不同的說法，作者分別

評述兩派觀點，然後提出十一點理由說明《商頌》爲商詩而非宋詩；第六章〈論聖人無父感天而生〉，分析殷商始祖感天而生的神話傳說對司馬遷天人宇宙觀的影響；第七章〈《詩經》與原始察終見盛觀衰的思維方式〉，說明《詩經》中「原始察終，見盛觀衰」的觀點對司馬遷思維方式的影響和《史記》內容上的體現；第八章〈論《史記》取材於《詩》〉，探討《史記》取材於《詩》的原因和方式；第九章〈司馬遷的《詩》學批評觀〉，談司馬遷論美刺諷諫及依《詩》論騷、賦等文學批評觀。　　　　　　　　　　　　　　　　　　　　　　　（何淑蘋）

《第四屆詩經國際學術研討會論文集》

《第四屆詩經國際學術研討會論文集》　中國詩經學會編　北京　學苑出版社
1344頁　2000年7月

　　中國詩經學會與山東大學於一九九九年八月四日至八日，在山東濟南聯合主辦「第四屆《詩經》國際學術研討會」，計有兩百四十餘人參加，其中來自日本、韓國、新加坡、臺灣之學者七十餘人。大會共收到論文或提要二百餘篇，本書則是收錄其中一百三十四篇論文結集而成。

　　全書雖未列出明顯的分類標題，但依論文編排順序，大抵可知發表的內容有以下幾類：⑴《詩經》學研究的回顧與展望，收論文七篇；⑵海外《詩經》學研究，收論文八篇，包括日本、韓國、馬來西亞等地；⑶《詩經》學史研究，收論文三十三篇，上自先秦諸子、下迄民國學者，研究論題所屬時代分別是先秦八篇、漢唐九篇、宋元明八篇、清代五篇、民國三篇；⑷《詩經》語言文字研究，收論文十七篇；⑸《詩經》各篇及各類詩研究，收論文二十二篇；⑹《詩經》思想文化研究，收論文二十三篇；⑺《詩經》文學研究，收論文二十四篇，包括《詩》、《騷》比較及陶淵明、嵇康、劉勰、朱熹等人對《詩經》文學的取法和探討。

　　由本書內容涉及的範圍來看，古今中外的相關論題都有學者加以關懷、探討，顯示出《詩經》研究內涵的豐富性和多樣性。在現今學者共同努力下，傳統學術不斷地注入活力，開拓出越來越多的新領域，這一可喜的現象，藉由《詩經》國際學術研討會的舉辦暨論文集的出版，就是最好的證明。　　　　　　　　（何淑蘋）

《禮樂與人生》

《禮樂與人生》　鄒順初著　臺北　頂淵文化事業公司　258頁　1999年2月

　　作者以元儒陳澔的《雲莊禮記集說》為張本，將全書四十九篇（其中〈曲禮〉、〈檀弓〉、〈雜記〉各有上下篇，實計四十六篇），重新整理分為五類，即是將四十九篇的內容納入「禮教鴻範」、「修齊治平」、「育樂宏規」、「慎終之道」、「敬宗尊祖」等類別中，目的在於使讀者更容易瞭解《禮記》。本書指出我國歷代朝廷的禮儀制度，是依據尊尊卑卑的等級秩序加以制訂的，亦指出目前海峽兩岸社會，雖因主政者的主義不同，但都生出亂象，人心敗壞，最主要的原因，是主政者不重視禮樂教育的結果。同時，作者認為重視禮樂並非倡言復古，而是禮樂乃人生必經的正途。

　　本書分為五章，第一章記「禮記之沿革」。第二章記「禮記之內涵」，將《禮記》四十九篇內容納入「禮教鴻範」、「修齊治平」、「育樂宏規」、「慎終之道」、「敬宗尊祖」等五個類別中，加以闡述說明。第三章記「禮樂未興之探討」，說明禮樂未興，乃「戰亂頻仍，失之管教」、「研究傳習，多重學理」、「雖有方針，各行其是」、「經文遺字，古義難箋」等原因。第四章記「禮樂與人生之探討」，從「既往歷史觀」與「從時下現象看」兩個角度探討。第五章記「禮樂與人生之我見」，作者提出「釐定施行細則——名之禮儀須知」、「納入各級教材——期以變化氣質」、「各種婚喪慶典——誘導合情合理」等建議，以期再造一個禮義之邦，消弭暴戾之氣。

（葉純芳）

《喪服制度的文化意義
——以《儀禮·喪服》為討論中心》

《喪服制度的文化意義——以《儀禮·喪服》為討論中心》　林素英著　臺北　文津出版社　498頁　2000年10月

　　古代喪禮主要包括喪、葬、祭三大部分。「喪」是規定死者親屬在喪期內的行為規範；「葬」是規定死者的應享待遇；「祭」是規定喪期內死者親屬與死者之間聯繫的中介儀式。三者之中，「喪」是喪禮的核心內容。

影響我國社會長達兩、三千年,象徵中華文化特殊異彩的喪服制度,大約開始於西周初年,也就是周民族在經歷武王克商的深切體驗以後,促使人文意識的覺醒,因此在建國之後,便極力開展人文的風采,認爲唯有鞏固人倫,才是國家常治久安之計。又由於喪服的訂定,象徵著人文的高度表現,於是將喪服制度配合宗法制度的施行,大力伸張親親思想,積極開拓尊尊大義,嚴加區分長幼人倫,特別強調男女有別的觀念,這些措施對於凝聚族群間的向心力,建立人倫的普遍秩序,鞏固社會政治的結構,都有關鍵性的價值。

由於《儀禮·喪服》是研究喪服問題最重要的文獻,作者即以此篇爲中心,而以《周禮》、《禮記》中與服喪事項相關的眾多記錄,爲推論制訂喪服用意的重要依據,再以其他相關的議禮資料爲佐證,企圖先行離析喪服制度的正則與變例,從正則所記載的喪服輕重、喪期長短與變除時機,架構喪服制度的基本組織,確立它的根本文化意義;從變例的「加服」、「降服」,凸顯當時文化或爲特別加隆恩情、或爲特別強調尊尊大義的特殊性質。於是制禮者意圖敦厚家族倫理親情、彰顯社會整體價值的用心當可更爲昭然若揭。亦即透過對於喪服制度的整體探討,制禮者極力推動人文化成、促使文化永續發展的用心,就更能受到現代人的肯定與支持。

本書共分爲七章,第一章緒論,說明研究的動機與目的、範圍與材料、步驟方法與研究的限制。第二章爲喪服禮俗的起源及其意義;第三章爲《儀禮·喪服》的結構組織;第四章爲服制條例的類型及內容;第五章爲喪服制度的一般通則在文化上的意義;第六章爲喪服制度的特殊通則在文化上的意義;第七章爲結論。

作者林素英,一九五五年生,臺灣師範大學國文系文學博士,致力於禮學思想之詮釋,著有《古代生命禮儀中的生死觀》、《古代祭禮中之政教觀》等學術論作,另有禮學思想之論文多篇。 (葉純芳)

《三國兩晉南北朝《春秋左傳》學佚書考》

《三國兩晉南北朝《春秋左傳》學佚書考》 沈秋雄著 臺北 國立編譯館 818頁 2000年12月

作者針對三國兩晉南北朝時期《春秋左傳》學佚文,分別簡介撰人、網羅佚

文，並對之前學者的輯佚成果考察，以補諸家之漏輯、正諸家之誤輯、刊諸家之贅輯、乙諸家之失次。而論析佚文的方式，衡諸經傳而議其是非、比諸他注而顯其傳承、驗諸古器而判其虛實、稽諸韻書而明其通塞、考諸輿志而擬以今地。並且綜合考證加以說明，參稽史志以審查其《左氏》學著作、綜合佚文以論述其《左氏》學概略、旁徵載記以考索其《春秋》學底蘊。

　　全文共有十二章：⑴〔魏〕董遇之《春秋左氏傳章句》；⑵〔魏〕王肅之《春秋左氏傳注》；⑶〔魏〕嵇康之《春秋左氏傳音》；⑷〔魏〕曹髦之《春秋左氏傳音》；⑸〔晉〕孫毓之《春秋左氏傳義注》及《春秋左氏傳賈服異同略》；⑹〔晉〕京相璠之《春秋土地名》；⑺〔晉〕干寶之《春秋左氏函傳義》；⑻〔晉〕徐邈之《春秋左氏傳音》；⑼〔宋〕賀道養之《春秋序注》；⑽〔陳〕沈文阿之《春秋左氏經傳義略》；⑾〔陳〕王元規之《續春秋左氏傳義略》；⑿〔後魏〕賈思同之《杜氏春秋難駁》。

　　三國兩晉南北朝的《春秋左傳》學書籍，現今所傳，皆非全本。所以想要探究當時的經學成就，就需要從現今所存的佚文來考索。這本書全面的對佚文逐一考證、說明，相當仔細。想對三國兩晉南北朝的《春秋左傳》學多加認識，這本書會有很大的幫助。

　　　　　　　　　　　　　　　　　　　　　　　　　　　　　　（簡逸光）

《左傳學論集》

《左傳學論集》　單周堯著　臺北　文史哲出版社　157頁　2000年2月

　　本書為作者將多年來研究《左傳》的見解集結成書，共收五篇相關論文，分別是：⑴〈高本漢《左傳》作者非魯國人說質疑〉；⑵〈讀杜預《春秋經傳集解序》〉；⑶〈錢鍾書《管錐篇》杜預〈春秋序〉札記管窺〉；⑷〈論章炳麟《春秋左傳讀》時或求諸過深〉；⑸〈訓詁與翻譯——理雅各英譯《左傳》管窺〉。總體而言，本論集所收內容，大抵為作者對國內外學者關於《左傳》學見解或論著的評論性文章。每篇論文雖是以某位學者的著述為評論的主題，但實際上作者往往列舉其它學者的看法相互論證，可知作者著重在問題的釐清，有助於加深讀者對《左傳》學部分觀念的理解。

　　作者單周堯，香港大學哲學博士，曾任英國里茲大學訪問學人。自一九七五年

起在香港中文大學中文系任教，講授《左傳》、文字學、音韻學等。現任香港大學中文系教授兼系主任。 （何淑蘋）

《語用學與《左傳》外交辭令》

《語用學與《左傳》外交辭令》　陳致宏著　臺北　萬卷樓圖書公司　333頁
　2000年12月

　　語用學（Pragmatics）即是語言實用學，主要在研究特定情景中的特定話語，尤其偏重在不同的環境下，如何去理解和運用語言的一門學科。外交辭令則是指春秋時期外交行人於外交場合中所運用的一套特殊語言符號系統，特性在強調辭令的說服性，已達到預定的外交目標。有鑒於歷來學者對於《左傳》外交辭令的探討，多著重於辭令特色與修辭技巧的討論，對於外交辭令之說服觀點及其背後文化因素等則較少著墨，作者擬由西方語用學的角度，對《左傳》外交辭令進行新的解析與詮釋。

　　本書共分五章：第一章「緒論」說明本書之研究範圍、資料取材及預期成果；第二章「語用學及《左傳》外交辭令概論」內容針對兩大關鍵語「語用學」及「《左傳》外交辭令」分別進行解析論述；第三章「言語交際與《左傳》外交辭令」即藉由語用學「語境」及「言語交際」等觀點，對《左傳》外交辭令成敗進行分析。第四章「文化制約與《左傳》外交辭令」則由德、禮等文化制約的角度來探討《左傳》外交辭令的謀畫、交際與結果。第五章「結論」中作者利用語用學的觀念，針對《左傳》外交辭令實際交際過程及影響結果之因素作一歸納整理，同時期望藉由本書的研究，能試圖利用新視野及新方法來探討中國的傳統典籍，爲《左傳》研究開拓新視野。

　　本書爲作者碩士論文之一部份，因篇幅所限，將論文分爲兩冊，一冊名爲《語用學與《左傳》外交辭令》，由語言交際與文化制約的觀點探討《左傳》中的外交辭令；另一冊爲《語用學與《左傳》外交賦詩》，內容主要在對外交賦詩的相關問題進行探討，對於《左傳》外交辭令與賦詩的論題，二書可互相參照。 （許馨元）

《語用學與《左傳》外交賦詩》

《語用學與《左傳》外交賦詩》　陳致宏著　臺北　萬卷樓圖書公司　338頁
2000年12月

外交辭令是指春秋時期外交行人於外交場合中所運用的一套特殊語言符號系統，特性在強調辭令的說服性，已達到預定的外交目標。而外交賦詩是一種特殊的外交辭令，及運用選賦某詩或某詩之某章，以間接、委婉的方式表述言外之意，並進行交際與溝通的一種特殊方式。歷來學者對於《左傳》外交賦詩的探討成果斐然，作者擬由西方語用學中「語境」及「間接言語行為」兩觀點，對《左傳》外交賦詩進行新的詮釋。在論述過程中對於春秋外交賦詩的起源、性質、種類及運用的場合、取義的方式等問題，亦有所探討。

本書共分四章：第一章「緒論」說明此文之研究範圍、資料取材及預期成果；第二章「語用學及《左傳》外交辭令概論」內容針對兩大關鍵語「語用學」及「《左傳》外交辭令」分別進行解析論述；第三章「語用學與《左傳》外交賦詩」先就外交賦詩的起源、種類、運用及功能作一統整，其次透過語用學中「語境」及「間接言語行為」等觀點對《左傳》中外交賦詩進行分析。第四章「結論」中作者認為外交賦詩是「間接言語行為」，其所表達的真正內涵在於所選詩篇、詩句的文字意義中，此為外交賦詩真正的溝通主體，而要正確解讀其涵義，「語境」便是關鍵所在，作者便透過語境作為判讀外交賦詩的標準，進一步推衍出其真正意義。此外作者期望藉由本書的研究，試圖利用新視野及新方法來探討中國的傳統典籍，為《左傳》研究開拓新視野。書末附表整理《左傳》中所記載的外交辭令，提供有興趣的讀者參考。

本書為作者碩士論文之一部份，因篇幅所限，將論文分為兩冊，另一冊名為「語用學與《左傳》外交辭令」，由語言交際與文化制約的觀點探討《左傳》中的外交辭令，二書可互相參照。　　　　　　　　　　　　　　　（許馨元）

《《論語》、《孟子》和行政學》

《《論語》、《孟子》和行政學》 〔韓國〕李文永著，宣德五、沈儀琳、趙羽、張明惠譯　北京　東方出版社　2000 年 12 月

儒家思想起源於中國，但其深遠的影響，可說是遍及全世界。特別是在東亞一帶，如日本、韓國等都是漢化非常深的國家，儒家的學說，深切影響這些國家整個民族性和國家現代化的歷史進程。

由於儒家思想根深柢固的影響，如今已有許多學者注意到儒學與現代化的問題，因爲他們發現，在走向現代化的過程，既有的傳統文化仍是佔有舉足輕重的地位，不該被全盤否定，儒學如何和現代化結合，就成爲一個被關切的焦點。

本書作者爲韓國知名學者和行政學家，他認爲人類社會要發展，就必須繼承過去優秀的傳統文化。他在序言中明白指出，《論語》和《孟子》是人類最早行政學論著，也是韓國人最早見到的行政學教科書。韓國民族正是因爲這兩部書的傳入，才脫離了野蠻社會，進入文明的時代。

在這本書中，作者以官權對國民管理力度將政府劃分爲三種：獨裁政府、強硬政府和軟弱政府。這三種當中，獨裁政府過於僵化，是最沒有效率的政府型態；軟弱政府常會被過多不負責任的要求所左右，所以並非有效的政府。他認爲，去掉「過分」這個修飾詞的強硬政府，才是理想中的政府。而《論語》和《孟子》兩部書中，所提倡的就是這種不過分強硬的政府，他們反對過分強硬的政府，也反對軟弱的政府。因此在書中不研究管子、申子、商子、韓非子等過分強硬政府論者，以及老子、莊子等軟弱政府論者。作者認爲，《論語》和《孟子》所講的可以說是溫和的官僚機構，如果能再以現代市民會議的民主文化加以完善，就可以成爲一套適應今日的統治型態。

本書作者積極參與許多韓國的民主化運動，和軍事獨裁政府發生激烈衝突，也因此多次被捕入獄。本書就是在作者切身的體認下所完成，他批判了韓國從前惡的政治型態，以《論語》和《孟子》二書，勾勒出他心目中完美的政府型態。他將儒學融入現代化行政體系中，並且將《論語》和《孟子》二書的資料依據行政學體系，重新加以編排，給予新的詮釋方向，可以說是具有新意和開創性的一部著作。

（謝旻琪）

《鄭玄註釋語言詞彙研究》

《鄭玄註釋語言詞彙研究》　張能甫著　成都　巴蜀書社　341頁　2000年3月

　　本書爲作者博士論文修改出版而成。全書內容共三章。作者先於書首之〈前言〉簡略說明先秦兩漢漢語研究的意義及現狀，並淺介東漢語料、註釋語料、鄭玄及鄭註等基本概念。本文第一章討論單音詞的歷史層次與基本詞，解釋語言基本詞彙的概念和歷史發展；第二章爲複音詞的歷史層次研究，分別論述周代至東漢的複音詞，作者將鄭玄用於註釋的詞彙加以分析，以實際的數字統計解說複音詞發展的歷史層次；第三章爲新詞新義研究，作者先對新詞新義訂立衡量的標準，然後對這些新詞加以分析，最後以鄭註爲例，探討註釋語料在辭書編纂中的地位和價值。

　　作者對於鄭玄註釋語言詞彙的深入研究，除了有助於釐測周代至鄭玄時漢語詞彙繼承創新的情形外，並可進一步了解註釋語料在辭書編纂和詞彙史上的價值。

（何淑蘋）

《朱彝尊經義考研究論集》

《朱彝尊經義考研究論集》　林慶彰、蔣秋華主編　臺北　中央研究院中國文哲研究所籌備處　上、下冊　917頁　2000年9月

　　清初學者朱彝尊（1629－1709）收集先秦至清初經學書目，編成卷帙達二百卷的《經義考》一書，爲清初以前經學著作之總匯，清修《四庫全書總目》對《經義考》多有沿襲、參考之處，顯見此書內容的豐富，至今仍爲經學研究者不可或缺的重要工具書。

　　中央研究院中國文哲研究所經學文獻組林慶彰、蔣秋華、楊晉龍三位先生，曾向國科會提出整理《經義考》之專題研究計畫，執行成果匯爲《點校補正經義考》一書，並於一九九七年六月至一九九九年七月間陸續出版完成，合計八冊。在整理《經義考》的同時，主事者也陸續收集數十篇相關研究論文，本研究論集即是從其中選錄二十四篇而成。

　　本書上冊收：⑴羅仲鼎、陳士彪〈朱彝尊年譜〉；⑵吳梁〈朱彝尊著述考略〉；⑶翁衍相〈朱彝尊《經義考》〉；⑷田鳳臺〈朱彝尊與《經義考》〉；⑸杉

山寬行著、金培懿譯〈論朱彝尊的《經義考》——主論《經義考》之諸版本〉；(6)邱建群〈朱彝尊《經義考》讀後記〉；(7)盧仁龍〈《經義考》綜論〉；(8)吳梁〈經學目錄巨著——《經義考》〉；(9)蔡瑃琪〈從目錄學角度看《經義考》〉；(10)朱則傑〈朱彝尊的《經義考》〉；(11)陳祖武〈朱彝尊與《經義考》〉；(12)曾貽芬〈《經義考》初探〉；(13)王渭清〈談《經義考》中的「《易》考」——兼及全祖望《讀易別錄》〉；(14)黃忠慎〈《經義考》所載今存或可考之北宋《詩》學要籍述評〉；(15)楊果霖〈《經義考》徵引《文獻通考・經籍考》考述〉；(16)喬衍琯〈《經義考》所引《千頃堂書目》彙證〉；(17)喬衍琯〈論《千頃堂書目》、《經義考》與《明史》的關係〉；(18)楊晉龍〈《四庫全書》處理《經義考》引錄錢謙益諸說相關問題考述〉；(19)林慶彰〈四庫館臣篡改《經義考》之研究〉。下冊收:(1)莊清輝〈《經義考》與《四庫提要》之關係〉；(2)王渭清〈談羅振玉《經義考目錄》及《校記》〉；(3)楊果霖〈羅振玉《經義考目錄・校記》研究〉；(4)喬衍琯〈《經義考》及《補正》、《校記》綜合引得敘例〉；(5)朱則傑〈朱彝尊學術貢獻述評〉；最後附王清信、葉純芳編〈朱彝尊研究資料彙編〉，收集朱氏傳記、著作之相關資料，便於研究者參考。　　　　　　　　　　　　　　　　　　　　　　　　（何淑蘋）

《陳奐研究論集》

《陳奐研究論集》　林慶彰、楊晉龍主編　臺北　中央研究院中國文哲研究所籌備處 638 頁　2000 年 12 月

　　本論集主要分為兩部分。第一部分是從專著中蒐集陳奐的行狀、年譜等傳記資料，編成「傳記年譜」，共收有戴望〈孝廉方正陳先生行狀〉、張星鑑〈陳碩甫先生傳〉等十一篇；第二部分是蒐集國內外研究陳奐的論文，編為「著作研究」，包括:山本正一〈陳碩甫小論〉、楊向奎〈陳奐南園學案〉、濱久雄〈陳奐的經學思想〉、林葉連〈陳奐的《詩經》學〉、田漢雲〈陳奐與《詩毛氏傳疏》〉、滕志賢〈陳奐與《詩毛氏傳疏》芻論〉、林慶彰〈陳奐《詩毛氏傳疏》的訓釋方法〉、種村和史〈陳奐《詩毛氏傳疏》的性質〉、江慎中〈陳碩甫《東門之楊・疏》駁議〉、滕志賢〈試論陳奐對《毛詩》的校勘〉、滕志賢〈陳奐的校勘〉、臼田眞佐子〈陳奐《說文部目分韻》考〉等十四篇；最後附錄為葉純芳、王清信編輯的〈陳

奐相關資料彙編〉，將散見於各專著、史志、工具書中的相關文獻加以彙集，俾利讀者參考。

　　陳奐（1786－1863）為清乾嘉時期著名的經學家，但長期以來並未受到學界的重視，除了少數學者對他的代表作《詩毛氏傳疏》稍有研究外，只有零星的幾篇文章略作其整體學術成就的探討，研究成果可謂寥寥。中研院文哲所經學文獻組近幾年來在執行「清乾嘉學派經學研究計畫」的同時，選擇數位乾嘉學者的著作加以點校整理，並收集相關論文，彙編為研究論集，陳奐即為其中之一。本研究論集已將大部分陳奐相關研究資料蒐羅殆盡，相信對於陳奐或乾嘉學術研究成果的提升，將有實質的助益。

（何淑蘋）

《清代廣東樸學研究》

《清代廣東樸學研究》　李緒柏著　廣州　廣東省地圖出版社　281頁　2001年2月

　　本書內容共計十一章。第一章〈緒論〉，簡述清代前期廣東學術文化概況，主要在介紹前期理學風氣及其代表人物，並說明嘉慶中後期起廣東漢學氛圍的醞釀情形；第二章〈清代廣東樸學的興起〉，說明阮元督粵後以封疆大吏號召經史實學，使廣東樸學風氣正式興盛開展；第三章〈沈寂與低落階段〉，指道咸之時因政治動盪使樸學發展陷於低潮時期；第四章〈廣東樸學的復興〉，論述咸豐末年之後，以學海堂、菊坡精舍、廣東書局為中心的文化群體逐漸聚集，至同、光之際，東塾學派的形成標志著廣東樸學發展至鼎盛的階段；第五章〈廣東樸學的尾聲〉，指張之洞創辦廣雅書院、廣雅書局，對於清代後期樸學運動的推廣之功；第六、七章著重在討論「清代廣東樸學成就」，包含經書、文獻、天文曆算、金石方志等多方面；第八章〈清代廣東樸學興盛探源〉，歸納出學術文化環境的成熟等五點原因；第九章〈樸學運動對廣東社會文化的推動〉，說明樸學發展對教育、藏書、刻書等事業的影響；第十章〈廣東樸學運動的歷史地位及其意義〉，認為廣東樸學上承乾嘉考據餘緒，下啟漢宋兼采派的形成，實為嶺南文化發展史上的重要環節；第十一章〈民初廣東學海餘波〉，略述清末廣東學風延續至民初的情況。

　　作者李緒柏，一九五○年生，湖北省武漢市人。南開大學歷史學碩士，現任中

山大學歷史系副教授。主要研究領域爲中國史學史與嶺南文化。曾與人合撰專著三部，並發表論文數十篇。　　　　　　　　　　　　　　　　　　　（何淑蘋）

《清代揚州學術研究》

《清代揚州學術研究》　祁龍威、林慶彰主編　臺北　臺灣學生書局　2001年4月

　　清代考據學的興起，是起源於儒者對明末士大夫空談心性的否定。清初，顧炎武首倡「經學即理學」，開創了清代以來「通經致用」的樸學之風。乾嘉諸儒繼起，篤志研究經學，治學嚴謹，並且旁通其他諸學，著作繁多，成就可謂粲然。其後有以惠棟爲宗師的「吳派」，然後是以戴震爲宗師的「皖派」，接下來就是以焦循、阮元等人爲代表的「揚州學派」。

　　事實上，儘管清代乾嘉以來，考據之風盛行，成就相當大，但就細部觀察，各個學派的宗旨和治經的方法都有不同。祁龍威先生認爲，吳、皖、揚三派的劃分，代表了乾嘉經學連續發展的三個階段。自梁啓超談清代乾嘉之學以來，許多學者受其影響，往往忽略了揚州學派在學術上的特殊意義，多僅從漢學的角度，談吳、皖二系的不同。然而這樣的分法並不嚴謹。揚州學派儘管在許多地方承繼著皖派學風，但學術地位自有其獨特性，而且其博通而多元的特色，也不能以單一的角度來看。

　　自從一九六二年出版張舜徽先生所著《清代揚州學記》以來，揚州學派的研究開始受到重視，二十多年後揚州師範學院舉辦了揚州學派研討會，並印行了論文集，使得揚州學派的研究成爲乾嘉學術研究的重點之一。其後陸續有許多著作出版，中研院文哲所也著手揚州學派的研究，一九九八年正式提出爲期三年的「清乾嘉學派經學研究計劃」，同時也提出「清乾嘉揚州學派研究」計劃，並到揚州進行考察，揚州大學也因此成立了「揚州學派學術研究中心」，海峽兩岸共同召開了揚州學派會議，開展了揚州學派研究的學術交流。

　　本書是海峽兩岸學者合作研究清代揚州學派，所產生的第一本論文集。本書由臺灣、揚州、北京、上海等地學者提供三十餘篇論文，全書依各篇論文內容分爲兩部分討論：一爲揚州學術總論，二爲揚州學者分論。書中內容涉及廣泛，包括清代乾嘉學派內部的漢宋之爭，和吳、皖、揚三派的分別，以及揚州諸儒對於經學、小

學、史學、戲曲等研究的探討。本書的出版，具有兩岸學術交流上開創性的意義。

（謝旻琪）

《經學研究論叢》撰稿格式

　　本《論叢》爲方便編輯作業，謹訂下列撰稿格式：

一、章節使用符號，依一、㈠、1.、⑴……等順序表示。

二、使用新式標點，以 Word 全形標點符號表爲主。如刪節號爲……，書名號爲《 》，篇名號爲〈 〉，書名和篇名連用時，以「‧」斷開。如《詩經‧小雅‧鹿鳴》。

三、用語句所用括號，外括號用「 」表示，有內括號時，用『 』表示。

四、獨立引文，每行低三格。

五、論文之體例，請依下列格式：

　　㈠人名生卒年

　　　吳澄（1249－1333）

　　㈡年代時間

　　　　1.正德戊寅十三年（1518）

　　　　2.西元 1999 年

　　　　3.民國八十九年十月十七日

　　㈢古籍卷數

　　　《王陽明全集》第二十六卷

六、注釋之體例，請依下列格式：

　　㈠注釋號碼請用阿拉伯數字標示，如❶，❷，❸，……。

　　㈡以隨頁註方式，採用 Word「插入」工具中之註腳表示。

　　㈢引用古籍

　　　　1.古籍原刻本

　　　　〔明〕梅鷟：《尚書考異》（清嘉慶十九年刊《平津館叢書》本），卷1，頁4。

　　　　2.古籍影印本

〔明〕羅欽順：《整菴存稿》（臺北：臺灣商務印書館，1983 年影印清乾隆年間寫《文淵閣四庫全書》本，第 1261 冊），卷 5，頁 63。

㈣引用專書

王夢鷗：《禮記校證》（臺北：藝文印書館，1976 年 12 月），頁 102。

㈤引用論文

1.期刊論文

屈萬里：〈宋人疑經的風氣〉，《大陸雜誌》第 29 卷第 3 期（1964 年 8 月），頁 23－25。

2.論文集論文

侯外廬：〈吳澄的道統論與經學〉，林慶彰主編：《中國經學史論文選集》（臺北：文史哲出版社，1993 年 3 月），下冊，頁 293。

3.學位論文

張以仁：《國語研究》（臺北：臺灣大學中國文學研究所碩士論文，1958 年），頁 201。

4.報紙論文

丁邦新：〈國內漢學研究的方向和問題〉，《中央日報》，1988 年 4 月 2 日。

㈥再次徵引

1.再次徵引時，可用簡單方式處理，如：

❶　程元敏：〈書疑考〉，《書目季刊》第 6 卷 3、4 期合刊（1971 年 6 月），頁 93。

❷　同前註。

❸　同前註，頁 98。

2.如果再次徵引的註，不接續，可用下列方式表示：

❹　同註❶，頁 96。

七、投稿方式

㈠逕交或寄送（以下二處擇一）

1.[106]　臺北市大安區和平東路一段 198 號

　　　　臺灣學生書局經學研究論叢編輯部

2.[115]　臺北市南港區研究院路二段 128 號

　　　　中央研究院中國文哲研究所清代經學研究室

3.來稿請以電腦中文打字，並附上磁片。

㈡或以電子郵件寄送至以下位址：

lwenchon@pcmail.com.tw

請在「主旨」中註明「經學研究論叢投稿稿件」。

國家圖書館出版品預行編目資料

經學研究論叢・第十輯

林慶彰主編.— 初版.—臺北市：臺灣學生，
2002[民 91]　面；公分

ISBN 957-15-1119-6 (平裝)

1. 經學 – 論文，講詞等

090.7　　　　　　　　　　　　　　　　　91003555

經學研究論叢・第十輯 （全一冊）

主　編　者：林　　　慶　　　彰
責任編輯：張　　　穩　　　蘋
出　版　者：臺　灣　學　生　書　局
發　行　人：孫　　　善　　　治
發　行　所：臺　灣　學　生　書　局
　　　　　　臺北市和平東路一段一九八號
　　　　　　郵政劃撥帳號00024668號
　　　　　　電　話：(02)23634156
　　　　　　傳　真：(02)23636334
　　　　　　E-mail：student.book@msa.hinet.net
　　　　　　http://studentbook.web66.com.tw

本書局登
記證字號：行政院新聞局局版北市業字第玖捌壹號

印　刷　所：宏　輝　彩　色　印　刷　公　司
　　　　　　中和市永和路三六三巷四二號
　　　　　　電　話：(02)22268853

定價：平裝新臺幣四〇〇元

西 元 二 〇 〇 二 年 三 月 初 版

09008　　　　　有著作權・侵害必究
　　　　　ISBN 957-15-1119-6 (平裝)